LA FOLIE
ET LA CHOSE
LITTÉRAIRE

DU MÊME AUTEUR

La « Folie » dans l'œuvre romanesque de Stendhal
José Corti
1971

Literature and Psychoanalysis :
The Question of Reading - Otherwise
éd., Yale French Studies
New Haven
1977

SHOSHANA FELMAN

LA FOLIE
ET LA CHOSE
LITTÉRAIRE

ÉDITIONS DU SEUIL
27, rue Jacob, Paris VIᵉ

ISBN 2-02-004958-9

A la mémoire de mon père.
A ma mère.

Qu'il me soit permis d'exprimer ici ma profonde reconnaissance à la fondation Guggenheim, de même qu'à la fondation Ford de l'université de Yale, dont l'aide m'a permis de poursuivre la recherche dont cet ouvrage est issu. *S. F.*

*Un des Proverbes de Blake dit que Si
d'autres n'avaient pas été fous, nous
devrions l'être. La folie ne peut être
rejetée de l'intégralité humaine, qui ne pourrait être accomplie sans le fou. Nietzsche
devenant fou — à notre place — a rendu
cette intégralité possible : et les fous qui
avaient perdu la raison avant lui n'avaient
pas pu le faire avec autant d'éclat. Mais le
don qu'un homme fait de sa folie à ses
semblables peut-il être accepté par eux
sans qu'il soit rendu avec usure ? Et si elle
n'est pas la démence de celui qui reçoit
la folie d'un autre comme un don royal,
quelle peut en être la contrepartie ?*

Georges Bataille.

ÉCRITURE ET FOLIE : POURQUOI CE LIVRE

I

Nietzsche devenant fou — à notre place...

Mais quelle est dès lors *notre place?* Elle ne peut être ni dans sa folie, ni hors d'elle : ni *dans* la démence, ni non plus *au-dehors*. Je ne puis parler, quant à moi, ni comme folle ni comme non folle.

« Et si elle n'est pas la démence de celui qui reçoit la folie d'un autre comme un don royal, quelle peut en être la contrepartie? » De ceux qui, à travers l'écriture, nous ont fait don de folie, je laisse venir les mots dans ce livre : qu'ils se mettent à ma place, qu'ils me pensent. Et qu'ils pensent ceci : « Si d'autres n'avaient pas été fous, nous devrions l'être. »

D'autres l'ont été. Ils l'ont été, dit Bataille, avec éclat. Ce livre leur est consacré, qui voudrait réfléchir sur *leur place* — en nous. Sur leur place, là où ils ont été fous *à notre place.*

Faire la théorie de cette place : assumer, au sein même de la théorie, ce rapport vivant à une place qui n'est pas la mienne mais qui est à ma place, tel est le projet, le désir de ce livre.

★

On connaît l'importance, et l'enjeu, de la question de la folie dans le champ culturel contemporain, où la folie non seulement préoccupe, mais *fait converger* plusieurs disciplines, dont du coup elle *subvertit les limites*. La sociologie comme la philosophie, la linguistique comme la littérature, l'histoire comme la psychologie, et bien entendu la psychanalyse et la psychiatrie, tour à tour interrogent la folie et se trouvent interrogées par elle. Si la question de la folie s'est avérée aujourd'hui une des questions les plus subversives, certains regrettent cependant qu'elle soit devenue à ce point sensationnelle, en même temps que banale.

11

> Révolution psychiatrique. Révolution psychanalytique. Antipsy-
> chiatrie. Folie ou déraison? Qui ne « sait » aujourd'hui ce qu'est la
> maladie mentale? La grande presse s'en mêle qui publie de longs et
> larges débats la concernant. Des écrivains de tout poil s'en mêlent.
> Tel veut « schizophréniser » la société. Tel autre proclame qu'on
> « punisse et reconvertisse les psychiatres ». Qui « sait » et qui ne
> « sait » pas? Est-ce que ce sont « les psychiatres et psychanalystes
> qui sont tous des déments dangereux »? [...] On peut ne voir là
> qu'ironie ou impatience devant les lieux communs rebattus et
> éculés [1].

Que la folie soit devenue aujourd'hui un lieu commun donne
pourtant à penser. Et qu'elle ait mis le verbe « savoir » entre guillemets
n'est certes pas une de ses moindres conséquences. Au-delà de toute
caricature, on commence à entrevoir que, si la question de la folie
accompagne avec tant d'insistance le bouleversement actuel du statut
même du savoir, c'est qu'elle pose en effet, et de plus d'une manière,
la question dont on n'a pas fini de mesurer la portée — et le sens —,
et qui, désormais, ne va plus de soi : non pas « qui " sait " et qui ne
" sait " pas? », mais *qu'est-ce que c'est que « savoir »?*

★

Nous vivons aujourd'hui, il faut bien le dire, une période d'inflation
de discours sur la folie. On peut bien déplorer ce phénomène et s'en
désolidariser, en voulant dérober la folie aux effets mystifiants du
marché de la mode. On peut, d'autre part, s'en réjouir et joindre sa
voix au concert général, promouvoir à son tour l'article « folie » comme
effet de valeur des dernières nouvelles pour se réclamer d'une avant-
garde ou, comme le dirait Mallarmé, « s'écrier son propre contemporain ». « Ne devient pas fou qui veut », bien sûr; mais le mot « folie »
n'en est pas moins à la portée de toutes les bouches.

N'est-il pas paradoxal, en effet, qu'au milieu de cette imprégnation
de l'époque par des discours concernant la folie, au milieu de cette
omniprésence culturelle d'une pensée de la folie, on n'ait pas encore
commencé à penser la portée — et la signification — de cette inflation
discursive *pour* la folie, et pour notre époque? Pourquoi cet investisse-
ment massif du phénomène de la folie? Si tout le monde aujourd'hui
se mêle de « folie » et en parle, personne cependant ne se pose la
question : *que signifie le fait même que tout le monde en parle? Qu'est-
ce que parler de la folie?* Et qu'est-ce qu'une folie qui est *lieu commun?*
Si leurrante et si mystifiante que soit cette inflation discursive, ne

---

1. M. Thuilleaux, *Connaissance de la folie*, Paris, PUF, 1973.

suggère-t-elle pas en réalité qu'il se joue, dans la solitude même des fous, quelque chose dont tout le monde a sa part?

Que la folie soit devenue, aujourd'hui, une communauté de *lieu* discursif n'est pas un de ses moindres paradoxes. Car la folie marque, en général, un lieu d'*exclusion*, le *dehors* d'une culture. Or, une folie qui est lieu *commun* marque tout au contraire un lieu d'*inclusion*, et précisément le *dedans* d'une culture.

C'est peut-être là que réside la spécificité même de la « folie » à notre époque, de désigner à la fois l'extérieur et l'intérieur : l'intérieur, dans la mesure même où elle est censée « être » l'extérieur. Dire que la folie est devenue bel et bien notre lieu commun, c'est donc dire que la folie désigne dans le monde contemporain l'ambiguïté radicale de l'intérieur et de l'extérieur, en tant que cette ambiguïté échappe justement aux sujets parlants, qui ne parlent que pour la méconnaître. Une folie devenue *lieu commun* signifie qu'on ne peut plus, désormais, penser la folie comme un simple *lieu* à l'intérieur de notre époque; c'est plutôt l'époque tout entière qui confusément se perçoit comme un *lieu* à l'intérieur même de la folie. Un discours qui traite la folie ne peut plus savoir, désormais, s'il est dedans ou dehors, intérieur ou extérieur à la folie dont il parle.

Certes, au niveau du lieu commun, la folie a en quelque sorte cessé de nous paraître étrange. Or, avoir perdu de la sorte l'étrangeté même de la folie (ou s'en donner le change), n'est-ce pas ce qu'il y a, justement, de plus étrange, de plus *fou* dans le discours contemporain?

★

Qu'est-ce donc que *parler de la folie?* On a dit et répété après Foucault, avec lui : la folie est absence de langage, absence d'œuvre, le silence d'un langage étouffé, refoulé; notre tâche historique est dès lors de rendre à la folie la parole, de lui restituer son langage : un langage *de* la folie, et non *sur* la folie. Or, c'est bien notre drame culturel que ce langage nous est précisément impossible à articuler : en cherchant à « dire la folie elle-même », on ne peut que tenir un discours *sur* elle; en voulant « parler la folie », on est nécessairement réduit à parler *sur* la folie. On l'a dit et on l'a répété, comme si d'ores et déjà nous avions compris ce que c'est que parler *sur* la folie, et qu'il ne nous restait donc plus qu'à chercher à comprendre l'incompréhensible — à écouter l'inaudible du dire même de la folie, en elle-même.

Ce livre, tout autrement, ne cherche pas à « dire la folie elle-même », mais plutôt à poser la question : parler *sur* la folie, sait-on ce que c'est?

13

Sait-on ce que c'est qu'*écrire sur* la folie (et non pas écrire la folie)? Or, puisqu'il n'y a pas de métalangage, écrire *sur* la folie et écrire la folie, parler *sur* la folie et parler la folie ne se rencontrent-ils pas quelque part? Quelque part où ils ne se donnent *pas* rendez-vous? Ne serait-ce pas dans ce quelque part, justement, que pourrait se situer l'*écriture?*

★

Si tant est que l'histoire culturelle contemporaine s'est ouverte à la signifiance de la folie, je crois que nous n'avons pas encore commencé à soupçonner la part qui, dans cette ouverture historique, revient à la littérature. On entend trop souvent aujourd'hui que la littérature est chose périmée, qu'on ne veut plus en entendre parler. On peut encore, à la rigueur, parler de « texte », d' « écriture » — pas de littérature. De même qu'on enferme les fous et qu'on a enfermé la folie à l'intérieur des limites réductrices du concept de « maladie mentale », on veut enfermer la littérature à l'intérieur des limites réductrices du concept esthétisant de « belles-lettres », issu du libéralisme bourgeois; en démystifiant ce libéralisme, on prétend liquider, en finir avec la notion même de littérature, comme s'il ne sautait pas aux yeux que la chose littéraire débordait ces enjeux de l'idéologie bourgeoise, que la littérature non seulement excède, mais de fait subvertit de part en part cette définition réductrice, dans laquelle on a cherché, et on cherche encore, à l'emprisonner. Alors qu'au moyen de la littérature la folie est, en quelque sorte, entrée à l'ordre du jour, tout se passe comme si la littérature en était bien au contraire sortie; alors que la folie est enfin reconnue comme question brûlante, tout se passe comme si la question de la littérature devenait inactuelle; s'en détournent tous ceux qui ne s'intéressent qu'aux passions et aux enjeux politiques. Pourtant, un livre-repère comme celui de Foucault reconnaît, nous rappelle que la folie dans l'histoire culturelle, réprimée et réduite au silence, refoulée comme elle est du champ politique, social et philosophique, ne se dit, ne se fait entendre, ne subsiste en tant que sujet parlant que dans et par le texte littéraire.

La fascination qu'exerce la folie sur le champ théorique contemporain repose donc sur un paradoxe : alors qu'on exalte des expériences telles que celles d'Artaud ou de Sade; alors qu'on admet qu'une folie réprimée s'est toujours réfugiée dans la littérature, et qu'on fait témoigner des textes littéraires — en fonction d'enjeux politiques, sociaux, idéologiques et éthiques — devant le tribunal de l'histoire, on continue, sur le plan théorique, à nier l'importance, l'incidence, et même l'existence de la littérature. Nous vivons donc là une contradiction dont procède la scène contemporaine : au moment où on croit « libérer » la folie, c'est-à-dire tout au moins disloquer et défaire les codes culturels de son refoulement, on *refoule*, on dénie la littérature, seul canal par lequel la folie, dans l'histoire, s'était dite en son propre nom, ou a pu tout au moins parler avec une relative liberté. Or, c'est le fait même de son refoulement qui fait de la littérature aujourd'hui une question actuelle, un enjeu politique, au même titre que la folie.

Il me semble que le paradoxe historique de l'enfermement de la littérature au moment où on veut libérer la folie, cette contradiction qui régit l'idéologie en cours entre ses projets de tabou et ses projets de libération, n'est pas une pure coïncidence. Le refoulement de la littérature ne viendrait-il pas *compenser*, justement, le projet contemporain d'une libération de la folie? Ne serait-il pas possible de penser, justement, l'actuelle *mé*connaissance de la littérature comme l'inévitable *contrepartie* de la *re*connaissance même de la folie — et de la peur que celle-ci inspire? En effet, l'ambiguïté de la scène contemporaine me paraît en elle-même révélatrice de quelque vérité radicale, dont elle n'est que le symptôme historique : la folie et la chose littéraire ont partie liée, à travers l'histoire, à travers leur opacité historique, en tant qu'objets de refus, de méconnaissance et de dénégation, en tant que pôles de gravitation de l'énergie même du refoulement en tant qu'elle joue à l'intérieur d'un espace mouvant, mais irréductible. Il existe, entre littérature et folie, un rapport obscur mais constitutif : ce rapport tient à *ce qui les barre*, à ce qui les *voue* l'une et l'autre au refoulement et au démenti.

★

Mon projet est d'explorer ce rapport : l'explorer afin de tâcher de voir si la folie et la chose littéraire peuvent réciproquement s'éclairer, nous informer l'une *sur* l'autre, en nous informant l'une *par* l'autre.

Qu'est-ce que la folie? Il ne sera pas ici question de répondre, si ce n'est en questionnant cette question. Quelles sont, dans notre discours culturel, les implications de l'acte même de poser la question de la folie? Lorsqu'un texte se réfère à la « folie », de façon « littéraire » ou bien « philosophique », théoriquement ou bien rhétoriquement — *que fait-il?* Que signifie sa démarche? Quelles en sont l'économie, la manœuvre, la stratégie, la question?

Or, puisque folie et littérature sont liées par ce qui les barre, la question : « comment un texte parle-t-il de la folie? », n'aura de sens qu'à se compléter de la question qui l'éclaire et la double : comment, à l'intérieur même du texte, la folie est-elle *niée?* De quelle façon la folie y rencontre-t-elle ce qui la barre? Je tâcherai donc d'analyser, avant tout, les structures et les modes mêmes du *refoulement* à l'intérieur du langage littéraire. La dénégation portant sur la folie, aussi bien que sur la littérature, comment fonctionne-t-elle? Comment fonctionne-t-elle, non pas simplement au-dehors, mais bien au-dedans du texte? Quelles sont, à l'intérieur même du texte, les structures de la méconnaissance — et de sa propre méconnaissance?

En étudiant de la sorte la folie à travers la littérature, et la littérature à travers la folie, mon effort sera pour interroger, à chaque fois, la spécificité d'un texte dans son irréductible pratique singulière, mais aussi, en même temps, le statut même de la chose littéraire. Si, à l'instar même de la folie, la littérature était constituée par un espace de répression qui est celui de sa méconnaissance; si, selon des modes historiques changeants, le refoulement de la littérature lui était *constitutif*, serait-il possible sinon de dire, tout au moins d'indiquer ou de suggérer ce qui fait l'objet de ce refoulement? Pourrait-on définir la chose littéraire comme ce qui ne parle, et qui n'est *parlant*, qu'à partir de ce qui *l'empêche de parler*, à partir et à cause même de ce qui le barre? Pourrait-on éprouver une telle définition à travers une pratique de lectures? C'est à quoi s'essayent les études qui vont suivre.

Si je propose donc ici d'ouvrir le champ littéraire à la question de la folie et à ses implications actuelles pour la philosophie, pour la psychanalyse, pour la sociologie et pour la linguistique, ce n'est que pour penser à nouveau, et pour penser autrement, la spécificité même du champ littéraire ainsi ouvert. Car, à partir des renseignements et des enseignements fournis par ces disciplines annexes, j'essaierai de montrer comment la littérature éclaire la folie d'une façon qui lui est spécifique, d'un éclairage qui n'est pas simplement le double des informations théoriques venues de la psychanalyse, de la sociologie, de la philosophie, mais qui, tout en ressemblant à celles-ci, s'en différencie; s'en différencie de façon à montrer, du même coup, comment d'ores et déjà ces informations se différencient d'elles-mêmes, comment elles sont, elles aussi, traversées par une ombre de la folie dont elles parlent. A partir de l'ouverture historique contemporaine à la folie, à partir du renouvellement théorique de la question de la folie dans le champ culturel contemporain, ce livre entend s'ouvrir sur un renouvellement des études littéraires, en explorant, à travers une écoute de la folie dans la littérature, de nouveaux modes de lecture et d'appréhension de la chose littéraire.

II

Parler de la folie — dans quelle langue?

Certains des textes inclus dans ce livre ont été écrits d'abord en anglais (pour des revues américaines)[1]; les autres études — la plupart — ont été écrites en français (en fonction de publications françaises)[2]. Les auteurs étudiés dans ce livre sont eux aussi, d'autre part, des habitants de deux langues : des écrivains de langue française : Nerval, Rimbaud, Balzac, Flaubert, et un écrivain de langue anglaise, Henry James, qui lui-même, par ailleurs, entendait et parlait également le français et qui, vivant dans un va-et-vient entre l'Amérique et l'Europe, cherchait à définir justement le projet même de son écriture comme un produit de ce va-et-vient, comme la décision de parler *à partir* de ce va-et-vient pour en dire le *sens*, c'est-à-dire pour en faire émerger un *indécidable:* « *I aspire to write,* disait-il, *in such a way that it would be impossible to an outsider to say whether I am at a given moment an American writing about England or an Englishman writing about America (dealing as I do with both countries)* [3]. » Je dirais, en empruntant le langage même de Henry James, que je voudrais écrire de telle sorte que, pour un observateur du dehors, il serait impossible de dire si je suis une Française écrivant sur l'Amérique ou

1. « Les femmes et la folie : histoire littéraire et idéologie », publié sous le titre : « Women and Madness : The Critical Phallacy », in *Diacritics*, vol. V, n° 4, hiver 1975; « Folie et philosophie : raison de la littérature », publié sous le titre : « Madness and Philosophy, or Literature's Reason », in *Yale French Studies*, n° 52 *(Perspectives in Literature and Philosophy)*, 1975; « Piège pour la psychanalyse : le tour de vis de la lecture », publié sous le titre : « Turning the Screw of Interpretation », in *Yale French Studies*, n° 55/56 *(Literature and Psychoanalysis: The Question of Reading — Otherwise)*, 1977.
2. « *Aurélia* ou le livre infaisable » : première version publiée dans *Romantisme*, n° 3, 1972; « La répétition : folie du lyrisme » : d'abord paru sous le titre : « Lyrisme et répétition », in *Romantisme*, n° 6, 1973; « Folie et économie discursive : *l'Illustre Gaudissart* » : première version parue sous le titre : « Folie et discours chez Balzac : *l'Illustre Gaudissart* », in *Littérature*, n° 5, février 1972; « Tu as bien fait de partir, Arthur Rimbaud » : paru dans *Littérature*, n° 11, octobre 1973; « Illusion réaliste et répétition romanesque » : paru dans *Change*, n°s 16-17 *(la Critique générative)*, septembre 1973; « Modernité du lieu commun » : paru dans *Littérature*, n° 20, décembre 1975; « Thématique et rhétorique, ou la folie du texte » : publié dans les Actes du colloque de Cerisy, *La Production du sens chez Flaubert*, Paris, 10/18, 1975 ; « La méprise et sa chance » : première version (abrégée) parue dans *l'Arc*, n° 58 *(Jacques Lacan)*, octobre 1974.
3. *Letters* to William James, 1898.

bien une Américaine écrivant sur la France. (En l'occurrence, je ne suis ni française ni américaine.)

Pourquoi cette nécessité de passer entre les langues? Cette nécessité a-t-elle quelque chose à voir avec la folie? Ou avec la chose littéraire? Qu'est-ce qu'une langue étrangère? Qu'est-ce qu'une langue maternelle? Qu'est-ce qu'une langue, et qu'est-ce qu'une grammaire? Quelle est la langue dans laquelle se donne à lire le sens d'une grammaire?

« *There is often something radically strange*, écrit un critique américain, *in the language of others* [1]. » Or, écrire sur la folie n'implique-t-il pas la nécessité, justement, de retrouver dans la langue, par la langue, quelque chose de radicalement étrange? Chaque langue est auto-familière : elle a ses propres concepts, son propre système de pensée qui en elle conditionne le pensable. Nous parlons, nous pensons à partir de décisions prises d'avance dans la langue : chaque langue dicte à ses usagers ses interdictions et ses évidences, inscrites dans et par sa grammaire : une grammaire par définition invisible de l'intérieur de la langue. Pour rendre apparente cette grammaire, il faut arracher la langue à sa présence à soi : déstabiliser ses évidences et ses interdictions en soumettant celles-ci à l'altérité d'une autre grammaire, à leur mise en question par une langue étrangère.

L'essence du refoulement se définit pour Freud comme un « défaut de traduction », c'est-à-dire comme la barrière même qui nous sépare d'une langue étrangère. Or, si la folie comme la chose littéraire sont régies par cela même qui les refoule, par cela même qui les inter-dit dans la langue, si elles procèdent donc en quelque sorte l'une et l'autre, chacune à sa manière, d'un « défaut de traduction », le projet de les lire doit nécessiter un passage de la limite entre langues. Et sans doute en franchissant cette limite, en passant d'une langue à une autre, n'arrive-t-on pas à *annuler* le « défaut de traduction », on ne lève pas la barre du refoulement, mais on la déplace, on la *fait apparaître*, pour mieux pouvoir l'analyser. « Sortir de la métaphysique », ne serait-ce pas avant tout sortir de la *physique* même d'une langue maternelle? « Qu'est-ce, écrit Philippe Sollers, qu'un sens en langue de mère-patrie? La propriété privée de la parole enfantine [...] La langue nationale, maternelle, ne se rêve pas, elle fait rêver un sujet dans son rêve. *Mais le rêve d'une langue peut être la veille d'une autre*, et quand il fait nuit sous une latitude, il peut faire jour sous une autre [2]. » Or, si le

---

1. « Il y a souvent quelque chose de radicalement étrange dans la langue des autres » (G. Hartman, in *Critical Inquiry*, vol. III, nº 2, hiver 1976; je traduis).
2. « Joyce et Cᵢᵉ », in *Tel Quel*, nº 64, hiver 1975, p. 15.

« défaut de traduction » est entre les langues, quelque part, radicalement irréductible, il s'agit, en passant d'une langue à une autre, en franchissant la limite entre langues, non pas tant (et non pas simplement) de traduire, que de *se* traduire à l'altérité des langues. Parler de la folie, c'est parler de la différence entre langues : faire passer à travers une langue l'étrangeté d'une autre; chercher à ébranler, dans chaque langue, les décisions linguistiques qu'elle prescrit à notre parole, afin qu'émerge entre les langues, dans un lieu indécidable, la liberté de parler.

★

Si l'on pouvait savoir d'où l'on parle (et d'où l'on se tait), je dirais donc que ce livre s'énonce à partir d'un lieu *pluriel* et d'une perspective *dialogique*, constituée par le va-et-vient entre l'Amérique et la France, entre le français et l'anglais, entre le contexte francophone et le contexte anglo-saxon. Ce va-et-vient est nécessairement la confrontation de deux types de données culturelles et idéologiques, ainsi que de deux domaines littéraires et théoriques.

Si ce livre s'écrit à partir de cette confrontation des domaines, il n'en est pas pour autant la synthèse, le simple dédoublement de leur coexistence pacifique. Sa position d'énonciation n'est pas une position confortable : la situation culturelle qu'il implique est celle, quelquefois, d'un *conflit* de codes; la confrontation n'est pas un spectacle, mais une dynamique, une inter-*action* qui déplace à la fois les deux domaines, les décentre l'un par rapport à l'autre; il ne s'agit pas d'un simple échange, mais d'un mouvement qui *ex-centre*.

Tout à la fois faire jouer la *rencontre* et faire agir l'*intervalle* entre le contexte français et le contexte américain; faire intervenir, à la lettre, l'*excentricité* réciproque de chacun de ces deux contextes l'un par rapport à l'autre, pour faire émerger de cet entre-deux un mouvement de signification dialogique et différentiel — telle a été ma façon spécifique d'éprouver, d'une autre manière encore, la question même de la folie.

★

Le lecteur français reconnaîtra, aux noms propres des théoriciens discutés ou cités, ainsi qu'au vocabulaire conceptuel et critique utilisé dans ce livre, le contexte théorique français. Il faudrait cependant ne pas trop se hâter de simplement « reconnaître » cette double référence nominale et terminologique; ne pas trop se hâter de la désamorcer par une étiquette qui la cataloguera selon des stéréotypes codés. Ce livre s'écrit à partir d'un lieu excentrique à ces codes centrés.

De l'extérieur, le tableau *agonistique* du contexte français se donne à lire d'une autre manière que celle dont, de l'intérieur il se perçoit lui-même. Les textes, et leurs enjeux théoriques, débordent et excèdent la scène par laquelle ils se donnent en spectacle, et se donnent à eux-mêmes le spectacle du drame et des antagonismes dans lesquels ils sont pris. A partir d'une position ex-centrique : à distance, ou plutôt à partir d'une relation mouvante de distances et de proximités changeantes, les lignes de démarcation entre des théories qui se donnent pour adverses sont bien moins décidables. Les pensées ne s'opposent pas nécessairement là où s'opposent les penseurs : il est toujours possible de se tromper d'adversaire. Ce n'est pas que les différences, quelquefois radicales, n'existent pas; mais ces différences, étant *asymétriques*, le plus souvent échappent à la simple structure de l'opposition. Il ne faudrait donc pas trop se hâter d'interpréter, dans ce livre, les références nominales françaises comme de simples index de codes — voire de complicités — théoriques. Ces noms propres, pour moi, ne sont pas des drapeaux; ils ne marquent pas la clôture d'une position acquise d'avance et d'une réponse préconçue, mais, bien au contraire, l'ouverture de questions dont les réponses sont encore à venir.

Ces références, en d'autres termes, sont ici les repères, avant tout, non pas d'un rapport à un code, mais d'une *relation à un texte* — à *des textes* dont la lecture, à mes yeux, ne peut pas être tenue pour acquise, dont les implications sont encore à trouver, à articuler et à éprouver. Lorsque, dans ces études, je me réfère à ces textes théoriques et aux débats dans lesquels ils sont pris, ce que je tâche d'y lire, d'y explorer et d'y analyser, ce n'est pas les enjeux de la polémique et ses péripéties datées, mais la façon dont les textes, de part et d'autre, échappent, justement, au savoir de leurs sujets supposés; la façon dont le savoir du texte — le *savoir supposé sujet* et qui ne peut pas savoir ce qu'il sait — échappe, justement, à la scène que se jouent les *sujets supposés savoir*. Liés à des noms bien connus, les enjeux théoriques marqués par ces noms sont donc ici quelque peu déplacés.

Il en va de même pour l'usage terminologique de certains concepts clés en tant qu'instruments pragmatiques et critiques : ils ne figurent pas ici à titre de signes de reconnaissance, mais à titre de *problèmes* théoriques dont les conséquences sont encore à tirer, dont les possibilités sont à éprouver et à articuler, par l'épreuve singulière d'un texte littéraire. Chaque texte ici remettra en question les termes et les instruments critiques par lesquels il sera appréhendé, et leur donnera finalement un sens différent, singulier, renouvelé. De sorte que ce ne seront pas seulement les textes littéraires eux-mêmes qui, à partir de leur éclairage par cette problématique théorique, s'ouvriront à une lecture tout autre, mais aussi les termes critiques et les instruments théoriques qui seront redécouverts, réinterprétés. Les outils théoriques, en d'autres termes, ne fonctionneront pas ici comme un nouveau *sens* à donner au texte, mais comme une nouvelle façon pour en être *affecté*. La terminologie critique s'avérera dès lors être, non pas une nouvelle façon de parler, mais une nouvelle façon de se taire devant la chose littéraire.

★

Quant à la référence américaine, comme elle sera nécessairement moins apparente au lecteur français, je voudrais tâcher, brièvement, d'en expliciter l'essentiel. Cet essentiel se résume dans le travail de ceux qui m'entourent, immédiatement et quotidiennement, travail qui est venu récemment à être appréhendé (je l'apprends des journaux américains) comme un nouveau type de critique littéraire et comme un nouveau courant théorique, qu'on dénomme « l'école de Yale » *(The Yale School)*. De façon significative, ce courant a été également désigné (toujours dans les journaux ou revues) par des appellations hétéroclites : « la nouvelle école franco-américaine », « les critiques post-nouveaux-critiques » *(The Post-New-Critical Critics)* ou bien encore « les critiques insolites » *(The Uncanny [unheimlich] Critics)*. En quoi consiste donc l' « école de Yale », et en quoi consiste, plus précisément, ce qui est désigné et perçu comme son élément « insolite »?

Comme il se trouve que moi-même j'enseigne à Yale, je voudrais tout d'abord préciser que cette étiquette forgée par les mass media en réalité ne recouvre aucune pensée homogène, unifiée. Si le *symptôme* même de l'étiquette est sans doute significatif, l'étiquette, elle, comme toutes celles de ce genre (celle, par exemple, en France, de la « nouvelle critique »), ne sert que des commodités polémiques. Cependant, et à titre informatif, je l'assumerai ici partiellement et provisoirement, pour tâcher de synthétiser à partir d'elle, dans le travail de mes collègues, en dépit de la diversité très réelle des *réponses* théoriques et pratiques, tout au moins une communauté de *questions*, ou de préoccupations; questions et préoccupations qui ont laissé leur marque sur ce livre, et qui pourraient éclaircir d'où il parle.

Ces questions peuvent être ramenées au problème général — et central — de la place de la rhétorique dans une théorie du langage littéraire, ou plutôt, de la place de la littérature dans une théorie de la rhétorique : l'interrogation porte sur les possibilités, et sur les implications, d'une *radicalisation* d'une théorie de la rhétorique, c'est-à-dire d'une théorie générale qui rendrait compte, à la fois, de l'*efficacité linguistique* (du langage comme action) et de l'*intelligibilité linguistique* (du langage comme connaissance).

La figure dominante de l' « école de Yale » (dont l'impact, en particulier, marque ce livre) est celle de l'instigateur de cette approche théorique, qui est aussi son théoricien principal : Paul de Man [1], dont la pensée, nourrie par trois contextes culturels (germanique, français, anglo-américain), procède de quatre champs de recherche, dont elle articule les enseignements concernant la rhétorique : la linguistique, la philosophie, la logique et la théorie littéraire. Cette pensée de la rhétorique, bien que marquant aujourd'hui une tendance de la critique américaine, est donc tributaire, là encore, d'un contexte pluriel, non centré, tout à la fois international et interdisciplinaire.

S'inscrivant dans le courant du renouvellement des recherches rhétoriques, la tendance de l' « école de Yale » va de pair avec le mouvement du renouveau, en France, de la « néo-rhétorique ». Elle se distingue cependant de celle-ci par sa conception même de la rhétorique, c'est-à-dire par sa façon de comprendre l'objet même de son étude. Ces différences sont peut-être dues au fait que le courant français, issu du formalisme et de la linguistique structurale, vise une *science* de la littérature et se conçoit avant tout comme une branche de la *sémiologie*, alors que la tendance américaine articule la rhétorique et la théorie littéraire (qu'elle ne conçoit pas comme une science) plutôt en rapport avec la *logique* et avec la *philosophie*.

En quoi cette philosophie de la rhétorique se distingue-t-elle d'une pure sémiologie de la rhétorique ? Pour une sémiologie de la rhétorique, les figures et les tropes ont le même statut que les signes linguistiques ; leurs propriétés sont donc étudiées en fonction de l'établissement d'une sorte d'inventaire descriptif exhaustif, d'une sorte de *code* de figures et de tropes. Dans la perspective, en revanche, de cette philosophie de la rhétorique que j'essaie de schématiser, ce qui est étudié c'est le *fonctionnement épistémologique* des tropes et des figures rhétoriques *en tant qu'il diffère*, justement, *de l'épistémologie du signe*, en tant qu'il relève de la *subversion* du modèle univoque du code et du principe sémiologique du rapport consistant entre signe et sens.

Dans les termes de De Man, les sémiologues français utilisent des catégories rhétoriques conjointement à leur usage des catégories

---

1. Cf., en particulier, *Blindness and Insight, Essays in the Rhetoric of Contemporary Criticism*, New York, Oxford University Press, 1971, ainsi que de nombreux articles en français et en anglais.

grammaticales, et assimilent quelquefois les transformations rhétoriques à des types de transformations syntagmatiques — comme si la logique même de la rhétorique était *continue* à celle de la grammaire, comme si l'étude des tropes et figures était une pure extension de l'étude des modèles grammaticaux. « La question se pose, écrit de Man, de savoir si cette réduction de la figure à la grammaire est bien légitime. L'existence de structures grammaticales à l'intérieur et au-delà de l'unité de la phrase, dans les textes littéraires, est indéniable, et leur description et leur classification sont indispensables. La question demeure cependant de savoir si et comment les figures de rhétorique peuvent être incluses dans une telle taxonomie [1] .» Or, des théoriciens américains tels que Kenneth Burke, des logiciens tels que Peirce insistent au contraire sur la distinction, et sur l'hétérogénéité, entre grammaire et rhétorique. « Dans sa définition du signe, Peirce insiste sur la présence nécessaire d'un troisième élément, qu'il appelle l'*interprétant*, dans toute relation que le signe entretient avec son objet. Le signe doit être interprété si nous voulons comprendre l'idée qu'il doit communiquer [...] L'interprétation du signe n'est pas, pour Peirce, un sens, mais un autre signe; c'est une lecture, non un décodage, et cette lecture, à son tour, doit être interprétée — engendrer donc un autre signe; et ainsi de suite *ad infinitum* [2]. » Peirce appelle l'étude des lois du procès infini au moyen duquel « un signe en engendre un autre » une *rhétorique pure*, par opposition aux deux autres branches de la sémiotique : la « grammaire pure », étudiant les conditions formelles que doivent remplir les signes pour incorporer un sens, quel qu'il soit, et la « logique pure », étudiant les conditions formelles de la vérité des signes [3].

Au contraire de celle des sémiologues français, la théorie rhétorique de De Man opère donc dans l'espace de la tension, de la discontinuité, entre grammaire et rhétorique. De Man déplace la « grammaire pure » (reposant, selon sa conception, sur le postulat d'un sens non problématique, dyadique) par les théories du performatif issues de J. L. Austin, opposant au langage « constatif » (descriptif, cognitif et informatif) le langage « performatif » (dont l'énonciation accomplit des *actes* de langage, qui échappent comme tels à la pertinence du critère cognitif : vérité/fausseté). Introduit dans la théorie rhétorique, le concept de « performatif » n'y est toutefois pas importé tel quel,

---

1. P. de Man, « Semiology and Rhetoric », in *Diacritics*, n⁰ 3, automne 1973, p. 28 (je traduis).
2. *Ibid.*, p. 29.
3. Ch. S. Peirce, « Logic as Semiotic : The Theory of Signs », in *Collected Papers*, Harvard University Press, 1960, vol. V.

mais se trouve lui-même foncièrement déplacé, modifié et repensé, en particulier à travers la philosophie de Nietzsche. Si le passage nietzschéen d'une conception constative du langage à une conception performative est tout à fait irréversible, la différenciation entre langage constatif et langage performatif demeure elle-même cognitivement indécidable. Puisque l'*acte* de langage remet en question la simple *connaissance* linguistique, il ne peut ni *savoir ce qu'il fait*, ni non plus *savoir ce qu'il ne sait pas*. « Tout acte de langage, écrit de Man, produit un excès de cognition, mais il ne peut jamais espérer savoir, ou connaître, le procès de sa propre production [...] Il n'y a jamais assez de savoir pour adéquatement rendre compte de l'illusion de savoir[1]. » Si la critique nietzschéenne de la métaphysique est, selon de Man, structurée comme une *aporie* entre le langage constatif et le langage performatif, c'est que l'ultime découverte de Nietzsche pourrait bien être la découverte de *la nature aporétique de la rhétorique elle-même* : « La découverte que ce qu'on appelle " rhétorique ", c'est précisément le *décalage* que rend manifeste l'histoire pédagogique et philosophique du terme. Considérée comme persuasion, la rhétorique est performative; considérée, d'autre part, comme un système de tropes, la rhétorique déconstruit sa propre performance. La rhétorique est un *texte* dans la mesure où elle rend possible la coexistence, et le jeu, de deux points de vue incompatibles et réciproquement destructeurs l'un de l'autre[2]. » La rhétorique, dans cette conception, est donc la structure même de l'aporie qui se place dynamiquement *en travers* de tout effort de lecture, et qui, systématiquement, défait la compréhension.

Élaboré en conjonction avec le travail de l' « école de Yale », ce livre, à sa façon spécifique, articule et repense — à travers sa rencontre avec des textes particuliers — une conception de la rhétorique qui le sous-tend, et qui se distinguera de la conception prédominante de la « néo-rhétorique » en France par les traits, ou les présupposés, suivants :

1. Il conçoit le rhétorique comme ayant une fonction performative, qui n'est pas simplement coextensive à sa fonction cognitive; la recherche rhétorique elle-même, qu'elle le veuille ou non, participe nécessairement de l'action du langage qu'elle explore, et ne peut se concevoir simplement comme une recherche constative, descriptive.

1. P. de Man, « The Purloined Ribbon », in *Glyph*, nº 1, 1977, p. 45.
2. P. de Man, « Action and Identity in Nietzsche », in *Yale French Studies*, nº 52 (*Perspectives in Literature and Philosophy*), 1975, p. 29.

2. Par conséquent, les figures sont à lire comme des *actes* de langage, c'est-à-dire comme des *forces* et non comme des formes. Il s'agit non pas tant d'une géométrie, mais de quelque chose comme une physique : de l'étude des *mouvements* produits par l'*interaction* des forces dans la langue. La figure n'est pas simplement un *topos* (le repérage d'un lieu), puisque le dynamique déplace constamment le topique, puisque le performatif sans arrêt modifie les démarcations constatives; elle n'est pas non plus simplement un *pathos* (le déplacement aveugle d'intensités affectives ou psychiques), puisque l'opacité répétitive du mouvement des forces produit sans arrêt un excès cognitif; elle n'est pas non plus simplement un *logos* (la transparence d'un sens), puisque l'excès cognitif, produit par des actes de langage, ne peut pas se savoir, n'a donc pas de sens; puisque la répétition des forces, étant inconsistante ou a-totalisable, ne relève pas d'un code. Ni le repérage d'un *topos*, ni l'opacité d'un *pathos*, ni la transparence d'un *logos*, la figure produit tout à la fois un effet de topos, un effet de pathos, un effet de logos qui se déconstruisent réciproquement, et entre lesquels elle est, justement, le mouvement de l'*inadéquation*, et le *travail même de la différence*.

3. La rhétorique n'est donc pas un système de transformations gouverné par un *modèle génératif unique* (un système de déviations contrôlées par la consistance d'un code), mais plutôt la subversion d'un modèle logique par un autre qui lui est totalement étranger; la rhétorique relève de la discontinuité, et de l'*interférence* entre *deux* codes, entre deux ou plusieurs systèmes totalement hétérogènes l'un à l'autre.

4. Une telle théorie de la rhétorique ne peut se concevoir comme une *science* de la littérature, car sa définition même du rhétorique exclut la possibilité d'une parfaite adéquation logique à l'objet de sa recherche. Puisque, aussi rigoureuse et poussée que soit l'étude (constative) des figures, elle ne pourra jamais pour autant permettre de *prévoir* leur fonctionnement performatif; puisque la recherche elle-même ne peut pas ne pas participer à la performance rhétorique qu'elle explore, et ne peut donc jamais parfaitement contrôler la rigueur épistémologique de sa propre rhétorique, une parfaite connaissance de la rhétorique (voire une connaissance scientifique) est théoriquement inconcevable.

5. Une telle conception de la rhétorique échappe à l'alternative symétrique esquissée par la polémique française entre une « rhétorique générale » et une « rhétorique restreinte », puisqu'elle fonctionne tout à la fois comme une rhétorique générale *et* comme une théorique restreinte, puisqu'elle procède, justement, de la structure aporétique,

de la tension entre les deux. Comme la « rhétorique restreinte », elle ne croit pas que la rhétorique se subsume en une seule et unique figure, en un seul et unique mode figural archétypal de tous les autres; elle reconnaît donc la nécessité et l'utilité des traités de figures, et la pertinence des distinctions entre les différentes figures, entre les figures et les tropes, entre métonymie et métaphore, comme entre sens propre et sens figuré. Mais elle considère que la rhétorique ne fonctionne *à partir* de ces distinctions que pour, en dernière instance, *en partir*, que la rhétorique ne construit ces classifications que pour, en dernière instance, les déplacer ou les subvertir.

Au sens où, selon Peirce, le « conservatisme » consiste en « une peur des conséquences », alors que le « radicalisme » se définit par « le désir de pousser les conséquences à leurs extrêmes limites »[1], il s'agit donc ici d'une théorie rhétorique radicale, d'une *radicalisation* d'une théorie de la rhétorique. Mais si la logique de la rhétorique n'est pas simplement celle d'une construction, si c'est celle d'une déconstruction, et spécifiquement d'une *auto-déconstruction*, ce radicalisme ne dépend pas du choix du théoricien, il est coextensif à l'usage du langage, *inhérent* au fonctionnement rhétorique. Les constructions rhétoriques fonctionnent, font acte de langage, de telle sorte qu'elles finissent par ébranler le fondement épistémologique qu'elles présupposent et postulent, et sur lequel elles sont construites : le propre de la performance rhétorique est de se dérober le sol sous les pieds.

La rhétorique n'est donc ni simplement restreinte, ni simplement générale. Le système des figures et des tropes n'est pas un simple système de classifications, de distinctions et d'oppositions : c'est aussi le système de la *mise en mouvement* des *stabilités* qui supportent le système; le système de la substitution (du changement et de l'ébranlement) des fondements sur lequel est fondé le système.

6. Cette théorie rhétorique recherche, de façon spécifique, *le moment insolite de la théorie:* elle utilise la logique et les instruments de la logique dans le but de trouver le moment aporétique où la logique achoppe; elle utilise des concepts dans le but de tâcher d'indiquer, paradoxalement, ce que l'intelligence conceptuelle ne peut intégrer, le résidu de son opération, son articulation sur son *reste*. Or, c'est ce moment insolite — que pointent les démarches de la théorie mais qui met la théorie en échec —, ce moment subversif de sa propre rigueur, ce point de fuite de la compréhension, qui, dans cette conception de la rhétorique, est ressenti comme le plus percutant, le plus

---

1. Ch. S. Peirce, « The Scientific Attitude and Fallibilism », in *Philosophical Writings of Peirce* (éd. Justus Buchler), New York, Dover, 1955, p. 58.

probant et le plus pertinent à la nature même de l'*acte rhétorique*, en tant qu'il spécifie, justement, le fonctionnement de la chose littéraire.

III

On trouvera dans ce livre une mise à l'épreuve de cette conception : une recherche de ses possibilités et un questionnement de ses implications. Aussi voudrais-je, en résumant brièvement les enjeux théoriques des études qui vont suivre, indiquer ici schématiquement le biais par lequel ils se rattachent à la problématique rhétorique. Si, *a priori*, le lecteur trouve ces indications obscures, il pourra y revenir *a posteriori*, ou les lire en accompagnement des textes respectifs qu'elles éclairent et résument à la fois.

Alors que la table organise les différentes études selon l'optique des divers *types de discours* (Philosophie, Poésie, Récit, Psychanalyse) en leur rapport à la folie (et à la chose littéraire), l'analyse que je vais esquisser à présent éclairera selon une autre optique (celle de la *rhétorique*) les interrelations entre les différents chapitres, et dégagera donc une autre structure, et d'autres parcours de lecture possibles.

Les chapitres III et V : « La répétition : folie du lyrisme » (sur Nerval) et « Folie et économie discursive » (sur Balzac), sont des explorations textuelles du fonctionnement épistémologique de la métonymie et de la métaphore, ainsi que de la performance rhétorique de la substitution (du changement et de la subversion) des fondements.

Les chapitres IV et IX : « Tu as bien fait de partir, Arthur Rimbaud » et « Modernité du lieu commun » (à propos de *Novembre* de Flaubert), constituent des études de la rhétorique de la *modernité :* à partir des recherches rimbaldiennes concernant le discours poétique, à partir des recherches flaubertiennes concernant les techniques du récit, l'originalité historique de Rimbaud et de Flaubert est textuellement étudiée — à travers les paradoxes et les contradictions rhétoriques de leur pensée de la modernité. Ces deux chapitres esquissent, de la sorte, à partir de deux pratiques d'écriture radicalement différentes, une théorie de la modernité comprise non comme une *entité historique* à l'intérieur d'un schéma de *progrès*, mais comme une *aporie rhétorique* (poétique dans un cas, narrative dans l'autre) entre l'écriture d'une *rupture* et l'inscription d'une *répétition :* entre l'écriture d'une rupture qui ne peut cependant s'écrire, et l'inscription d'une répétition qui ne cesse de répéter des ruptures. La modernité s'avère être, non pas tant la mort d'une époque historique et le commencement d'une autre, mais l'assomption historique de sa propre finitude : l'écriture poétique de Rimbaud, l'écriture narrative de Flaubert, selon leurs rhétoriques respectives, portent en elles, et assument, les conditions de leur propre destruction. Cette conception rhétorique de la modernité rend possible une nouvelle lecture de l'histoire littéraire : le romantisme et le réalisme sont réinterprétés comme des modes de rapport du texte à sa propre rhétorique.

Le chapitre VII : « Illusion réaliste et répétition romanesque » (encore sur Flaubert : *Un cœur simple*) et le chapitre II : « De Foucault à Nerval : *Aurélia* ou " le livre infaisable " », repensent, eux aussi, les notions historiques du réalisme et du romantisme, en tant que deux types de rapport, et deux types du récit du rapport, entre rhétorique et folie.

Le chapitre VI : « Les femmes et la folie », explore les possibilités d'une articulation de l'analyse idéologique sur le questionnement rhétorique de l'institution du sens propre, et de la façon dont celle-ci (dans la littérature comme dans la critique) programme les normes mêmes de la lisibilité. Cette étude analyse comment la femme, dans un texte littéraire (*Adieu* de Balzac) et dans un texte critique qui en programme la lecture, occupe *par définition* la place rhétorique même de la folie; et comment la femme, programmée comme elle est à être exclue du sens propre, devient, dans la critique littéraire, l'*invisible du réalisme*.

Le chapitre VIII : « Thématique et rhétorique, ou la folie du texte », est une analyse des implications théoriques et méthodologiques de la radicalisation de la notion même de rhétorique; analysant concrètement, dans *les Mémoires d'un fou* de Flaubert, la façon dont la *performance* du texte (son acte de langage, son action rhétorique) diffère radicalement de son *sens*, cette étude dégage et repense la *figure* comme *ce par quoi le thème se dérobe*, ce par quoi l'énoncé disfonctionne, et le sens se subvertit, s'aliène; le texte dans son ensemble est de la sorte interprété non en tant que sens propre, mais en tant que figure de lui-même : figure de sa propre performance.

Le chapitre I, « Cogito et folie, ou raison de la littérature », explore, à partir du débat entre Derrida et Foucault concernant la notion de folie et son rapport à la philosophie, le *statut impensé de la chose littéraire*, pourtant omni-présente dans ces deux pensées : impensé dynamique qui structure le *rapport* entre ces deux théories, et qui déplace à la fois la *structure* et l'*enjeu* de leur opposition. C'est dans la mesure où ces deux théories, toutes différentes qu'elles sont, peuvent être rhétoriquement pensées comme *figures l'une de l'autre*, qu'elles laissent dégager de leur *entre-deux* une figure de la folie qui est celle, justement, de l'a-topos, du non-lieu, de l'inadéquation et du travail même de la différence entre les deux pensées; de même qu'à l'intérieur de leur propre rhétorique.

Le chapitre x : « La méprise et sa chance », articule la théorie rhétorique sur les enseignements et sur les questions, mais aussi sur un questionnement des difficultés et des contradictions de la psychanalyse lacanienne, où les figures rhétoriques s'assimilent aux mécanismes de l'inconscient, c'est-à-dire à la rhétorique d'un *réel* qui provoque sa propre méconnaissance, et où le *temps logique* ne peut que scander « le moment de comprendre, justement, de l'effet produit par la non-compréhension [1] ». Si la psychanalyse, comme la rhétorique, recherche *par la logique* justement le moment même de l'*aporie*, c'est-à-dire de l'*achoppement logique*, si, par le tourment même de la logique, elle tâche d'articuler son savoir sur ce qu'il ne peut intégrer, c'est qu'elle est elle aussi, comme la rhétorique, non seulement une constatation théorique du malentendu radical, mais aussi une performance théorique de la chance même de la méprise. La chance de la méprise, c'est, d'une part, la pratique de la cure par l'erreur du transfert (erreur rhétorique par excellence), et, d'autre part, la chance théorique produite, dans l'écriture de Lacan, par l'aporie rhétorique. Je soutiens que la place unique de Lacan (l'insolite de son *pari* de confronter, pour ainsi dire, la psychanalyse à sa propre folie en la poussant aux limites de ses conséquences logiques) est due à son apport rhétorique tout autant qu'à son apport théorique, et à l'ouverture frayée par l'interaction entre les deux. Ce n'est peut-être pas un hasard si « rhétorique » est bel et bien (comme l'a fait remarquer Michel Deguy) un anagramme de « théorique » : dans la *performance* [2] lacanienne (bien différente de la somme thétique qui passe pour la « théorie de Lacan ») la méprise a sa chance, justement, d'*anagrammatiser* le *théorique* par le *rhétorique*.

Mais la psychanalyse est elle-même piégée par la rhétorique : si

1. J. Lacan, in *Scilicet*, n° 1, p. 25 (Éd. du Seuil, 1968).
2. J'utilise, bien sûr, ici (et ailleurs) le terme « performance » dans le sens théorique qui le rattache au concept de « performatif », sens emprunté à l'anglais, mais qui est entré dans l'usage du français, et qui restitue à « performance » le sens étymologique de l'ancien français (*parformer* : « accomplir », « exécuter »). « Performance » (opposé à « constatation », « constat » ou « description », comme en anglais *performance* s'oppose à *statement*) signifie donc le *fonctionnement* concret par lequel quelque chose réellement *s'effectue*, s'exécute, s'accomplit, *prend effet*; la façon dont quelque chose (une énonciation) *fait acte* (acte qui n'est pas coextensif à sa *signification*, telle qu'on peut la *constater*, en rendre compte par une description ou par une constatation).

Lacan, par son énonciation plus encore que par ses énoncés, a *ouvert* en effet la psychanalyse au fonctionnement de la chose littéraire et à son action de frayage articulé-inarticulé, non totalisable et immaîtrisable, la chose littéraire n'en fonctionne pas moins comme un *piège pour la psychanalyse* lorsque celle-ci essaie justement de « l'expliquer » et de la maîtriser, d'y prendre l'inconscient sur le fait. Le chapitre XI : « Piège pour la psychanalyse : le tour de vis de la lecture », fait ressortir en quoi la lecture rhétorique se distingue de la lecture analytique (et en particulier, du type de lecture qui s'est consacré en Amérique sous l'étiquette de « lecture freudienne »). Lorsqu'elle « explique » la chose littéraire, lorsqu'elle situe, en particulier, la *folie* dans la littérature, la psychanalyse, en réalité, court le risque de ne faire ressortir que sa propre folie : la folie même de l'interprète. A partir d'une lecture du texte de James intitulé *le Tour de vis (The Turn of the Screw)* et d'une lecture de sa lecture (d'une analyse de la scène critique à laquelle ce texte a donné lieu); à partir de certaines *conséquences* théoriques et rhétoriques tirées de la *rencontre* entre la psychanalyse lacanienne, la théorie rhétorique élaborée par l' « école de Yale », et la *performance* rhétorique tout à fait remarquable de James, ce chapitre élabore une théorie de l'*effet de lecture* en tant qu'*effet de transfert:* une théorie de la lecture centrée sur une analyse rhétorique, et sur un examen théorique, des incidences du transfert dans le texte et dans sa lecture.

On sait que Charles Mauron, dans sa théorie de la « psychocritique », a différencié l'analyse littéraire inspirée par la psychanalyse de la psychanalyse proprement dite par le fait que le facteur analytique crucial du transfert est présent dans celle-ci, mais absent de celle-là. Le transfert, comme drame réellement vécu où participent activement l'analyste et l'analysant, est traditionnellement pensé comme le propre de la psychanalyse, comme ce qui, constituant la spécificité même de la situation analytique, la distingue donc de l'expérience littéraire. Je soutiendrai ici, au contraire, que le transfert (à repenser, à réexaminer) définit également (d'une autre façon) la spécificité même de l'expérience littéraire; que le transfert, pour la littérature et pour la critique littéraire, est de tous les concepts de la psychanalyse tout à la fois le plus important, le plus suggestif, et le moins exploré. Je soutiens (et j'essaie de le démontrer) que nous n'entrons dans le texte littéraire que *par* le transfert : par le leurre rhétorique. Je suggère donc que, pour la littérature (mais peut-être aussi pour la psychanalyse), la notion de transfert est à repenser en termes de la rhétorique. Mais la rhétorique, d'autre part, est elle-même à repenser, à réinterpréter, en termes de la conception analytique du transfert.

J'essaie d'entreprendre cette tâche et d'articuler cette question par rapport au texte de James. La *force* remarquable du texte de James (attestée par la littérature critique, par la violence des passions critiques et des querelles qu'il a inspirées) ne s'explique que par l'incidence du transfert : j'étudie à la fois l'incidence rhétorique et l'incidence transférentielle, et l'incidence rhétorique *en tant qu'incidence transférentielle* dans le rapport entre les personnages, dans le rapport entre les narrateurs, ainsi que dans le rapport entre le texte et ses lecteurs.

De cette étude, il se dégage une théorie de l'*effet de lecture* (voire, de l'effet de transfert) en tant qu'*interprétant dynamique* du texte (*interprétant*, dans le sens de Peirce : non pas une personne, mais *effet* — de signifiant, et de sens); une théorie (et une démonstration) de l'*effet de transfert* comme interprétant de la *place* dynamique du destinataire — *du lecteur* — en tant que signe du signe, signe lui-même du texte. La théorie rhétorique elle-même se transforme et se renouvelle, de la sorte, en s'ouvrant sur une théorie générale du lecteur et de la lecture : du lecteur en tant que participant d'un drame transférentiel vécu — en tant qu'*acteur* textuel inconscient, pris sans le savoir dans le champ de forces de la « pure rhétorique » de l'*adresse* des signes, de leur référence aux interprétants; de la lecture en tant que *répétition* aveugle, accomplissement performatif de la rhétorique même du texte (et non pas de son sens).

★

La pensée de ce livre, selon sa propre conception, n'est elle-même, bien sûr, qu'un effet de lecture; en tant que telle, elle n'est à son tour qu'un signe du signe « folie », l'interprétant dynamique et le performateur mi-conscient de l'action rhétorique de ce signe.

Ce livre est dès lors lui-même un effet du signifiant « folie ». De ce signifiant, il recherche non pas tant le sens, que la force; non pas ce qu'il *est* (signifie) mais ce qu'il *fait* — les actes textuels et les événements énonciatifs qu'il déclenche et auxquels il donne lieu.

Si l'analyse conduite dans ce livre, en dernière instance, réfléchit la folie même de l'interprète, c'est que d'une certaine façon se rencontrent et se mêlent quelque part — au point de fuite de l'ininterprétable vers lequel pointe, et dont se déchire, l'effort interprétatif — la rhétorique de la folie et la folie même de la rhétorique.

Septembre 1977.

PREMIÈRE PARTIE

FOLIE ET PHILOSOPHIE

« Homme » signifie « penseur » ;
c'est là qu'est la démence.
                    Nietzsche.

Foucault/Derrida

Folie et logos

COGITO ET FOLIE
OU RAISON DE LA LITTÉRATURE

FOLIE ET PHILOSOPHIE

> La foi en la vérité — ou la folie.
> Nietzsche, *Le Livre du philosophe*.

« L'aveuglement, lit-on dans l'article " Folie " de l'*Encyclopédie*, est le caractère distinctif de la folie » :

> *S'écarter de la raison* le sachant, parce qu'on est esclave d'une passion violente, c'est être faible; mais s'en écarter *avec confiance*, et *avec la ferme persuasion qu'on la suit*, voilà [...] ce qu'on appelle être *fou*[1].

Ce qui caractérise la folie, ce n'est pas simplement un aveuglement, mais un aveuglement aveugle à lui-même, au point de nécessairement comporter une illusion de raison. Mais alors, comment savoir où s'arrête la raison, où commence la folie, puisque l'une et l'autre ne sont possibles que dans la poursuite d'une raison? Du moment que la folie, en tant que telle, comporte nécessairement un acte de foi en la raison, toute conviction raisonnable est en droit suspecte de folie. Raison et folie sont liées; la folie est essentiellement un phénomène de la pensée : d'une pensée qui dénonce, en la pensée de l'autre, l'Autre de la pensée. La folie n'est possible que dans un monde en conflit de pensées. La question de la folie n'est donc autre que la question de la pensée. La question de la folie, c'est précisément ce qui fait de l'essence de la pensée, une *question*. « C'est à l'homme seul qu'il est

---

1. C'est moi qui souligne.

donné de se penser, dit Hegel. C'est ce qui fait qu'il a, pour ainsi dire, le privilège de la folie [1]. » Nietzsche ira plus loin :

> J'ai mis, en place de cette volonté [éternelle], cette témérité et cette folie, lorsque j'ai enseigné : « Il y a une chose qui sera toujours impossible — c'est d'être raisonnable! »
> Un peu de raison cependant, un grain de sagesse [...] — ce levain est mêlé à toutes choses : pour l'amour de la folie, la sagesse est mêlée à toutes les choses [2]!

Hegel situe la folie dans la pensée; Nietzsche situera la pensée dans la folie. Cela revient au même, dit Pascal : « Les hommes sont si nécessairement fous que ce serait être fou par un autre tour de folie de n'être pas fou! » Et Rousseau acquiesce : « Rien n'est si dissemblable à moi que moi-même » :

> Je suis sujet [...] à deux dispositions principales qui changent assez constamment [...] et que j'appelle mes âmes hebdomadaires, par l'une je me trouve sagement fou, par l'autre follement sage, mais de telle manière que la folie l'emportant sur la sagesse dans l'un et l'autre cas [3]...

La question pourrait maintenant se poser : ces pensées aphoristiques nous séduisent-elles en tant que pensées, ou en tant qu'aphorismes? La notion de folie en tant que telle y relève-t-elle de la rigueur du concept ou du charme du jeu des mots? Ces affirmations, en d'autres termes, sont-elles du ressort de la philosophie, ou de la littérature? Dans la mesure où le jeu de langage, en ces énoncés philosophiques, relève-rait plutôt de la littérature, on pourrait soutenir que la « folie », dans ces philosophèmes, joue un rôle *littéraire*. Mais là encore, la folie est indicative d'un chiasme possible. Car, si l'on songe, d'autre part, à la folie dans la littérature (par exemple, dans les pièces de Shakespeare), on constate qu'elle y joue un rôle éminemment *philosophique*. La folie apparaît, ainsi, paradoxalement, littéraire dans la philosophie, philo-sophique dans la littérature. Les trois notions : de folie, de philoso-phie, de littérature, semblent être suggestivement liées.

C'est un des signes de notre époque que, de plus en plus, la philo-sophie y tente, précisément, de prendre en charge cette notion de folie

---

1. Hegel, *Encyclopédie* (« Philosophie de l'Esprit »), Paris, Germer Baillère, 1867, p. 383 (trad. fr. par Véra).
2. Nietzsche, *Ainsi parlait Zarathoustra*, Paris, Le Livre de poche, 1968, p. 193 (trad. fr. par M. Betz).
3. J.-J. Rousseau, *Le Persifleur*, in *Œuvres complètes*, Paris, Gallimard, « Bibl. de la Pléiade », 1959, t. I, p. 1110.

qui, autrefois, trouvait en elle peu de place, appartenant plutôt au champ de la littérature. Ce n'est peut-être pas un hasard si une figure comme celle de Nietzsche, dans laquelle la folie envahit le penseur et non pas simplement la pensée, une figure dans laquelle coïncident le philosophe, le poète et le fou, fait signe au monde moderne, tout à la fois comme une invitation et comme un avertissement, comme le risque sur lequel est fondée l'ouverture même de sa modernité. Se pencher sur « la folie de Nietzsche [1] », c'est dès lors ouvrir la question du sens ambigu de toute une histoire, de toute une évolution culturelle, qui devait aboutir à cet éclatement; c'est interroger et mettre en cause l'histoire de la philosophie. Tel, entre autres, est le propos du livre fondamental de Michel Foucault [2].

HISTOIRE DE LA FOLIE

> Ce n'est pas seulement la raison des millénaires, c'est aussi leur folie qui éclate en nous. Il est dangereux d'être héritier.
>
> Nietzsche, *Ainsi parlait Zarathoustra*.

> Ils ont enfermé Sade; ils ont enfermé Nietzsche; ils ont enfermé Baudelaire.
>
> Breton, *Nadja*.

Rappelons-le : l'objet de Foucault est de montrer que la philosophie, la psychologie, la psychiatrie sont fondées sur une *méconnaissance* radicale du langage de la folie. Toute l'histoire culturelle de l'Occident serait l'histoire d'une progressive conquête par la *ratio*, d'un impérialisme de la raison, et par là même, l'histoire d'une *répression*, d'un refoulement de la folie.

Le moment décisif, le tournant historique serait marqué par le *Cogito* cartésien : dans la première *Méditation*, Descartes, selon Foucault, opère un « coup de force » qui rejette la folie hors des limites de la culture et la réduit au silence [3]. Descartes, d'une part,

1. Cf. M. Heidegger, *Nietzsche*, Paris, Gallimard, « Bibl. de philosophie », 1971 (trad. fr. par P. Klossowski), et G. Bataille, « La folie de Nietzsche » et « Sur Nietzsche », in *Œuvres complètes*, Paris, Gallimard, 1973, t. I et III.
2. *Folie et Déraison, Histoire de la folie à l'âge classique*. L'ouvrage a eu trois éditions : Paris, Plon, 1961; Paris, 10/18, 1964 (éd. abrégée); Paris, Gallimard, « Bibl. des histoires », 1972 (nouvelle éd. augmentée de deux appendices).
3. C'est une conception semblable de la répression de la folie et de son rôle symptomatique dans l'histoire de l'Occident qu'énonce (et dénonce) en Amérique le psychiatre Thomas S. Szasz: « L'idéologie psychiatrique moderne constitue un ajustement — à un âge scientifique — de l'idéologie traditionnelle de la théologie chrétienne. Au lieu de naître à une vie de péché, l'homme naît désormais à une vie de maladie [...]. Et de même que, dans son voyage du berceau à la tombe, l'homme

rencontre la folie sur le chemin dans lequel il s'est engagé, chemin de recherche de la vérité à travers le doute méthodique. Mais d'autre part, tandis que le doute frappe, l'un après l'autre, tous les fondements de la connaissance, la folie n'est même pas admise par Descartes en tant qu'instrument possible du doute, en tant que risque susceptible de compromettre le vrai :

> Et comment est-ce que je pourrai nier que ces mains et ce corps soient à moi? *si ce n'est peut-être que je me compare à ces insensés*, de qui le cerveau est tellement troublé et offusqué par les noires vapeurs de la bile, qu'ils assurent constamment qu'ils sont des rois, lorsqu'ils sont très pauvres, qu'ils sont vêtus d'or et de pourpre, lorsqu'ils sont tout nus, ou s'imaginent être des cruches ou avoir un corps de verre... *Mais quoi, ce sont des fous, et je ne serais pas moins extravagant si je me réglais à leur exemple* [1].

« Mais quoi, ce sont des fous. » C'est là la phrase décisive aux yeux de Foucault, phrase de *rupture* avec la folie, geste d'*exclusion* qui expulse celle-ci hors de la possibilité de la pensée. Descartes ne traite pas la folie de la manière dont il traite le rêve ou l'erreur sensible : contrairement à l'erreur des sens et à l'illusion du rêve, la folie ne peut même pas servir en tant qu'instrument du doute; si *même* le rêve, *même* l'erreur sensible comportent des éléments vrais, il n'en va pas de même pour la folie : « Si ces dangers ne compromettent pas la démarche, ni l'essentiel de la vérité, ce n'est pas parce que telle chose, même dans la pensée d'un fou, ne peut pas être fausse; mais parce que *moi qui pense, je ne peux pas être fou*. [...] C'est une impossibilité d'être fou, essentielle, non à l'objet de la pensée, mais au sujet qui pense [...] Songes ou illusions sont surmontés dans la structure même de la vérité; mais la folie est exclue par le sujet qui doute, comme

---

autrefois fut guidé par le prêtre, de même il est guidé à présent par le médecin. Bref, tandis que dans l'âge de la foi l'idéologie était chrétienne, la technologie cléricale, et l'expert sacerdotal, dans l'âge de la folie l'idéologie est médicale, la technologie clinique et l'expert psychiatrique [...] En effet, lorsque la rhétorique justificatrice avec laquelle l'oppresseur cache et se cache son but et ses méthodes véritables est la plus efficace — comme ce fut autrefois le cas de la tyrannie justifiée par la théologie, et comme c'est à présent le cas de la tyrannie justifiée par la thérapie — l'oppresseur réussit non seulement à subjuguer sa victime mais aussi à *la déposséder d'un vocabulaire capable d'articuler sa victimisation*, la transforment de la sorte en un prisonnier privé de tout recours d'évasion » (*Idéology and Insanity*, New York, Doubleday Anchor, Garden City, 1969, p. 5; je traduis, c'est moi qui souligne).

1. C'est moi qui souligne.

bientôt sera exclu qu'il ne pense pas, et qu'il n'existe pas » (p. 57). Si l'homme peut toujours être fou, la pensée, comme telle, ne peut pas être folle; la pensée comme accomplissement de la raison, comme exercice de souveraineté d'un sujet capable de vérité, ne peut pas être insensée. Je pense, donc je ne suis pas fou; je ne suis pas fou, donc je suis. L'être de la philosophie est situé dans la non-folie, et l'être de la folie renvoyé au non-être.

Le geste cartésien est symptomatique de l'instance de l'ordre qui, à la même époque, s'organise en France : ordre oppressif, monarchique et bourgeois. Le décret philosophique d'exclusion annonce le décret politique du « grand renfermement », par lequel un matin, à Paris, on arrête 6 000 personnes — pauvres, fous, aliénés, oisifs, débauchés, profanateurs — pour les *interner* : c'est la création, en 1657, de l'Hôpital général. Or, l'Hôpital général n'est pas un établissement médical : c'est « le tiers ordre de la répression (p. 61) », une structure semi-juridique qui, fonctionnant à côté de la justice et de la police, a le pouvoir de juger, de décider, et d'exécuter — en dehors des tribunaux. La maison d'internement est une invention du classicisme, invention qui assigne aux fous le statut d'exclusion qui, au Moyen Age, était réservé aux lépreux. Mais par rapport à la conception médiévale de la folie, conception cosmique, dramatique et tragique, la folie est comme désacralisée : elle perd son mystère quasi religieux, pour se doter à travers l'exclusion d'un statut politique, social et ethique.

En 1794 commence une nouvelle époque : c'est la libération, par Pinel, des enchaînés de Bicêtre, la constitution de la psychiatrie, qui libère les fous de leurs chaînes matérielles. Mais cette libération n'est que le masque d'une nouvelle capture de la folie, d'une nouvelle réduction qui la transforme en « maladie mentale », la confinant dans le déterminisme et dans le savoir positiviste. C'est la naissance d'une structure anthropologique à trois termes : l'homme, sa folie et *sa* vérité, qui remplace la structure binaire de la métaphysique classique, de l'Être et du Non-Être, de l'Erreur et de *la* Vérité. La folie perd son étrangeté négative qui, dans le classicisme, échappait à la prise objective, pour se transformer en objet et entrer dans le positivisme rationaliste des choses à connaître. La science prend la relève de la *ratio* cartésienne : en gagnant sa spécificité comme maladie mentale, la folie demeure donc toujours, selon Foucault, dans une région d'exclusion : enfermée dans l'objectivation, il lui est toujours interdit de se manifester pour elle-même, dans un langage qui lui serait propre.

> A supposer que..., comment Dieu ne deviendrait-il pas malade à découvrir devant lui sa raisonnable impuissance à connaître la folie?
>
> Bataille, « La folie de Nietzsche. »
>
> Tâche doublement impossible. Foucault, *Histoire de la folie à l'âge classique.*

Pour l'historien de la folie, qui ne voudrait surtout pas perpétrer, à travers sa reconstitution de l'histoire culturelle, le geste d'exclusion de cette histoire à l'égard de la folie, le problème est, précisément, de trouver un *langage :* langage autre que celui de la raison — maîtrisant la folie —, langage autre que celui du savoir — réducteur et objectivant, qui ne *dialogue* pas avec la folie, qui ne fait que tenir *sur* elle un monologue de sourds, qui ne manifeste donc pas l'expérience de la folie *elle-même*, et pour elle-même. C'est là la raison d'être, le sens du projet de Foucault, sa gageure : dire la folie elle-même, nous faire entendre « tous ces mots sans langage » dont l'oubli constitue l'Occident, « tous ces mots sans langage qui font entendre à qui prête l'oreille un bruit sourd d'en dessous de l'histoire, le murmure obstiné d'un langage qui parlerait *tout seul* — sans sujet parlant et sans interlocuteur, tassé sur lui-même, noué à la gorge, s'effondrant avant d'avoir atteint toute formulation et retournant sans éclat au silence dont il ne s'est jamais défait. Racine calcinée du sens [1] ».

> Le langage de la psychiatrie, qui est monologue de la raison *sur* la folie, n'a pu s'établir que sur un tel silence. Je n'ai pas voulu faire l'histoire de ce langage, mais plutôt l'archéologie de ce silence.
>
> C'est dire qu'il ne s'agit point d'une histoire de la connaissance mais des mouvements rudimentaires d'une expérience. Histoire, non de la psychiatrie, mais de la folie elle-même, avant toute capture par le savoir [2].

D'une certaine façon, le projet de Foucault implique, mais du même coup, engage et met en cause, toute pensée, tout projet philosophique. Car indirectement, la question qui, sans être posée, est cependant en jeu, c'est : qu'est-ce que c'est que comprendre? Si comprendre, c'est objectiver, la question de Foucault devient : comment comprendre sans objectiver, c'est-à-dire *sans exclure* (sans exclure la folie)? Mais si, d'autre part, comprendre, dans le sens

1. M. Foucault, *op. cit.*, préface de la 1re éd.
2. *Ibid.*

spatial et métaphorique, c'est, au contraire, non pas exclure mais inclure, « renfermer en soi », c'est-à-dire « contenir dans des limites », la question de Foucault devient en même temps : comment comprendre *sans enfermer* (sans enfermer la folie)? Comment comprendre l'Autre sans l'exclure de soi ni l'inclure en soi? Comment comprendre le *Sujet*, sans le transformer en objet? Le Sujet peut-il se comprendre? Et, du même coup, peut-il se faire comprendre? Le Sujet est-il pensable? Ce qui veut dire aussi, l'*Autre* est-il pensable? L'Autre est-il pensable, non en tant qu'objet, mais en tant que Sujet?

Le problème du penseur, du philosophe, de l'historien de la folie, c'est donc : comment raconter une histoire qui *réduit la folie au silence*, tout en restituant à la folie à la fois la *parole* et le droit à la parole? Comment dire la folie en tant que Sujet, et en même temps en tant qu'Autre? Comment parler à partir de l'Autre, tout en refusant le compromis, la ruse, la *relève* de la dialectique, qui ne fait que ramener l'Autre au Même? En rejetant par principe tous les discours *sur* la folie, comment tenir, et articuler, un discours *de* la folie? Un tel discours est-il possible? Comment précisément formuler un « langage noué à la gorge, s'effondrant avant d'avoir atteint toute formulation »? Comment se faire le sujet parlant d'un « langage qui parlerait tout seul, sans sujet parlant et sans interlocuteur »? Comment la folie, en tant que telle, peut-elle passer à travers un discours? Et comment faire de ce passage le lieu d'un autre discours?

Ce qui est ici en jeu, on le voit, c'est la recherche tâtonnante d'un nouveau statut du discours, discours qui devra défaire à la fois l'exclusion *et* l'inclusion, effacer la limite et l'opposition entre l'Intérieur et l'Extérieur, entre le Sujet et l'Objet, oblitérer la démarcation entre Raison et Folie. Dire la différence comme parole, et la parole comme différence; dire le dehors du langage à l'intérieur du langage; parler à l'intérieur du dehors de la philosophie — y tenir un discours philosophique; c'est ce que Foucault appréhende comme un *problème d'élocution*, qui constitue la majeure difficulté de son entreprise : difficulté d'élocution d'une « relativité sans recours », d'un langage sans appui sur l'absolu d'une vérité.

> ... Il a fallu se maintenir dans une sorte de relativité sans recours [...] Un langage sans appui était donc nécessaire : un langage qui entrait dans le jeu, mais devait autoriser l'échange [...] Il s'agissait de sauvegarder à tout prix le *relatif*, et d'être *absolument* entendu.
> Là, dans ce simple problème d'élocution, se cachait et s'exprimait la majeure difficulté de l'entreprise[1].

1. M. Foucault, *op. cit.*, préface de la 1re éd.

Cette difficulté d'élocution, Foucault la ressent aussi comme une sorte d'impossibilité inhérente à son projet.

> Mais sans doute est-ce là *tâche doublement impossible* : puisqu'elle nous mettrait en demeure de reconstituer la poussière de ces douleurs concrètes, de ces paroles insensées que rien n'amarre au temps; et puisque surtout ces douleurs et paroles n'existent et ne sont données à elles-mêmes et aux autres que dans le geste du partage qui déjà les dénonce et les maîtrise [...] La perception qui cherche à les saisir à l'état sauvage appartient nécessairement à un monde qui les a déjà capturées. La liberté de la folie ne s'entend que du haut de la forteresse qui la tient prisonnière [1].

FOLIE DE LA PHILOSOPHIE

> *Though this be madness, yet there is method in't.*
> Shakespeare, *Hamlet*.

> Ce qui m'oblige d'écrire, j'imagine, est la crainte de devenir fou.
> Bataille, « Sur Nietzsche ».

Que la *traduction* de la folie constitue déjà une maîtrise, une répression de la folie, une violence contre elle; que l'éloge de la folie ne puisse se faire que par la raison, au seul moyen de la raison : Jacques Derrida le souligna dans son compte rendu de l'ouvrage de Foucault [2]. De même, remarque Derrida, que la liberté de la folie ne s'entend que du haut de la forteresse qui la tient prisonnière, de même l'entreprise de Foucault demeure prisonnière de l'économie conceptuelle qu'elle s'efforce de défaire.

> L'archéologie, fût-elle du silence, n'est-elle pas une logique, c'est-à-dire un langage organisé, [...] un ordre [...]? Est-ce que l'archéologie du silence ne sera pas le recommencement le plus efficace, le plus subtil, la *répétition* [...] de l'acte perpétré contre la folie, et ce dans le moment même où il est dénoncé? [...] Il ne suffit peut-être pas de se priver du matériel conceptuel de la psychiatrie pour disculper son propre langage. *Tout* notre langage européen [...] a participé [...] à l'aventure de la raison occidentale. [...] *Rien* dans ce langage et *personne* parmi ceux qui le parlent ne peut échapper à la culpabilité historique [...] dont Foucault semble vouloir faire le procès. Mais c'est peut-être un procès impossible car l'instruction et le verdict réitèrent sans cesse le crime par le simple fait de leur élocution... (p. 57-58).

1. Foucault, *op. cit.*
2. J. Derrida, « Cogito et histoire de la Folie », in *l'Écriture et la Différence*, Paris, Éd. du Seuil, 1967.

Que sa tâche fût *impossible*, Foucault bien sûr le savait, le reconnaissait lui-même. Derrida voudrait pourtant excéder cette reconnaissance, en s'interrogeant justement sur la signification de cette impossibilité. Comment se situe la possibilité de l'ouvrage de Foucault, par rapport à son impossible visée? C'est que, pour Derrida, il existe un rapport d'exclusion essentiel entre langage et folie : rapport d'exclusion que Foucault lui-même ne peut éviter de perpétuer à travers son propre discours; ce rapport n'est pas historique (historiquement déterminé), mais *économique*, essentiel à l'économie du langage comme tel : c'est le statut du langage que d'être rupture avec la folie, stratégie de protection, différence. Par rapport à la « folie elle-même », la langue est toujours un *ailleurs*. La difficulté de Foucault n'est donc pas contingente, mais fondamentale. L'exclusion de la folie, loin d'être un accident historique, est le fait général et constitutif de tout projet de *parole*.

> La phrase est par essence normale. Elle porte la normalité en soi, c'est-à-dire *le sens* [...] Elle porte en soi la normalité et le sens, quel que soit d'ailleurs l'état, la santé ou la folie de celui qui la profère [...] Si bien que [...] tout philosophe ou tout sujet parlant (et le philosophe n'est que le sujet parlant par excellence) devant évoquer la folie à l'*intérieur* de la pensée [...] ne peut le faire que dans la dimension de la *possibilité* et dans le langage de la fiction ou dans la fiction du langage. Par là même, il se rassure en son langage contre la folie de fait [...] (p. 84-85).

> Mais il n'y a pas là une défaillance ou une recherche de sécurité propre à tel ou tel langage historique [...] mais à l'essence et au projet même de tout langage en général (p. 84).

L'exclusion de la folie par Descartes est le fait non du *Cogito* mais de son projet de *parole*. Derrida propose là, de la première *Méditation*, une interprétation différente de celle de Foucault : la disqualification du délire figure ironiquement dans le texte, comme l'objection du non-philosophe que Descartes accepte temporairement, pour l'excéder aussitôt par l'hypothèse du sommeil et du songe généralisés; Descartes n'exclut pas la folie, au contraire, il l'assume totalement dans l'excès de l'hyperbole démonique, à travers l'hypothèse du Malin Génie. Le sens de la démarche cartésienne n'est pas, comme l'affirmait Foucault, « Moi qui pense, je ne peux pas être fou », mais bien plutôt : « *Que je sois fou ou non, Cogito, sum* (p. 86) »; « Même si la totalité de ce que je pense est affectée de fausseté ou de folie [...], je pense, je suis *pendant* que je pense (p. 87). » Dans son excès vers le non-déterminé, vers le sens du non-sens, le *Cogito* cartésien est lui aussi un « projet [...] fou (p. 87) », et ressemble étrangement au projet (impossible) de Foucault. Bien sûr, le discours cartésien, comme celui de Foucault, se rassure en son dire, en son langage, en son « œuvre », contre la sorte de folie qui anime son ambition. En ce sens, le livre de Foucault, étant lui aussi « un puissant geste de protection et de renfermement », ne serait lui-même rien d'autre « qu'un geste cartésien pour le XXe siècle » (p. 85). Et l'histoire de la folie se confondrait singulièrement à l'histoire de la philosophie.

> Définir la philosophie comme vouloir-dire-l'hyperbole, c'est avouer — et la philosophie est peut-être ce gigantesque aveu — que dans le dit historique en lequel la philosophie se rassérène et exclut la folie, elle se trahit elle-même [...], elle entre dans une crise et en un oubli de soi qui sont une période essentielle de son mouvement. Je ne philosophe que dans la *terreur*, mais dans la terreur *avouée*, d'être fou. L'aveu est à la fois, dans son présent, oubli et dévoilement, protection et exposition; économie (p. 96).

Derrida opère donc un chiasme sur la pensée de Foucault. Si Foucault, à travers l'histoire des idées, désirait proposer une sorte de *philosophie de la folie*, Derrida voudrait plutôt faire surgir *la folie de la philosophie*. L'argument derridien se résume de la sorte : toute philosophie de la folie ne peut que témoigner de la raison de la philosophie; mais la raison de la philosophie n'est que l'économie de sa propre folie. La tentative (impossible) d'une philosophie de la folie se renverse ainsi en signe par excellence (en symptôme?) de la folie de la philosophie.

PHILOSOPHIE ET LITTÉRATURE

> C'est une douce folie que le langage. En parlant l'homme danse sur et par-dessus toutes choses.
> Nietzsche, *Ainsi parlait Zarathoustra*.

Dans ce débat théorique entre Derrida et Foucault, il ne s'agit pas pour nous de savoir qui « a raison ». La question « qui a raison sur le problème de la folie » est d'ailleurs une question absurde, contradictoire dans les termes, et bien plus compliquée qu'il n'y paraît, car celui qui « aura raison » du même coup récusera son autorité à parler *pour* la folie. Dans cet affrontement théorique, il est évident, en même temps, que les deux pensées, bien que sans doute régies par des désirs différents, non seulement s'enrichissent mais se renforcent, se soutiennent réciproquement. C'est pourquoi il ne sera pas question ici de prendre parti pour l'une ou l'autre des positions respectives, mais plutôt de chercher à dégager quel est, en somme, l'*enjeu du débat*.

Si, tout en témoignant de la folie de la philosophie, Derrida juge comme rigoureusement impossible une philosophie de la folie (de « la folie elle-même »), c'est parce que la folie, étant en son essence *silence*, ne peut pas être dite dans le logos. Cette impossibilité, Derrida l'articule, à deux reprises, de deux façons différentes que nous voudrions ici superposer :

1. En parlant de Descartes :

> Si bien que pour en revenir à Descartes, tout philosophe ou tout sujet parlant (et le philosophe n'est que le sujet parlant par excellence) devant évoquer la folie à *l'intérieur* de la pensée (et non seulement du corps ou de quelque instance extrinsèque), ne peut le faire que dans la dimension de la *possibilité* et dans le langage de la fiction ou dans la fiction du langage (p. 84).

2. En parlant de Foucault :

> Je veux dire que le silence de la folie n'est pas *dit*, ne peut pas être dit dans le logos de ce livre, mais rendu présent indirectement, métaphoriquement, si je puis dire, dans le *pathos* — je prends ce mot dans son meilleur sens — de ce livre (p. 60).

Dans les deux cas, la folie échappe à la philosophie (à la philosophie proprement dite); mais, dans les deux cas, la folie ne disparaît pas pour autant : elle trouve refuge dans quelque chose d'autre; dans la première citation, c'est « le langage de la fiction ou la fiction du langage » qui accueille la folie; dans la deuxième, c'est vers le pathos de la métaphore que la folie échappe. La métaphore, le pathos, le langage de la fiction : sans être nommée, c'est la *littérature* qui a subrepticement ici fait irruption. Le débat sur la folie et ses rapports à la philosophie a ainsi entraîné avec lui la question de la littérature. Ce qui, dès lors, s'indique dans le *fonctionnement* de la folie, c'est le genre du rapport qui relie la littérature et la philosophie.

Dans le discours de Derrida, une opposition est ainsi esquissée entre *logos* et *pathos*. Le silence de la folie, nous dit-on, n'est pas dit dans le logos du livre mais est rendu présent dans son pathos, métaphoriquement (de la même façon que la folie, *à l'intérieur de la pensée*, ne peut être évoquée que dans le langage de la fiction ou dans la fiction du langage). Or, que veut dire cette opposition entre logos et pathos? Équivaudrait-elle à l'opposition de la *métaphore* au sens *propre*, ou de la figure au concept? Pourquoi est-ce à la figure que le dire (de) la folie se confie? Comment la figure et/ou la fiction parviennent-elles à évoquer le silence? Comment la folie est-elle évoquée, *à l'intérieur de la pensée*, par « le langage de la fiction »? Quel statut la fiction a-t-elle à l'intérieur de la pensée? De quelle façon la littérature (le pathos, la figure, la fiction) témoigne-t-elle du rapport entre folie et pensée? Autant de questions qui assiègent ce débat : questions que Derrida ne pose pas, mais qui se trouvent pourtant impliquées dans sa réplique à Foucault; questions que Foucault n'articule pas, mais qui se trouvent posées par son livre; questions qui requièrent l'attention.

LITTÉRATURE ET FOLIE

> Dans la folie [...] il nous faut reconnaître [...] la liberté négative d'une parole qui a renoncé à se faire reconnaître [...] L'absence de la parole s'y manifeste dans un discours où le sujet, peut-on dire, est parlé plutôt qu'il ne parle.
> J. Lacan, *Écrits.*

Que la littérature, la fiction, soit le seul lieu de rencontre possible entre folie et pensée, entre folie et philosophie, Foucault semblerait, là-dessus, être d'accord avec Derrida. Car lui aussi ne se réfère — pour la *prendre à témoin* — qu'à la folie *dans la littérature*, dans les textes de Sade ou d'Artaud, de Nerval ou de Hölderlin.

Le rapport — nécessaire ou inévitable — entre folie et littérature se présente donc chez Foucault de deux façons différentes : 1) De façon *métonymique*, par la constante référence du livre à la folie *dans* la littérature; 2) Comme le dit Derrida, de façon *métaphorique*, par la « littérature » et par le « pathos » du livre de Foucault lui-même : l'intensité de son « style », la véhémence de son souffle, la puissance émotive de son écriture. Il semble donc que la littérature soit là *à la place* de la folie : place à la fois métaphorique (substitutive) et métonymique (contiguë).

Derrida et Foucault s'accordent sur l'existence d'une zone littéraire entre pensée et folie. Toutefois, cette zone littéraire ne joue pas le même rôle pour l'un et pour l'autre, par rapport à la philosophie. Pour Foucault, la littérature témoigne *contre* la philosophie; elle ne le fait pas pour Derrida. Pour Foucault, les fictions de la folie sont là pour désemparer, pour *désorienter* la pensée. Pour Derrida, au contraire, tout au moins dans le cas de Descartes, la fiction de la folie finit par *orienter* la philosophie. Car Descartes, on s'en souvient, voulant « évoquer la folie à l'*intérieur* de la pensée (et non seulement du corps ou de quelque instance extrinsèque) ne peut le faire que dans la dimension de [...] la fiction », par l'invention du malin génie, mystérieux démon qui nous trompe peut-être en tout, qui introduit l'erreur et le leurre non seulement dans les évidences sensibles, mais aussi dans les certitudes mathématiques et jusqu'au sein même des vérités intelligibles [1]. Or, selon Derrida, le *Cogito*, par cette fiction du malin génie, assume la possibilité hypothétique de sa propre folie, pour continuer néanmoins à penser, à parler, et à vivre. La fiction étant ce par quoi le sujet philosophique assume la folie — pour s'en protéger, pour l'exclure (ou la différer) dans le dire —, la littérature, ou plutôt la fiction intraphilosophique, devient elle-même métaphore de la folie de la philosophie.

Il n'en est pas de même pour Foucault, quand à son tour il conteste la lecture derridienne de Descartes. Pour lui, la fiction du malin génie est « tout autre chose que la folie » :

> Tout est illusion peut-être, mais sans nulle crédulité. Le malin génie trompe sans doute bien plus qu'un cerveau engorgé; il peut faire naître tous les décors illusoires de la folie; il est tout autre chose que la folie. On pourrait même dire qu'il en est le contraire : puisque dans la folie *je crois* qu'une pourpre illusoire couvre ma nudité et ma misère, tandis que l'hypothèse du malin génie me permet de *ne pas croire* que ce corps et ces mains existent. Quant à l'étendue du leurre, le malin génie, c'est vrai, ne le cède pas à la folie; mais quant à la position du sujet par rapport au leurre, malin génie et démence s'opposent rigoureusement [...]
> On le voit bien : en face du rusé trompeur, le sujet méditant se comporte, non point comme un fou affolé par l'universelle erreur, mais comme un adversaire non moins rusé toujours en éveil, constamment raisonnable, et demeurant en position de maître par rapport à sa fiction (p. 601).

Le philosophe à la fin se retrouve, s'oriente dans sa fiction : il n'y entre que pour en sortir. Le fou, au contraire, se perd et s'abîme à l'intérieur de sa propre fiction. Par opposition au sujet du logos, le sujet du pathos est celui qui, dans la fiction (en fût-il l'auteur), ne s'éprouve pas comme maîtrise, comme affirmation souveraine de *sens*, mais comme vertige, *perte de sens*. La folie, pour Foucault (mais peut-être

---

1. On retrouve cette forme du doute chez Baudelaire : « Y a-t-il des folies mathématiques et des fous qui pensent que deux et deux fassent trois? En d'autres termes, l'hallucination peut-elle, si ces mots ne hurlent pas [d'être accouplés ensemble], envahir les choses de pur raisonnement? » (« Fusées », in *Œuvres complètes*, Paris, Gallimard, « Bibl. de la Pléiade », 1961, p. 1253).

aussi, le pathos et la littérature), c'est *la non-maîtrise de sa propre fiction;* c'est un aveuglement au sens. Or, le discours philosophique se distingue, justement (ici, par exemple, dans la figure de Descartes), par sa position de maîtrise par rapport à sa propre fiction.

En admettant donc que le rapport entre folie et pensée doit nécessairement passer par l'intermédiaire de la fiction, l'enjeu du débat se déplace pour porter désormais sur la question du *statut de la fiction* par rapport à la philosophie. Démarqué du langage philosophique, et donc déterminé comme son autre, situé à son *extérieur*, « le langage de la fiction » peut-il en même temps se laisser « enfermer » à *l'intérieur* de la philosophie? La littérature *dans* la philosophie est-elle dedans ou dehors? Affirmer, comme le fait Foucault, que le sujet délirant *ne se repère pas* si facilement à l'intérieur de sa propre fiction, que, *dans* la littérature, il ne sait plus *où* il en est, c'est impliquer que la fiction ne se situe pas exactement « *à l'intérieur* de la pensée », que la littérature, à son tour, ne se laisse pas cerner à *l'intérieur* de la philosophie [1]; que la fiction n'est pas simplement *présente* dans la philosophie — c'est-à-dire présente à soi et, du même coup, présente *à* la philosophie : qu'elle n'est pas toujours là où l'on pense, là où elle pense penser; que si, bannie par la philosophie, la folie d'une certaine façon est *contenue* dans la littérature, elle n'en est pas pour autant *le contenu;* c'est impliquer, en d'autre termes, que le statut, tout à la fois de la folie dans la littérature et de la fiction dans la philosophie, n'est pas *thématique;* que ni la folie ni la littérature ne résident dans leur thème, ou dans leur énoncé; que si la question de la folie échappe par définition à l'énoncé philosophique, elle ne réside pas, ni ne se laisse repérer ou récupérer davantage dans l'*énoncé* littéraire [2]. Dans le champ des forces où s'esquissent les rapports entre folie et littérature, entre fiction et philosophie, le problème crucial s'avère être celui de la *place* du sujet, de sa position par rapport au leurre. Or, la position du sujet ne se définit pas par *ce* qu'il dit, ni par ce *dont* il parle, mais par le lieu *à partir d'où* il parle.

---

1. Que Foucault lui-même ne semble guère *méditer* cette implication (qui n'est pas directement « son propos ») ni même en être conscient, qu'elle demeure *l'impensé* même de sa pensée, ne change rien à sa portée. Au contraire, Foucault illustre (inconsciemment) le fait que sa propre littérature à son tour, ne se laisse pas simplement cerner *à l'intérieur* de sa *philosophie;* que sa propre position par rapport au langage n'est pas davantage celle dans laquelle sa pensée *se repère*.

2. La folie subvertit ainsi le statut du thématique comme tel. Pour une autre approche aboutissant aux mêmes conclusions (par le biais différent d'une analyse textuelle de Flaubert), cf., ci-dessous, chap. VIII : « Thématique et rhétorique, ou la folie du texte ».

We work in the dark —we do what we can —we give what we have. Our doubt is our passion and our passion is our task. The rest is the madness of art.

H. James, *The Middle Years.*

La question est dès lors de savoir si, par rapport au leurre, l'énoncé du sujet et sa position sont susceptibles de coïncider, si le thème de la folie et le sujet de la folie peuvent devenir présents l'un à l'autre, entretenir un rapport de synonymie ou de symétrie. La littérature pourrait s'acquitter simplement et purement de son rôle d'intermédiaire transparent entre folie et philosophie, elle pourrait parvenir à dire la folie à l'intérieur de la philosophie, si elle pouvait entretenir avec la folie, d'une part, avec la philosophie, de l'autre, un simple rapport d'équivalence, d'homologie et de symétrie. Or, le récit foucaldien de l'histoire de la folie se donne à lire, justement, comme l'histoire d'une radicale *dissymétrie :* de quelque chose qui se passe, en fait, *entre* l'histoire de la philosophie et celle de la littérature. Le discours de Foucault se situe dans le décalage culturel que l'histoire de l'Occident a creusé entre logos et pathos, entre philosophie et littérature. La littérature s'avère être en *position d'excès* par rapport à la philosophie, puisqu'elle est capable d'inclure l'exclue de la philosophie : la folie. La folie, c'est dès lors l'excédent : la littérature *moins* la philosophie. Sans qu'elle se définisse elle-même en ces termes, l'histoire de la folie se dégage comme l'histoire de cet excédent, ou de ce résidu littéraire.

Il est vrai qu'au début de l'âge classique la littérature est elle-même silencieuse : « La folie classique appartient aux régions du silence [...] : il n'y a pas à l'âge classique de littérature de la folie » (p. 535). En effet, le « coup de force » de Descartes réduisait au silence aussi un certain genre de littérature. Ce n'est pas le moindre grief que Foucault formule contre Descartes : « Descartes dans le mouvement par lequel il va à la vérité *rend impossible le lyrisme* de la déraison » (p. 535). La folie réapparaîtra dans le domaine du langage littéraire à partir du *Neveu de Rameau*, et regagnera du terrain à l'époque du romantisme : « éclatement lyrique » (p. 537), le fou, dans la littérature du XIXe siècle, se donnera comme « thème de reconnaissance » (p. 538) ; mais la connaissance philosophique continuera pourtant à exclure la reconnaissance littéraire : « Cette reconnaissance, la réflexion, à la différence de l'expérience lyrique, ne veut point l'accueillir » (p. 538). Si donc Foucault récuse, et dénonce, « l'effort que fait le monde

51

moderne pour ne parler de la folie que dans les termes sereins et objectifs de la maladie mentale, et *pour en oblitérer les valeurs pathétiques* (p. 182) », c'est à cause, précisément, de cette *oblitération du pathos :* de la suppression, par la philosophie, d'un tel excédent littéraire. L'histoire de la folie, ce n'est rien d'autre, pour Foucault, que l'histoire de cette oblitération. Et Foucault peut ainsi écrire : « La folie, *halo lyrique de la maladie,* ne cesse de s'éteindre » (p. 582).

Il est important de comprendre ceci. La folie, telle qu'elle résonne, telle qu'elle se laisse entendre à travers la rhétorique de Foucault, est précisément ce que l'histoire de la folie a *rendu possible en le supprimant :* le « halo lyrique de la maladie ». La folie, qui n'est pas maladie mentale, qui n'est pas objet, n'est rien d'autre que cet « éclatement lyrique » et l'excès de ces « valeurs pathétiques »; cette capacité de déchirement, de souffrance, de vertige et d'émotion, cette impuissante puissance de fascination littéraire : la folie, pour Foucault, ne signifie rien d'autre que *le pathos lui-même;* la notion de folie est alors elle-même une *métaphore du pathos :* du reste impensé de la pensée, de son excédent littéraire. Et si la folie, disait Derrida, ne peut être « rendue présente », en elle-même, que « métaphoriquement », par le *pathos du livre,* alors, le pathos du livre est la métaphore du pathos : le pathos est, ici, métaphore d'une folie qui, elle, est la métaphore du pathos. Le pathos s'avère dès lors être métaphore de lui-même, métaphore prise dans le mouvement de sa propre répétition. C'est dire que la folie, comme d'ailleurs le pathos, est une notion qui n'éclaire pas le phénomène qu'elle connote et désigne, mais y participe : le terme même de « folie » est pathos, et non pas logos, littérature et non philosophie. Et si le pathos ne renvoie qu'à lui-même, est sa propre métaphore, alors la folie (comme la littérature) désignerait la figure d'une figure, la métaphore d'une métaphore.

Comment ceci est-il possible? La référence de Foucault à Nietzsche pourrait peut-être nous éclairer :

> L'étude qu'on va lire ne serait que la première [...] de cette longue enquête, qui, sous le soleil de la grande recherche nietzschéenne, voudrait confronter les dialectiques de l'histoire aux structures immobiles du tragique.
> Au centre de ces expériences limites du monde occidental, éclate, bien entendu, celle du tragique même — Nietzsche ayant montré que *la structure tragique à partir de laquelle se fait l'histoire du monde occidental n'est pas autre chose que le refus, l'oubli et la retombée silencieuse de la tragédie par l'histoire* [1].

---

1. M. Foucault, *op. cit.,* préface de la 1re éd. (je souligne).

La structure tragique de l'histoire se constitue à partir de l'oubli de la tragédie par l'histoire. Le pathos de la folie dans l'histoire se constitue à partir de l'oubli du pathos de la folie par l'histoire. Le pathos de la folie, c'est justement le pathos de l'oblitération du pathos; la métaphore, en d'autres termes, de l'effacement de la métaphore : c'est l'histoire de la métaphore de l'oubli-de-la-métaphore par l'histoire.

En soulignant et en explicitant le recours de Foucault à la métaphore (au *pathos* de la métaphore ou à la métaphore du pathos, seul moyen de « dire la folie »), Derrida soulignait en même temps le fait que Foucault n'a pas dégagé une véritable définition, un véritable *concept* de folie :

> Or ce concept de folie, *qui n'est jamais soumis à une sollicitation thématique* de la part de Foucault, n'est-il pas aujourd'hui, hors du langage courant et populaire qui traîne toujours plus longtemps qu'il ne devrait après sa mise en question par la science et la philosophie, ce concept n'est-il pas un *faux-concept*, un concept désintégré, de telle sorte que Foucault, en refusant le matériel psychiatrique ou celui de la philosophie qui n'a cessé d'emprisonner le fou, se sert finalement — et il n'a pas le choix — d'une *notion courante, équivoque*, empruntée à un *fonds incontrôlable* (p. 66; je souligne).

L'objection est juste; et pourtant, ce que Foucault entreprend de *re*mettre précisément en question, c'est cette « mise en question » du « langage populaire » par « la science et la philosophie », et singulièrement le *contrôle* qu'elles exercent sur ce « fonds incontrôlable ». La folie ne peut être concept, étant la métaphore même du langage de la métaphore. L'exigence de Derrida (de la folie de la philosophie), c'est l'exigence philosophique par excellence : celle du concept; du maximum de *sens*. Mais l'exigence de Foucault (de l'impossible philosophie de la folie : du pathos), c'est l'exigence — littéraire par excellence — de la métaphore : du maximum de *résonance*. Bien sûr, Derrida et Foucault sont tous deux de puissants écrivains, et comme tels, habités par le langage, c'est-à-dire, d'une façon ou d'une autre, acculés à la littérature. Mais dans ce débat théorique sur le statut du terme folie, il se trouve que l'un articule clairement le désir du *concept* de la métaphore, et l'autre, au contraire, celui de la *métaphore* du concept.

Double paradoxe : deux positions philosophiques philosophiquement intenables — en réalité, non pas une, mais *deux* « tâches doublement impossibles », contredites par leur propre langage, où l'*énoncé* ne peut coïncider avec la *position* du sujet, qui, dans les deux cas, s'excède, *passe dans l'autre*.

Peut-être qu'après tout la folie de la philosophie et la philosophie de la folie ne sont que figures l'une de l'autre? Ce qui ne veut nullement dire que les deux positions reviennent au même : mais bien plutôt que si elles sont, toutes les deux, en position excentrique l'une par rapport à l'autre, elles sont aussi, toutes les deux, *en position excentrique par rapport à leur propre opposition*, à la structure de leur alternative.

Que la folie soit un « faux concept », Foucault donc, à sa façon, ne pourra que l'accorder. Telle en tout cas paraît être la *conséquence* rhétorique-théorique que l'on peut dégager de son livre : que le propre de la folie est, précisément, de n'être pas propre, d'être *rigoureusement* « un faux concept »; métaphore de la métaphoricité radicale qui régit les concepts en tant que tels; métaphore de la littérature qui régit la philosophie à partir de son oblitération. La folie, ou la littérature : cette « notion courante, équivoque », pour emprunter encore le langage de Derrida, ce « faux concept » est nécessairement, littéralement « emprunté à un *fonds incontrôlable* », fonds dépourvu de fond, et qui dès lors ne se fonde que de la perte de contrôle; perte du quant-au-sens; perte du quant-à-l'œuvre. « Qu'est-ce donc que la folie? » se demandait Foucault : « rien d'autre, sans doute, que *l'absence d'œuvre* »[1]. Inaccomplissement *à l'œuvre :* inachèvement actif d'un sens qui ne cesse de se trans-former, pour se donner à méconnaître. Il devient évident que ce fonds sans fond n'est surtout pas un fonds *thématique;* qu'il n'est incontrôlable que parce qu'il est un fonds *rhétorique*, c'est-à-dire le principe même du *mouvement*, transformateur et métamorphique. Il était donc fatal que Foucault ne puisse soumettre ce fonds, comme le suggère Derrida, à une « sollicitation thématique » : toute sollicitation de son thème ne peut que solliciter, de celui-ci, le passage dans l'autre, l'*altération* énergétique, la métamorphose in-finie; toute sollicitation de sa *place*, de son centre conceptuel, ne rencontre que l'énergie même du *déplacement* et du décentrement. La réponse, dans ce cas, ne peut que disséminer la question.

C'est dire que, dans la langue, la *question* de la folie est celle qui manque; cette question même qui ne peut jamais — comme telle — être *posée;* une question dont le langage n'est pas capable; qui, tout

---

1. M. Foucault, *op. cit.*, préface de la 1re éd. « Phrase, avouera-t-il plus tard, dite par moi un peu *à l'aveugle* » (préface à la nouvelle éd., Gallimard, p. 8; je souligne). Que cette phrase fondamentale fût dite « un peu à l'aveugle » n'est sans doute pas un hasard. Du *sens* de son « pathos », Foucault, lui non plus, n'est pas maître. C'est sans doute de cet aveuglement que le livre tire sa force de parole : c'est à partir de ses points aveugles que l'ouvrage est *parlant*.

en étant inarticulable, est une question qui — dans tout texte — ne
cesse pourtant d'écrire et de s'écrire : de s'écrire comme inter-dite.
Et si nous ne savons la lire, la repérer, que là où elle n'est plus, là
justement où elle nous a, par son pathos, émus (é-mus, ex-pulsés,
mus hors d'elle-même), ce n'est pas que la question de la folie soit
impuissante à questionner, mais c'est qu'elle questionne *ailleurs* :
là où ce n'est plus *nous* qui parlons de la folie, mais où — par elle —
nous sommes *parlés;* là où ce n'est plus nous qui interrogeons, mais
où — dans les silences de la question que nous avons écrite — nous
sommes nous-mêmes interrogés.

Avril 1974.

DEUXIÈME PARTIE

FOLIE ET DISCOURS POÉTIQUE

La dernière folie qui me restera
probablement, ce sera de me croire poète.
Nerval.

Et qu'on comprenne bien qu'il ne s'agit pas
d'un simple regroupement des mots ou
d'une redistribution capricieuse des images
visuelles, mais de la recréation d'un état qui
n'a plus rien à envier à l'aliénation mentale.
Breton.

Gérard de Nerval

Folie et répétition

DE FOUCAULT À NERVAL :
AURÉLIA OU « LE LIVRE INFAISABLE »

Nerval :

> Je suis *fol*[1].
> Je conviens officiellement que j'ai été malade. Je ne puis convenir que j'ai été fou ou même halluciné[2].
> J'ai peur d'être dans une maison de sages et que les fous soient au-dehors[3].

Rimbaud :

> A moi. L'histoire d'une de mes folies. [...]
> Ce fut d'abord une étude. J'écrivais des silences, des nuits, je notais l'inexprimable. Je fixais des vertiges. [...]
> Aucun des sophismes de la folie — la folie qu'on enferme — n'a été oublié par moi : je pourrai les redire tous, je tiens le système[4].

Breton :

> Où s'arrête la sécurité de l'esprit? Pour l'esprit, la possibilité d'erreur n'est-elle pas plutôt la contingence du bien?
> Reste la folie, « la folie qu'on enferme », a-t-on si bien dit. Celle-là ou l'autre[5]...

1. Lettre à Arsène Houssaye, écrite vers le 20 octobre 1854, in *Œuvres*, Paris, Gallimard, « Bibl. de la Pléiade », 1952, t. I, p. 1174.
2. Lettre à Antony Deschamps, 24 octobre 1854, *ibid.*, p. 1175.
3. Lettre à Mme Émile de Girardin, 27 avril 1841, *ibid.*, p. 904.
4. « Délires II : Alchimie du verbe », *Une saison en enfer*, in *Œuvres*, Garnier, 1960, p. 228-234.
5. *Manifestes du surréalisme* (manifeste 1924), Paris, Gallimard, coll. « Idées », 1969, p. 13.

On est venu m'apprendre que Nadja était folle, internée à l'asile de Vaucluse [...]
Mais selon moi tous les internements sont arbitraires. Je continue à ne pas voir pourquoi on priverait un être humain de liberté. Ils ont enfermé Sade, ils ont enfermé Nietzsche, ils ont enfermé Baudelaire [1].

Artaud :

Mais on voit tout de même à trop de signes que tout ce qui nous faisait vivre ne tient plus, que nous sommes tous fous, désespérés et malades. Et je *nous* invite à réagir [2].

Je souffre d'une effroyable maladie de l'esprit. [...]
Je suis un homme qui a beaucoup souffert de l'esprit, et à ce titre j'ai le droit de parler [...] J'ai accepté une fois pour toutes de me soumettre à mon infériorité [3].

Je voudrais faire un livre qui dérange les hommes, qui soit comme une porte ouverte et qui les mène où ils n'auraient jamais consenti à aller, une porte simplement abouchée avec la réalité [4].

Foucault :

On pourrait faire une histoire des *limites* — de ces gestes obscurs, nécessairement oubliés dès qu'accomplis, par lesquels une culture rejette quelque chose qui sera pour elle l'Extérieur [...]
La perception que l'homme occidental a de son temps et de son espace laisse apparaître une structure de refus, à partir de laquelle on dénonce une parole comme n'étant pas langage, un geste comme n'étant pas œuvre, une figure comme n'ayant pas droit à prendre place dans l'histoire. Cette structure est constitutive de ce qui est sens et non-sens, ou plutôt de cette réciprocité par laquelle ils sont liés l'un à l'autre; elle seule peut rendre compte de ce fait général qu'il ne peut y avoir dans notre culture de raison sans folie, quand bien même la connaissance rationnelle qu'on prend de la folie la réduit et la désarme en lui prêtant le frêle statut d'accident pathologique [5].

Rimbaud : l'histoire d'une de mes folies; Nerval : l'histoire de *ma* folie; Breton : la folie de *notre* histoire; Artaud : l'histoire de *notre* folie; Foucault : l'histoire de *la* folie.

1. *Nadja*, Le livre de poche, p. 157, 163-164.
2. *Le Théâtre et son double*, Gallimard, coll. « Idées », p. 118.
3. *Correspondance avec Jacques Rivière*, in *Œuvres complètes*, Paris, Gallimard, 1970, t. I, p. 30, 38.
4. *Ibid.*, p. 62.
5. M. Foucault, *op. cit.*, préface de la 1re éd.

Ce rapprochement d'auteurs ne prétend pas tracer un itinéraire, ni à plus forte raison une chronologie, mais suggérer un circuit textuel, c'est-à-dire un trajet de lecture possible, et constater — à travers des textes aussi disparates que divers, à travers des différences historiquement sans doute irréductibles — la permanence d'un certain discours. D'un certain discours romantique, s'il en fût. Mais le terme « romantique » est ici pris au sens où il nous rejoint, où il nous requiert encore, dans la mesure même où il est non pas une réponse, mais une question, non pas tant un savoir, qu'un signe; dans la mesure où il demeure, précisément, à définir : à rechercher, par l'aventure et par l'épreuve du texte.

DE LA « TÂCHE DOUBLEMENT IMPOSSIBLE »...

Si donc Michel Foucault nous paraît aujourd'hui, en quelque sorte, le « dernier » romantique, c'est qu'il marque dans le discours moderne le moment d'une prise de conscience où un projet philosophique prend la relève d'un projet poétique. *Folie et Déraison, Histoire de la folie à l'âge classique* est en fait l'aboutissement théorique d'une certaine praxis du langage romantique.

Le but de Foucault, nous l'avons vu, est de ressaisir le rapport Raison-Folie au point antérieur à leur séparation. Puisque le langage de la psychiatrie est fondé, au contraire, *sur* cette séparation, puisqu'il est un monologue unilatéral de la raison *sur* la folie, Foucault entreprend d'éviter ce langage, pour tâcher, justement, d'écouter et de faire parler le silence auquel la folie est réduite.

Conscient, toutefois, de la tension contradictoire que comporte une tâche qui consiste à *dire* un *silence*, Foucault lui-même reconnaît que son projet de dire la folie en contournant la raison est en réalité un projet impossible :

> Sans doute est-ce là tâche doublement impossible [...]
> Il s'agissait de sauvegarder à tout prix le *relatif*, et d'être *absolument* entendu.
> Là, dans ce simple *problème d'élocution*, se cachait et s'exprimait la majeure difficulté de l'entreprise : il fallait faire venir à la surface du langage de la raison un partage et un débat qui doivent nécessairement demeurer en deçà, puisque ce langage ne prend sens que bien au-delà d'eux[1].

---

1. M. Foucault, *op. cit.*, préface de la 1re éd.

« Tâche doublement impossible. » Il n'empêche que ce livre impossible, il était nécessaire de l'écrire. Et l'on peut se demander si tout grand livre n'est pas impossible (et en tant que tel nécessaire).

... AU « LIVRE INFAISABLE »

N'est-il pas remarquable que l'*Aurélia* de Gérard de Nerval soit, lui aussi, annoncé par l'auteur comme un livre impossible?

Aux yeux des amis de Nerval, d'ailleurs, tout livre devenait impossible à la suite de la deuxième crise de folie qui avait assailli l'écrivain. Alexandre Dumas écrivit alors une sorte d'oraison funèbre sur l'esprit de Gérard :

> C'est un esprit charmant [...], chez lequel, de temps en temps, un certain phénomène se produit [...]. L'imagination, cette folle du logis, en chasse momentanément la raison [...] et le jette dans les *théories impossibles*, dans les *livres infaisables* [1].

Et Nerval de répondre à Dumas, dans sa préface aux *Filles du feu* :

> Je vous dédie ce livre, mon cher maître, comme j'ai dédié *Lorely* à Jules Janin. Il y a quelques années, on m'avait cru mort et il avait écrit ma biographie. Il y a quelques jours, on m'a cru fou, et vous avez consacré quelques-unes de vos lignes les plus charmantes à l'épitaphe de mon esprit [...].
> Or, maintenant que j'ai recouvré ce qu'on appelle vulgairement la raison, raisonnons [...].
> Je vais essayer de vous expliquer, mon cher Dumas, le phénomène dont vous avez parlé (p. 13-14).

Face à Dumas, la requête de Nerval est celle-là même qu'un siècle plus tard Artaud adressera à Rivière : « *Daignez me recevoir*, implore Nerval pathétiquement, au moins en qualité de monstre » (p. 23). « Car, dira plus tard Artaud, je ne puis pas espérer que le temps ou le travail remédieront à ces absurdités ou à ces défaillances, voilà pourquoi je réclame avec tant d'insistance et d'inquiétude cette existence même avortée [...] Il ne s'agit pour moi de rien moins que de savoir si j'ai ou non le droit de continuer à penser, en vers ou en

---

1. Le texte de Dumas est cité par Nerval dans sa préface aux *Filles du feu* (*les Filles du feu* suivi d'*Aurélia*, Paris, Le Livre de poche, 1961, p. 13-14; je souligne). Toutes nos citations de la préface aux *Filles du feu* (dédicace à Dumas) renvoient à cette édition.

prose [1]. » Pour Nerval, la question est tout aussi grave et n'engage, elle aussi, rien moins que le sens même de son être. Car le discours de Dumas, comme plus tard celui de Rivière, esquissent, derrière l'apparente sympathie, un geste de rejet et d'exclusion :

> La lettre que je viens de recevoir de La Caverne [...] me conseille de renoncer à « un art qui n'est pas fait pour moi et dont je n'ai nul besoin... » Hélas! cette plaisanterie est amère, car jamais je n'eus davantage besoin, sinon de l'art, du moins de ses produits brillants. Voilà ce que vous n'avez pas compris (p. 22).

Le propos de Nerval est dès lors d'abolir — par l'écriture — ce verdict d'exclusion, de se faire reconnaître par l'autre, sans pour autant rejeter une partie de lui-même. C'est pourquoi, sans *renier* sa folie, il entend cependant la *nier :* contester sa définition réductrice par le discours raisonnable. Je ne suis pas plus *fou* aujourd'hui, dit Nerval, que je n'ai été *mort* il y a quelques années. Votre discours, implique-t-il à Dumas, m'abolit comme sujet, me réduit au silence. Or, écoutez-moi, car, au contraire, j'ai des choses à dire, à vous dire. « Maintenant que j'ai recouvré ce qu'on appelle vulgairement la raison, raisonnons. » Raisonnons, c'est-à-dire communiquons, même si je dois, pour ce faire (pour me faire écouter, pour me faire reconnaître, pour continuer à parler, et à vivre), repasser à travers vos normes : articuler un discours « raisonnable ». La dédicace à Dumas est, de la sorte, un appel, un recours, une sollicitation de l'autre dont l'ironie ne fait que sous-tendre la véhémence, la violence et l'urgence, dans un discours où Nerval, désespérément, se pose comme celui qui est fou *et* qui ne l'est pas, comme celui qui n'a même de vérité que dans l'énigme du fou qu'il est et qu'il n'est pas [2].

> Je vais essayer de vous expliquer, mon cher Dumas, le phénomène dont vous avez parlé [...]. Il est, vous le savez, certains conteurs qui ne peuvent inventer sans s'identifier aux personnages de leur imagination [...]. Hé bien, comprenez-vous que l'entraînement d'un récit puisse produire un effet semblable! que l'on arrive, pour ainsi dire, à s'incarner dans le héros de son imagination [...].
> Ce qui n'eût été qu'un jeu pour vous, maître [...], était devenu pour moi une obsession, un vertige (p. 14-15).

1. A. Artaud, *Correspondance avec Jacques Rivière*, in *Œuvres complètes, op. cit.*, p. 31-32.
2. Cf. M. Foucault, *op. cit.* : « L'homme moderne n'a de vérité que dans l'énigme du fou qu'il est et qu'il n'est pas » (1re éd., p. 633).

Toute lecture, dit Nerval, est une sorte de folie, puisqu'elle repose sur une illusion et nous pousse à nous identifier avec des héros imaginaires. La folie n'est rien d'autre qu'une lecture vertigineuse : le fou est celui qui est pris dans le vertige de sa propre lecture [1]. La démence est, avant tout, folie du livre, le délire une aventure du texte.

Le rôle de la folie dans l'œuvre sera une conséquence directe du rôle du livre dans la vie :

> La chaîne était brisée et marquait les heures pour des minutes. Ce serait le Songe de Scipion, la Vision du Tasse ou *la Divine Comédie* de Dante, si j'étais parvenu à concentrer mes souvenirs en un chef-d'œuvre. Renonçant désormais à la renommée d'inspiré, d'illuminé ou de prophète, je n'ai à vous offrir que ce que vous appelez si justement des théories impossibles, *un livre infaisable* (p. 15; Nerval souligne).

De fait, le projet poétique de Nerval ressemble étonnamment au projet philosophique de Foucault. Comme Foucault, Nerval entreprend de *dire* la folie *elle-même*, d'écrire une histoire de la folie, en essayant d'éviter le piège de « ce qu'on appelle vulgairement la raison ». Est-ce le triomphe de la Déraison, ou le refus de croire qu'une « déraison » existe, qu'il puisse exister, même dans la folie, quelque chose de radicalement étranger à la raison des choses? Nerval, comme Foucault, voudrait remonter au point zéro où Folie et Raison ne s'excluent pas encore, mais au contraire communiquent dans une énigmatique conjonction :

> Quelque jour, j'écrirai l'histoire de cette descente aux enfers, et vous verrez qu'*elle n'a pas été entièrement dépourvue de raisonnement, si elle a toujours manqué de raison* (p. 24; je souligne).
>
> Je ne puis convenir que j'ai été fou ou même halluciné. Si j'offense la médecine, je me mettrai à ses pieds quand elle prendra les traits d'une déesse [2].

Comme Foucault, Nerval voudrait avant tout échapper au diagnostic clinique, *monologue* de la raison *sur* la folie. Comme Foucault, il s'efforce de se tenir hors de l'opposition santé-maladie, pour atteindre une vérité qui dépasse leur contradiction.

---

1. Sur le rapport troublant, mais tout à fait fondamental, entre folie et lecture, cf. ci-dessous chap. XI : « Piège pour la psychanalyse : le tour de vis de la lecture ».
2. Lettre à Antony Deschamps, 24 octobre 1854, in *Œuvres, op. cit.*, t. I, p. 1175.

Que l'on nous comprenne bien : cette lecture d'un texte à partir d'un autre, ce recours d'un texte à un autre, ne se veut point ici indicateur d'un rapport historique ou d'une influence littéraire. La référence à Foucault n'est qu'un point de repère moderne, un repérage de notre discours dans le discours de Nerval. Notre objet n'est pas de montrer comment Foucault a pu lire Nerval, mais comment, dans Nerval, il peut être lu : sur quels points le texte nervalien rejoint le discours foucaldien. Notre lecture cherche comment aujourd'hui, dans le texte de Nerval, *nous sommes lus*.

Lire *Aurélia*, ce sera donc suivre la trace du projet impossible tel qu'il se réalise dans le texte : voir en quoi l'impossible est nécessaire, et le nécessaire impossible; voir comment ce rapport nécessaire-impossible se transforme en ligne de force du discours — et de l'écriture — romantique, et pourquoi il continue, aujourd'hui encore, à nous interroger.

La difficulté, là encore, est un problème d'*élocution :* qui parle dans le récit d'*Aurélia*, et à partir de quel lieu, de quelle instance parlante parle-t-il? Quel est le mode du discours nervalien, si ce discours refuse le point de vue, le langage médical? Comment parvient-il à dire la folie? Comment la folie, en tant que telle, peut-elle passer à travers un discours? « Qu'est-ce donc que la folie, écrit encore Foucault, dans sa forme la plus générale, mais la plus concrète, pour qui récuse d'entrée de jeu toutes les prises sur elle du savoir? Rien d'autre, sans doute, que l'*absence d'œuvre* [1]. »

Comment Nerval parvient-il à faire une œuvre de l'absence d'œuvre?

LE PLURIEL DU « JE » : LES TENSIONS DU RÉCIT

« Je vais essayer », dit le narrateur, dès la première page d'*Aurélia*,

> de transcrire les impressions d'une longue maladie qui s'est passée tout entière dans les mystères de mon esprit; — et je ne sais pourquoi je me sers de ce terme maladie, car jamais, quant à ce qui est de moi-même, je ne me suis senti mieux portant [2].

Ce *moi-même* qui s'est senti *bien portant* ne coïncide pas exactement avec celui qui dit *je* au début de la phrase : « Je vais essayer de trans-

---

1. *Histoire de la folie...*, *op . cit.*, préface de la 1re éd. (l'auteur souligne).
2. *Aurélia*, in *les Filles du feu*, suivi d'*Aurélia*, *op. cit.*, p. 219. La pagination des textes cités renvoie à cette édition.

crire les impressions d'une longue *maladie*... » C'est par le malaise du
dédoublement, autrement dit par une division de soi, que le locuteur
affirme la nécessité — impossible — de surmonter, dans l'exercice
même de son discours, le partage linguistique entre santé et maladie,
entre raison et folie. L'usage du pronom personnel *je* devient, de la
sorte, fort complexe dans le récit d'*Aurélia;* le *je* constamment se
dédouble, recouvre deux personnages distincts : le héros — et le
narrateur. Le héros est un « fou »; le narrateur, un homme qui a
recouvré sa « raison ». Le héros est un dormeur, livré aux apparitions
du sommeil; le narrateur, un homme éveillé. Le héros vit la folie
au présent; le narrateur la raconte après coup, il est décalé du héros
dans le temps. Le héros très souvent se définit par une force surnaturelle, par une hyper-puissance : « Je croyais ma force et mon activité
doublées » (p. 219). « Tout inondé de forces électriques, j'allais
renverser tout ce qui m'approchait » (p. 225). Le mode d'être du
narrateur, au contraire, est celui de l'impuissance : « *Je ne puis* donner
ici qu'une idée assez bizarre de ce qui résulta de cette contention
d'esprit » (p. 246).

Le héros se croit un savoir absolu : « Je croyais tout savoir, tout
comprendre » (p. 219); le mode d'être du narrateur est le non-savoir
et le doute : « C'est un de ces rapports étranges dont je ne me rends
pas compte moi-même et qu'il est plus aisé d'indiquer que de définir »
(p. 249)... « Telles sont à peu près les paroles, ou qui me furent
dites, ou dont je crus percevoir la signification » (p. 247). Le héros
déclenche un mouvement *onirique*, qui tend constamment vers
l'*hyperbole :* « J'avais alors l'idée que j'étais devenu très grand »
(p. 225); « Mon ami [...] grandissait à mes yeux et prenait les traits
d'un apôtre » (p. 223); « Aussitôt une des étoiles que je voyais dans
le ciel se mit à grandir » (p. 276). Le narrateur, en revanche, déclenche
un mouvement *critique*, qui tend constamment vers la *litote*, la
réduction, la réserve : « Si je ne me proposais un but que je crois utile,
je m'arrêterais ici, et je n'essaierais pas de décrire ce que j'éprouvai [...]
dans une série de visions insensées peut-être, ou vulgairement mala-
dives » (p. 225).

Aurélia se structure dès lors comme une tension irréductible entre
ces deux tendances discursives bipolaires et contradictoires : le mouvement onirique et le mouvement critique du récit[1].

---

1. Cf. R. Dragonetti, « *Portes d'ivoire ou de corne dans " Aurélia " de Gérard de
Nerval. Tradition et Modernité* » : « La double possibilité du *Rêve*, porte d'ivoire
ou de corne du langage poétique, est ce qui va déclencher le mouvement critique
du récit et le faire refluer sur son substrat onirique » (*Mélanges offerts à Rita
Lejeune*, G. Duculot, Gembloux, t. II, p. 1554). Nous devons plus d'une inspira-

Le clivage du « je » constitue non seulement la structure formelle du récit d'*Aurélia*, mais aussi son objet. Non seulement le narrateur se distingue du héros, mais encore le héros lui-même se dédouble et n'arrive pas à se joindre. Cette scission interne est concrétisée par l'hallucination du *double*. A l'intérieur du discours onirique, le « je » du héros est constamment dépossédé par l'*autre* :

> Quelqu'un de ma taille, dont je ne voyais pas la figure, sortit avec mes amis [...]. « Mais on se trompe! m'écriai-je; c'est *moi* qu'ils sont venus chercher, et c'est *un autre* qui sort! » (p. 226).

> O terreur! ô colère! C'était mon visage, c'était toute ma forme idéalisée et grandie... [...] Je croyais entendre parler d'un mariage mystique qui était le mien, et où *l'autre* allait profiter de l'erreur de mes amis et d'Aurélia elle-même (p. 244-245).

> J'imaginai que celui qu'on attendait était mon *double*, qui devait épouser Aurélia (p. 248).

> Cet époux préféré, ce roi de gloire, c'est lui qui me juge et me condamne, et qui emporte à jamais dans son ciel celle qu'il m'eût donnée et dont je suis indigne désormais (p. 254) [1].

D'une part, le double matérialise la fascination narcissique du sujet; d'autre part, cette image ressemblante dramatise l'impossible, incarne le signe de l'interdit. Car c'est précisément en tant qu'*autre*, non-je, que le double *peut* épouser Aurélia : c'est en vertu de son altérité qu'il parvient à lever l'interdit, à se faire *reconnaître* pour pénétrer dans l'espace de l'amour. « Roi de gloire », « époux préféré », il usurpe la place du « je » et le châtre. Cela revient à dire que le « je » est exclu, exilé du royaume de la jouissance, qu'il se découvre, d'ores et déjà, secondaire, excentrique à lui-même. S'il désigne sa place comme toujours manquante, c'est qu'il ne peut se mouvoir que dans l'espace de la castration [2].

---

tion à cette admirable étude d'*Aurélia*, à laquelle nous ne pouvons que renvoyer le lecteur.

1. Dans les textes cités, c'est moi qui souligne, sauf indication contraire.
2. Sur l'inquiétante étrangeté de l'expérience du double et son rapport à la castration, cf. Freud, « L'inquiétante étrangeté » (« Das Unheimliche »), in *Essais de psychanalyse appliquée*, Paris, Gallimard, 1933; rééd. « Idées », en particulier p. 186-185 (trad. fr. par M. Bonaparte et E. Marty).

La castration, en fait, est l'expérience constitutive, constituante d'*Aurélia*. Si Nerval s'interroge, interroge sa folie sous un titre féminisant, c'est que la femme symbolise cet espace de manque autour duquel se cristallise le délire. *Aurélia* n'est pas, à vrai dire, le personnage féminin du récit, mais la forme nominative d'une absence, le signifiant de la perte; dès l'abord, et à l'origine du récit, elle est *nommée* comme *perdue* :

> Une dame, que j'avais aimée longtemps et que j'appellerai du nom d'Aurélia, était *perdue* pour moi (p. 220).

> *Eurydice ! Eurydice !*

> Une seconde fois perdue;
> Tout est *fini*, tout est *passé*. C'est moi maintenant qui dois mourir et mourir sans espoir.
> — Qu'est-ce donc que la mort? Si c'était le néant... Plût à Dieu! Mais Dieu lui-même ne peut faire que la mort soit le néant (p. 250).

Le passé, ce n'est pas ce qui s'est passé, mais ce qui sans cesse se passe et nous passe, ce qui sans cesse se répète en tant que Présent disparu; le temps perdu, c'est le temps qui sans cesse se retrouve en tant que perdu, dans l'image de la perte. La mort, ce n'est donc pas le néant, mais la mort dans la vie, et qui est *à vivre;* la perte, c'est la répétition de la perte : « une seconde fois perdue ». « La chaîne était brisée et marquait les heures pour des minutes [1]. »

> La Treizième revient... c'est encor la première;
> Et c'est toujours la seule — ou c'est le seul moment;
> Car es-tu reine, ô toi! la première ou dernière?
> Es-tu roi, toi le seul ou le dernier amant?...

> Aimez qui vous aima du berceau dans la bière;
> Celle que j'aimai seul m'aime encor tendrement :
> C'est la mort — ou la morte... O délice! ô tourment [2].

La mort — ou la morte : suprême visage, en dernier lieu anonyme, de la femme. C'est pourquoi Aurélia, *nommée* comme *perdue* à l'origine du récit, finit par *perdre son nom* également :

1. Préface aux *Filles du feu*, p. 15.
2. « Artémis », *les Chimères*, in *Œuvres, op. cit.*, t. I, p. 31.

Oh! que ma grande amie est belle!
[...]
Cette nuit, le bon Saturnin m'est venu en aide, et ma grande amie
a pris place à ses côtés [...].
Je reconnus les traits divins de *** (p. 278).

Au plus haut de sa féminité, Aurélia, à son apparition ultime, retourne à l'anonymat; ou plutôt le récit, pour la dernière fois, la désigne précisément par un vide : au comble du rêve heureux, l'absence même vient à se nommer dans un nom qui fait trou.

Sans nom, sans nom autre que celui de l'absence, la femme n'est que la trace d'un passage, l'illusion d'une identité :

Je suis la même que Marie, la même que ta mère, la même aussi que sous toutes les formes tu as toujours aimée. A chacune de tes épreuves, j'ai quitté l'un des masques dont je voile mes traits, et bientôt tu me verras telle que je suis (p. 266-267).

Tu me verras : au futur, car je suis, au présent, proprement, *l'invisible*. « Je suis la même » signifie, dès lors : Je suis celle qui n'est pas; la mort — ou la morte.

C'est ainsi que le désir se transforme, par une chaîne de substitutions infinies, en une métonymie éperdue : la mort d'Aurélia reproduit et consacre la séparation des amants; celle-ci, à son tour, venait se greffer sur la perte originelle de la mère :

Je n'ai jamais connu ma mère qui avait voulu suivre mon père aux armées [...]. Elle mourut de fièvre et de fatigue dans une froide contrée d'Allemagne (p. 250).

La frustration répétée deviendra le vertige d'une mort éternelle, une maladie à la mort :

Partout mourait, pleurait et languissait l'image souffrante de la mère éternelle (p. 242).

« L'ÉPANCHEMENT DU SONGE »

« La folie, disait Schopenhauer, avant Freud, est le dernier recours de la nature contre l'angoisse. » C'est parce que la « vie réelle » n'est rien d'autre qu'un trou béant, que le Songe, petit à petit, s'y épanche. La *perte* se transforme en porte, qui débouche sur le « monde invisible ». Dans le creux du réel se construit un délire compensateur, par un retournement de signes : engendré par la perte, par la séparation, l'hallucination vise toujours la réunion des amants, les retrouvailles de l'objet perdu, et le rétablissement d'une harmonie cosmique.

> Mon rôle me semblait être de rétablir l'harmonie universelle (p. 269).

> Un soir, vers minuit [...], je remarquai le numéro d'une maison éclairé par un réverbère. Ce nombre était celui de mon âge. Aussitôt, en baissant les yeux, je vis devant moi une femme au teint blême, aux yeux caves, qui semblait avoir les traits d'Aurélia. Je me dis : « C'est *sa mort* ou la mienne qui m'est annoncée! » [...]
> Je me suis mis à chercher dans le ciel une étoile que je croyais connaître [...], marchant pour ainsi dire au-devant de mon destin et voulant apercevoir l'étoile jusqu'au moment où la mort devait me frapper [...].
> Il me semblait que mon ami déployait une force surhumaine pour me faire changer de place [...].
> Non! disais-je, je n'appartiens pas à ton ciel. Dans cette étoile sont ceux qui m'attendent [...]. Laisse-moi les rejoindre, car celle que j'aime leur appartient, et c'est là que nous devons nous retrouver (p. 222-224).

Le numéro d'une maison, un chiffre éclairé par hasard déclenche toute une scène délirante. L'hallucination commence par une lecture de signes. La folie est, avant tout, une intuition du mode d'être du symbole, une foi totale et aveugle dans la révélation du signe qui, fait du hasard, renvoie cependant à une nécessité, à une fatalité :

> Mais, si ce symbole grotesque était autre chose, si [...] c'était la vérité fatale sous un masque de folie? (p. 245).

Le symbole dissimule et révèle à la fois. C'est dire que la révélation symbolique sollicite l'interprète, mais aussi lui résiste. La vérité ne s'avance que masquée; elle ne prend sa portée que de ce qu'elle est *illisible* :

> Je vis ensuite se former vaguement des images plastiques de l'Antiquité qui [...] semblaient représenter des symboles dont je ne saisissais que difficilement l'idée. Seulement, je crus que cela voulait dire : « Tout cela était fait pour t'enseigner le secret de la vie, et tu n'as pas compris. Les religions et les fables, les saints et les poètes s'accordaient à expliquer l'énigme fatale, et tu as mal interprété... »
> (p. 258).

L'univers tout entier se transforme, dès lors, en un discours symbolique, que le héros interprète selon ses désirs et ses craintes. La foi délirante dans le signe ne vise à rien d'autre qu'à conjurer — magiquement — la malédiction castratrice, à récupérer la *puissance* perdue; puissance, avant tout, érotique, qui permettra au héros de s'affirmer, et de vaincre l'autre :

> Alors, je m'écriai : « Je sais bien qu'il m'a déjà frappé de ses armes, mais je l'attends sans crainte et je connais *le signe* qui doit le vaincre » [...]
> On semblait autour de moi me railler de mon impuissance... Alors, je me reculai jusqu'au trône, l'âme pleine d'un indicible orgueil, et je levai le bras pour *faire un signe* qui me semblait avoir une *puissance magique*. Le cri d'une femme, distinct et vibrant, empreint d'une douleur déchirante, me réveilla en sursaut. Les syllabes d'un *mot inconnu* que j'allais prononcer expiraient sur mes lèvres... (p. 248).

Le signe devient là, de toute évidence, le symbole d'une puissance phallique. C'est pourquoi la folie se conçoit, tout au long, comme un mode de connaissance transgressive; la transgression, la percée du mystère au-delà des limites du connu, du permis, est, elle aussi, exprimée par une métaphorique à valeur érotique :

> Je n'ai pu *percer* sans *frémir* ces *portes* d'ivoire ou de corne qui nous séparent du monde invisible (p. 219).

> J'employai toutes les forces de ma volonté pour *pénétrer encore* le mystère dont j'avais levé quelques voiles (p. 246).

La transgression n'est toutefois possible que grâce au médium symbolique : la toute-puissance phallique, invoquée par le signe magique, mime « les syllabes d'un mot *inconnu* » qui, au réveil, « *expire* sur les lèvres »... La folie se mettra dès lors à la recherche de cette langue inconnue, de ce mystérieux code de puissance — code qui n'admettrait pas le manque, langue au sein de laquelle la plénitude deviendra possible :

> L'*alphabet magique*, l'hiéroglyphe mystérieux ne nous arrivent qu'incomplets et faussés soit par le temps, soit par ceux-là même qui ont intérêt à notre ignorance; *retrouvons la lettre perdue* ou le signe effacé, recomposons la gamme dissonante, et *nous prendrons force* dans le monde des esprits (p. 252).

La recherche délirante du langage magique ne débouche toutefois dans la réalité que sur l'abandon du langage humain. Le dément ne communique plus, par la parole, avec ses semblables. Pour communiquer avec les esprits, Nerval abdique le monde des vivants. Pour rejoindre l'étoile, il quitte son ami. Visant les retrouvailles de l'autre, le délire cependant creuse toujours davantage le fossé qui le sépare des autres. La tragédie de Nerval réside dans cette perte de l'autre : ce cercle vicieux de l'imaginaire — engrenage narcissique — constitue le noyau même de sa folie.

LE « SPHINX »

C'est à l'asile de fous que le cercle du narcissisme sera rompu pour la première fois :

> Je fus enfin arraché à cette sombre contemplation [...]. Parmi les malades se trouvait un jeune homme, ancien soldat d'Afrique, qui depuis six semaines se refusait à prendre de la nourriture [...]. Du reste, il ne pouvait ni voir ni parler.
> Ce spectacle m'impressionna vivement. Abandonné jusque-là au cercle monotone de mes sensations et de mes souffrances morales, je rencontrais un être indéfinissable, *taciturne* et patient, assis *comme un sphinx* aux portes suprêmes de l'existence. Je me pris à l'aimer à cause de son malheur et de son abandon, et je me sentis relevé par cette sympathie et par cette pitié (p. 275-276).

« Cette figure de l'être en détresse, note Roger Dragonetti, c'est encore le *double*, mais qui découvre à Nerval l'image de son propre dénuement : le vrai visage du prochain [1]. » *Je* n'est plus tellement un *autre* puisque, justement, l'autre est un autre *soi*.

> Je passais des heures entières à m'examiner mentalement, la tête penchée sur la sienne et lui tenant les mains (p. 276).

La guérison commence, ainsi, par la découverte de l'autre.

Son image en miroir, celle du mort vivant, révèle à Nerval non seulement le spectacle de sa propre folie, mais aussi une figure du destin : le destin est silence. « Assis comme un *sphinx* aux portes suprêmes de l'existence », l'être muet pose à Nerval, précisément, *la question du silence*, et lui révèle, du même coup, le prix du langage humain — lieu de la rencontre de l'autre. Nous assistons, dès lors, à un appren-

1. « Portes d'ivoire... », art. cité, p. 1563.

tissage de la parole : apprentissage qui se réalise sous la forme d'un enseignement. Le héros ré-apprend à parler, tout en enseignant la parole à son pathétique compagnon :

> Je me sentis ravi quand, pour la première fois, une parole sortit de sa bouche. On n'en voulait rien croire, et j'attribuais à mon ardente volonté ce commencement de guérison (p. 276).

> Je passais des heures entières à lui chanter d'anciennes chansons de village [...]. J'eus le bonheur de voir qu'il les entendait et qu'il répétait certaines parties de ces chants. Un jour, enfin, il ouvrit les yeux et je vis qu'ils étaient bleus [...]. Il se mit aussitôt à parler [...] et me reconnut, me tutoyant et m'appelant frère (p. 282).

Dans le mutisme du pauvre fou, Nerval puise la force non seulement de recommencer à parler, mais aussi de devenir lui-même donateur, dispensateur de la parole. La communication est réciproquement, ici, don du manque : « Saturnin » restitue à Nerval ce qu'il a lui-même perdu, ce dont il est privé[1] : la parole. Sur le vide de la privation réciproque s'établit de la sorte un échange qui débouche sur un double miracle, sur une double guérison : chez Nerval comme chez le soldat d'Afrique, une renaissance au langage et à l'Autre.

« LE FIL D'ARIANE »

Cette renaissance au langage humain signifie nécessairement, pour Nerval, l'abandon du langage magique :

> J'ai retrouvé avec joie ces humbles restes de mes années alternatives de fortune et de misère [...]. Mes livres, amas bizarre de la science de tous les temps [...] — on m'avait laissé tout cela ! *Il y avait de quoi rendre fou un sage; tâchons qu'il y ait aussi de quoi rendre sage un fou.* Avec quelles délices j'ai pu classer dans mes tiroirs l'amas de mes notes et de mes correspondances [...]! O bonheur ! ô tristesse mortelle ! ces caractères jaunis, ces brouillons effacés, ces lettres à demi froissées, c'est le trésor de mon seul amour... Relisons... Bien des lettres manquent, bien d'autres sont déchirées ou raturées; voici ce que je retrouve (p. 274).

La folie bascule, on le voit, dans une sorte de sagesse qui commence à poindre. Si la démence était, proprement, un vertige de *lecture*, écrit

1. Cf. J. Lacan, *Écrits*, Paris, Éd. du Seuil, 1966, p. 691 : « Ce privilège de l'Autre désigne ainsi la forme radicale du don de ce qu'il n'a pas, soit ce qu'on appelle son amour. »

par les livres, la « sagesse » est ce qui est *à écrire*. Classer des notes, c'est déjà tourner du côté de l'œuvre : retrouver le trésor des « brouillons effacés ». « Bien des lettres manquent », il est vrai, « bien d'autres sont déchirées ou raturées ». Mais le langage humain, à l'encontre de « l'alphabet magique », implique, justement, une acceptation de la rupture, de la déchirure. « Ces caractères jaunis » sont précisément parlants à partir du manque qui les fonde.

Il est remarquable qu'à ce moment le récit, conduit jusque-là au passé, passe brusquement au présent [1] : « Relisons... Bien des lettres manquent [...]; voici ce que je retrouve. » La guérison est aussi une découverte du présent. Et le présent est *relecture :* une nouvelle attitude vis-à-vis du passé.

L'écriture, héritage du déshérité, deviendra, dès lors, la seule consolation de « l'inconsolé ».

> La divinité de mes rêves m'apparut souriante [...]. Elle me dit : « L'épreuve à laquelle tu étais soumis est venue à son terme [...] ». Je voulus avoir un *signe matériel* de l'apparition qui m'avait consolé, et *j'écrivis* sur le mur ces mots : « Tu m'as visité cette nuit » (p. 276-277).

De la nuit sublime, Nerval, de la sorte, s'arroge — en vertu d'un doute — une goutte d'encre : « quelque devoir de tout recréer avec des réminiscences [2]... » Mais la réminiscence est ici tournée vers l'avenir, non vers le passé; elle est une promesse de la fin, c'est-à-dire du recommencement : « L'épreuve à laquelle tu étais soumis est venue à son terme. » Le signe écrit commémore un sens. Mais la mémoire est mémoire du langage, trace, justement, d'une visite nocturne, dont la lumière ne fait *sens* que parce qu'elle se fait *attendre*. La lettre promet et diffère à la fois. Le « signe matériel » marque donc le point de jonction où le passé retrouve le futur : où le passé est *à être*. Le passé, c'est-à-dire l'impossible, ce qui n'a pas eu lieu : l'impossible amour pour une « apparition », pour le sourire d'une Étoile. Le futur, c'est-à-dire cette mémoire — sans personne — du désir [3], qui transmue le souvenir en attente : l'impossible devient un espoir.

1. La première phrase au présent est celle qui, quelques lignes plus haut, introduit le passage que nous venons de citer; phrase où la brèche du présent est marquée — à la fois par la forme et par le contenu — dans une sorte de promesse, admirable de simplicité poétique : « Ma chambre est à l'extrémité d'un corridor habité d'un côté par les fous, et de l'autre par les domestiques de la maison. Elle a seule le privilège d'une fenêtre percée du côté de la cour... » (p. 272-273).
2. Mallarmé, « Conférence sur Villiers de L'Isle-Adam », *Médaillons et Portraits*, in *Œuvres complètes*, Paris, Gallimard, « Bibl. de la Pléiade », 1945, p. 481.
3. « Inventer, dit Nerval, c'est se ressouvenir » (préface aux *Filles du feu*, p. 15). Mais se ressouvenir, c'est aussi inventer : inventer la mémoire de la lettre.

A nouveau, c'est le recours au symbole qui doit permettre de vivre, de supporter, de transcender la frustration réelle. L'écriture va toutefois inverser le rapport de Nerval aux signes. Si l'hallucination était une lecture de signes, un déchiffrement du *réel*, l'écriture, en revanche, s'efforcera d'être un déchiffrement du *rêve*. L'écrivain deviendra, de la sorte, l'interprète, le lecteur de sa propre folie [1] :

> Je résolus de *fixer* le rêve et d'en connaître le secret.
> Pourquoi, me dis-je, ne point enfin forcer ces portes mystiques, armé de toute ma volonté, et *dominer* mes sensations, au lieu de les *subir?* N'est-il pas possible de *dompter* cette chimère attrayante et redoutable, d'*imposer une règle* à ces esprits de nuit qui se jouent de notre raison? (p. 281).

C'est ainsi que le héros se transforme en narrateur. Le mouvement critique du récit parvient à fixer, à dominer, à dompter le mouvement onirique. Pour un moment du moins, Nerval aura imposé une règle à ces esprits de nuit qui se jouaient de sa raison; il aura *dominé* le signe au lieu de le *subir :*

> Entouré de monstres contre lesquels je luttais obscurément, *j'ai saisi le fil d'Ariane* [...]. Quelque jour, j'écrirai l'histoire de cette descente aux enfers, et vous verrez qu'elle n'a pas été entièrement dépourvue de raisonnement, si elle a toujours manqué de raison [2].

Faire une œuvre de l'absence d'œuvre, c'était donc faire une œuvre où la parole ne soit pas un savoir, mais un apprentissage; faire un livre où l'écriture se recherche et marque le drame de son propre passage. « Saisir le fil d'Ariane », c'était, pour Nerval, reconnaître que la lettre perdue ne sera pas retrouvée; c'était accepter de se contenter d'une « gamme dissonante », d'un alphabet incomplet, déficient, pour dire l'indicible, et entreprendre pourtant de noter le silence, de fixer le vertige; c'était écrire *Aurélia*.

Avril 1971.

---

1. Cf. R. Dragonetti, selon qui *Aurélia* constitue « un discours interprétatif qui transforme tour à tour le rêveur en lecteur ou témoin de ses propres visions » (art. cité, p. 1554).
2. Préface aux *Filles du feu*, p. 24.

LA RÉPÉTITION : FOLIE DU LYRISME

- La lyre et le cœur
- Suis-je Amour?, ou le miroir magique
- L'Achéron traversé, ou qu'est-ce que le rythme?
- La Treizième revient
- Nevermore, ou « c'est encore la première »
- La sainte de l'abîme

LA LYRE ET LE CŒUR

« Lyrisme » (1834), dérivé de « lyrique », dérivé à son tour de « lyre », provient — à travers le latin : *lyra* — du grec : *lura*. Il désigne donc ce type de langage poétique qui, autrefois, se chantait sur la *lyre*, qui était destiné à être chanté avec accompagnement non seulement de musique mais souvent de danse, et qui aujourd'hui se définit, dans un sens métaphorique, comme le « chant » des sentiments intimes. On se souvient de la célèbre déclaration de Lamartine, jouant sur les deux sens du mot « lyrique », et prétendant inaugurer ce que plus tard l'histoire littéraire dénommera : le lyrisme romantique.

> Je suis le premier qui ai fait descendre la poésie du Parnasse, et qui ai donné à ce qu'on nomme la Muse, au lieu d'une *lyre* à sept cordes de conventions, *les fibres mêmes du cœur* de l'homme, touchées et émues par les innombrables frissons de l'âme et de la nature [1].

Le premier problème que pose le lyrisme est donc celui du rapport entre la « lyre » et « les fibres du cœur », entre l'instrument musical et l'émotion personnelle, entre la notion de *musique* et la notion de *personne*. « Lyrique », glose le Petit Robert, est « la poésie qui exprime des sentiments intimes au moyen de *rythmes* [...] ». C'est donc le rythme, une certaine forme de *répétition* plus ou moins régulière d'intervalles et de retours pareils, qui fait la jointure entre la notion de musique et celle de personne individuelle. Ce rapport est d'ailleurs également repérable dans l'étymologie du mot « rythme » : Émile Benveniste, qui a étudié, à l'encontre d'une certaine tradition philologique, l' « expression linguistique » du mot à travers son histoire

1. Préface aux *Méditations poétiques*.

textuelle, en particulier chez les lyriques grecs, établit que le sens premier de *rythmos* n'est pas, comme le veut l'idée reçue, « le mouvement régulier des flots », mais « disposition, figure proportionnée, *forme distinctive* [1] », et par extension, « forme individuelle, distinctive du caractère humain [2] ». A distinguer de son synonyme, la « forme » proprement dite, le *rythmos*, précise Benveniste, c'est « la forme dans l'instant qu'elle est assumée par ce qui est mouvant, [...] la forme improvisée, momentanée, modifiable [...] résultant d'un arrangement toujours sujet à changer » [3]. Ce n'est que plus tard, dans le texte de Platon, que la notion de « rythme » se trouve pour la première fois appliquée à la musique, et que le *rythmos* — figure spatiale — se transforme en une figure temporelle dans le sens d'une activité répétée, découpée en temps alternés [4].

Ainsi la notion de « lyrique », dans sa double connotation de personnel et de musical, est-elle étroitement liée à la notion de « rythmique », dans sa double connotation de distinctif et de répétitif. C'est à travers le *rythme* que le lyrisme associe, traditionnellement, une certaine forme de *répétition* et une certaine forme d'*identité*.

Lorsque Rousseau vient définir, à l'aube du mouvement romantique, la nouveauté stylistique de *la Nouvelle Héloïse*, il insiste sur son rythme particulier, sur ses répétitions. « Ce recueil, lit-on dans la deuxième préface, est plein de choses d'une maladresse que le dernier barbouilleur eût évitée : les déclamations, les répétitions, [...] les éternelles rabâcheries [5]... »

> Une lettre que l'amour a réellement dictée, une lettre d'un amant *vraiment* passionné, sera lâche, diffuse, toute en longueurs, en *répétitions*. Son cœur, plein d'un sentiment qui déborde, redit toujours la même chose, et n'a jamais achevé de dire, comme une source vive qui coule sans cesse et ne s'épuise jamais [...]; et c'est ainsi que le cœur parle au cœur [6].

La répétition, pour Rousseau, est — de façon paradoxale — l'expression la plus directe possible : la voie la plus courte entre deux cœurs n'est pas la ligne droite du discours linéaire à sens unique, mais le tour, le détour de la répétition, laquelle garantit la « vérité » du senti-

---

1. É. Benveniste, « La notion de rythme dans son expression linguistique », in *Problèmes de linguistique générale*, Paris, Gallimard, 1966, p. 322.
2. *Ibid.*, p. 330.
3. *Ibid.*, p. 332.
4. Cf. *ibid.*, p. 333-335.
5. J.-J. Rousseau, *Julie ou la Nouvelle Héloïse*, Paris, Garnier, 1960, p. 755.
6. *Ibid.*, p. 741.

ment, voire l'identité, l'authenticité du cœur. La même idée se retrouve, dans un autre contexte, chez Poe, étudiant la répétition formelle dans son poème, « Le corbeau ». « Le plaisir, note Poe en parlant de la tradition lyrique du refrain, est dérivé uniquement du sentiment, de la reconnaissance de l'identité — de la répétition [1]. »

Pour interroger ce rapport entre répétition et identité, on a choisi d'étudier ici quelques échantillons lyriques de Nerval [2], dans le but d'y examiner le fonctionnement de la répétition, en tant que pensée strictement textuelle sur l'identité lyrique.

Y a-t-il une identité lyrique plus typique et plus évidente que celle posée par « *El Desdichado* » ?

> Je suis le ténébreux, — le veuf —, l'inconsolé,
> Le prince d'Aquitaine à la tour abolie :
> Ma seule étoile est morte, — et mon luth constellé
> Porte le soleil noir de la Mélancolie [3].

La voix lyrique se définit par le paradoxe d'un sujet à la fois *possessif* et *dépossédé*. Possessif : « *Ma* seule étoile », « *mon* luth constellé ». Dépossédé : « El Desdichado », « le veuf », « le prince d'Aquitaine à la tour abolie ».

Le « luth », emblème du génie lyrique, est lui-même dès l'abord rapporté au sujet parlant posé comme son propriétaire, et comme origine de la musique. Le lyrisme serait donc un médium par lequel un sujet exprimerait un sens référentiel, qui lui appartiendrait « en propre ». Si le « je » lyrique est « inconsolé » et « déshérité », constitué par un manque, par une perte de l'objet aimé, il n'en revendique pas moins une autorité princière :

> Es-tu roi, toi le seul ou le dernier amant [4] ?

Être prince, être roi signifie chez Nerval être distingué, reconnu, et aimé, comme individu *unique*. « Je suis *le* ténébreux, *le* veuf, *l'*incon-

---

1. « *The pleasure is deduced solely from the sense of identity—of repetition* » (E. A. Poe, « The Philosophy of Composition », in *Selected Writings*, Penguin, 1967, p. 484).
2. Notamment : « El Desdichado » et « Artémis » *(les Chimères)*, « Sylvie » *(les Filles du feu)*. La pagination des textes cités renverra à l'éd. Garnier-Flammarion (Paris, 1965).
3. P. 239.
4. « Artémis », p. 241.

solé. » Le « être » lyrique est ici posé de façon catégorique (« Je suis ») par la scansion de trois adjectifs renforcés de l'article défini, qui se répète et domine, dès le titre. La qualification est substantivée, transformée en essence; la répétition de l'article insiste sur l'unicité du « je », qui, sans être nommé, est pourtant *défini* en vertu de l'autorité de l'article, déterminé de façon absolue, sans qu'on puisse se tromper, le confondre avec un autre. Le « je » perd ainsi sa fonction linguistique de *shifter* [1], de simple « indicateur [2] » discursif de l'instance de locution, pour devenir — par une définition absolue — une essence unique en son genre : une autorité ontologique.

Le poème ne s'arrête pourtant pas à cette définition de la première strophe. Il continue à la répéter, à la rythmer de diverses manières. La question se pose donc de savoir : que devient la définition lyrique dans la répétition lyrique? La répétition est-elle là comme quelque chose qui donne forme, ou, au contraire, trans-forme?

SUIS-JE AMOUR? OU LE MIROIR MAGIQUE

Examinons le système des tercets. Dans un sens, ces tercets sont une autre façon de chanter, et de plaindre, l'amour perdu. Cependant, dès leur premier vers, l'autorité ontologique du sujet lyrique est remise en question : le « Je suis » de la première strophe est repris, mais aussi renversé, par le « Suis-je » du premier tercet :

> Suis-je Amour ou Phébus?... Lusignan ou Biron [3]?

Je ne sais *qui* je suis, je ne sais *si* je suis. Quel destin légendaire pourrais-je assumer? Avec quel héros — ou quel mythe amoureux — suis-je en droit de m'identifier? « Suis-je Amour » signifie non pas tant « est-ce que je suis », mais plutôt « je m'identifie », car je ne peux en vérité me désigner du nom propre d'un autre. Je m'identifie : tel est le mode d'être fondamental du « je » lyrique. Je m'identifie : j'assume — au miroir — une image que je crois être la mienne. « C'est une image que je poursuis », affirme le narrateur de *Sylvie* [4], contemplant

---

1. Cf. R. Jakobson, « Les embrayeurs, les catégories verbales et le verbe russe », in *Essais de linguistique générale*, Paris, Éd. de Minuit, 1963 (trad. fr. par N. Ruwet).
2. Cf. É. Benveniste, « La nature des pronoms », in *Problèmes de linguistique générale*, *op. cit.*
3. « El Desdichado », p. 239.
4. *Sylvie*, I, p. 111.

la femme — comme il dit lui-même — à travers un « miroir magique »
qu'il craint avant tout de « troubler » :

> Depuis un an, je n'avais pas encore songé à m'informer de ce qu'elle
> pouvait être d'ailleurs; je craignais de troubler le miroir magique qui
> me renvoyait son image [1].

Cette confrontation spéculaire n'est nullement confrontation d'identité. Elle ne fait que souligner le narcissisme déguisé du désir, amoureux
de ses propres reflets, et qui, dans la vie même de l'aimée, bloque
toute réponse, empêche toute forme d'union ou de réciprocité.

> Vue de près, la femme réelle révoltait notre ingénuité; il fallait
> qu'elle apparût reine ou déesse, et surtout n'en pas approcher [2].

> Un matin, je lus dans un journal qu'Aurélie était malade. Je lui écrivis
> des montagnes de Salzbourg. La lettre était si empreinte de mysti
> cisme germanique que je n'en devais pas attendre un grand succès,
> mais aussi *je ne demandais pas de réponse* [3].

A travers le miroir, non seulement le sujet ne rencontre pas vraiment
l'*autre*, mais il manque aussi sa propre rencontre, puisqu'il ne voit
de lui-même qu'un reflet inversé et imaginaire : le miroir dénie toute
ontologie, car il relève toujours de l'espace de la fiction. Si le « stade
du miroir [4] » est donc un moment nécessaire du lyrisme, il ne doit
en aucun cas en être le moment ultime et définitif.

En s'interrogeant sur son être, le « je » lyrique se dédouble, prend
une distance par rapport à soi : le sujet de l'énonciation se distingue
du sujet de l'énoncé; le « je » acteur se distance sous le regard d'un
« je » spectateur. La douleur se transforme, du coup, en un *spectacle*
de la douleur. Le sujet se re-présente, et se re-présente sa souffrance.
Ce n'est pas un hasard si *Sylvie* commence et finit au théâtre. « Je
sortais d'un théâtre où tous les soirs je paraissais aux avant-scènes
en grande tenue de soupirant [5]. » *Entre* la salle et la scène, « en grande
tenue de soupirant », le « je » lyrique *joue* à *soupirer;* l'acteur-spectateur *joue* à *regarder*, à contempler, avec « tourment » et « délice » [6],
le spectacle de sa propre souffrance. Je lis Nerval, note Bataille,

---

1. *Sylvie.*, I, p. 110.
2. *Ibid.*, I, p. 110-111.
3. *Ibid.*, XIII, p. 135.
4. Cf. J. Lacan, « Le stade du miroir comme formation de la fonction du je »,
in *Écrits, op. cit.*
5. *Sylvie*, I, p. 109.
6. Cf. « Artémis », p. 242 : « C'est la mort — ou la morte... O délice! ô tourment! »

« étonné de sentir un décalage entre mes cris et ma vie [1] ». L'espace du lyrisme, toujours, est en quelque sorte un espace de théâtre, un espace de non-coïncidence entre les cris et la vie.

Suis-je Amour ou Phébus? Lusignan ou Biron? se demande donc l'acteur-spectateur lyrique. Le sujet qui, dans la première strophe, se définissait par ses « propriétés », par ses attributs *métonymiques* (« mon luth », « ma seule étoile »), se transforme ici lui-même en *métaphore*. La subjectivité est posée, dès lors, non plus comme un sens premier et référentiel, mais comme un sens figuré. Par rapport à l'autorité ontologique de la voix liminaire, la métaphore concrétise une certaine forme de dégradation. Le sujet est déchu de son unité et à la fois de son unicité, puisque lui préexiste une série de modèles ressemblants. Comble d'ironie, le sens littéral, le « sens propre », qui fonde la métaphore du sujet, est le « nom propre » d'un autre : l'identité même est altérité; l'identification est aliénation. Le « je » spectateur se transforme en « je » lecteur de son propre destin. Mais le « je » lecteur, tout en se lisant, se découvre déjà une *citation*, prise à un autre texte : le mythe d'Amour ou de Phébus, la légende de Biron ou de Lusignan. Le « je » lyrique est ainsi, par essence, une non-essence, un rapport textuel : une répétition — et une ré-citation.

C'est ainsi que le héros de *Sylvie* imite *la Nouvelle Héloïse*, et ré-cite — tel le perroquet de son oncle, vieilli à Ermenonville auprès de la tombe vide de Rousseau — des fragments du discours de Saint-Preux :

> Et je continuais à *réciter* des fragments de l'*Héloïse*, pendant que Sylvie cueillait des fraises [2].

La Nouvelle Héloïse : origine de tant de promenades amoureuses, de tant de reflets sur des lacs célèbres, qui s'apparentent tous au lac de Narcisse, *la Nouvelle Héloïse*, à son tour, n'est rien moins qu'un texte originaire. Le titre déjà nous en avertit : « La *Nouvelle* Héloïse » s'annonce, dès l'abord, répétition, reprise — de l'intrigue de l'ancienne Héloïse et de son amant Abélard : intrigue qui elle-même n'est déjà pas une simple « affaire de cœur », mais un *texte :* un célèbre recueil de lettres, dont le mythe s'est perpétué à travers la tradition de Pétrarque. « Je suis le premier [...] qui ai donné à [...] la Muse [...] les fibres

---

1. G. Bataille, *L'Orestie*, Éd. des Quatre-Vents, 1945, p. 27.
2. *Sylvie*, IV, p. 120. Cf. *ibid.*, XI, p. 132 : « J'essayai de parler des choses que j'avais dans le cœur, mais, je ne sais pourquoi, je ne trouvais que des expressions vulgaires, ou bien tout à coup quelque phrase pompeuse de roman — que Sylvie pouvait avoir lue. »

mêmes du cœur », écrivait Lamartine, présentant les *Méditations poétiques*. L'épigraphe même du recueil le dément : « Commençons par Jupiter », dit-elle, citant le début d'un vers de Virgile [1]. Non seulement Lamartine ne *commence* rien, puisqu'il commence son texte en *répétant* Virgile; mais encore, il récite ce qui, dans Virgile, nie d'emblée tout privilège liminaire, renvoyant, là encore, à un autre texte, à un autre pseudo-commencement. « C'est ainsi que le cœur parle au cœur », dit, dans sa deuxième préface, l'auteur de *la Nouvelle Héloïse*, et le narrateur de *Sylvie* de conclure : « Bien des cœurs me comprendront [2]. » Mais le « cœur » est, toujours et d'abord, un texte : *langage*, qui répète un autre langage. Et « les fibres du cœur », que Lamartine prétend avoir substituées à la « lyre à sept cordes de convention », les fibres du cœur sont encore des figures : des figures de rhétorique. Tel est le jeu subtil du désir et de la culture.

> Suis-je Amour ou Phébus?... Lusignan ou Biron?
> Mon front est rouge encor du baiser de la reine;
> J'ai rêvé dans la grotte où nage la sirène...
>
> Et j'ai deux fois vainqueur traversé l'Achéron :
> Modulant tour à tour sur la lyre d'Orphée
> Les soupirs de la sainte et les cris de la fée [3].

A nouveau, la métaphore du sujet se décompose en une série de fragments, d'attributs métonymiques (« Mon front », « la lyre d'Orphée »). Si une équivalence mythique est cependant encore suggérée, si Narcisse se transforme ici en Orphée, ce n'est plus sur le mode métaphorique mais sur le mode allégorique : le sujet ne dit plus « Je suis », mais « J'ai traversé l'Achéron », et « je module sur la lyre d'Orphée ». La série des fragments métonymiques (« mon front », « le baiser de la reine », « la lyre d'Orphée », « les soupirs » et « les cris ») se soude pour composer un récit, une allégorie mythique : allégorie qui raconte, et consacre, l'échec de la métaphore à établir un sens propre, une identité littérale du sujet. Car être *comme* Orphée, cela veut dire n'être *ni* Amour *ni* Phébus, mais *à la fois* comme Amour, comme Phébus : amant *et* poète, ténébreux *et* solaire, dionysiaque *et* apollinien. Le « ou », qui initialement signifiait une disjonction de contradictions : « Amour *ou* Phébus, Lusignan *ou* Biron », se transforme par l'allégorie en un « ou » de conjonction, correspondant au « et » qui unit « les soupirs de la sainte *et* les cris de la fée ». Puisque l'allégorie

---

1. *Bucoliques*, III, 60.
2. *Sylvie*, XIV, p. 137.
3. « El Desdichado », p. 239.

déconstruit sciemment la prétention de la métaphore; puisque, consciemment, elle postule non une identité mais une citation qui se donne
comme telle, qui assume sa textualité, la possibilité de substitution
allégorique d'un texte à un autre devient infinie. Le « je » n'est que
cette permutation, cette substitution infinie de citations sur « la lyre
d'Orphée ».

Il est en effet remarquable que la transformation rhétorique du
poème s'accompagne d'une transformation de la fonction syntaxique
de « la lyre » : celle-ci n'est plus modifiée par un « mon », au même
titre que dans « *mon luth* constellé » : la musique ne constitue plus
du tout un complément possessif du sujet. Le « propriétaire » de la
lyre n'est plus le sujet parlant, mais Orphée. L'origine du lyrisme
n'est plus personnel, mais culturel, mythique, textuel. Ce n'est pas
le sujet qui chante le lyrisme mais une culture lyrique qui le chante.
Le stade du miroir du lyrisme n'existait qu'en vertu de l'oubli de
ce moment rhétorique, linguistique : oubli qui fondait, et qui fonde
toujours, la prétention narcissique. Le dépassement du narcissisme
réside donc, pour le texte lyrique, dans le rappel, et la réflexion —
ironiques ou allégoriques — de ses propres moments *rhétoriques*.

> Hélas! ô roses, toute lyre
> Contient la modulation!
> Un soir, de mon triste délire
> Parut la constellation!

s'écrie la muse Pythie, dans le langage de Valéry; mais elle reprend
plus tard :

> Voici parler une Sagesse
> Et sonner cette auguste Voix
> Qui se connaît quand elle sonne
> N'être plus la voix de personne
> Tant que des ondes et des bois [1]!

L'ACHÉRON TRAVERSÉ, OU QU'EST-CE QUE LE RYTHME?

A la fin d' « El Desdichado » ce n'est plus tant de soi que parle le
« je » lyrique, mais de son langage, et du poème qu'il écrit. L'allégorie raconte la genèse artificielle d'un sens, à partir d'un sujet-
simulacre, d'une métaphore déchue. « Le Destin », premier titre du

---

1. P. Valéry, « La Pythie », *Charmes*, in *Œuvres*, Paris, Gallimard, « Bibl. de la
Pléiade », 1957, t. I, p. 133, 136.

sonnet (sur le manuscrit Eluard), est ainsi raconté dans sa fabrication, qui est celle d'une lecture-écriture. Le destin est d'abord un discours.

> Et j'ai deux fois vainqueur traversé l'Achéron
> Modulant tour à tour sur la lyre d'Orphée
> Les soupirs de la sainte et les cris de la fée.

Si le poète cherche à se charmer [1], il cherche avant tout à comprendre la nature de son activité poétique. Quelle est donc cette répétition orphique que le poème célèbre, par laquelle il croit assurer à la fois sa victoire et sa vie? Une certaine tradition exégétique répond : les deux crises de folie de Nerval, dont le poète a pourtant eu la chance de se tirer vivant et lucide. Cette lecture, qui tombe elle aussi, comme le « je » lyrique de la première strophe, dans le piège référentiel, a l'inconvénient d'y demeurer, c'est-à-dire de rester en retard sur le texte : elle ignore que tout l'effort du poème est pour déconstruire ce sujet — référentiel ou biographique.

Le poème, en effet, ne célèbre ici, sous le titre d'une répétition salvatrice, que la forme de son propre *pathos*, la répétition inhérente à son *rythme*. Il s'enferme dans cette durée que Valéry décèle en la danse — une durée qu'il engendre lui-même, « toute faite d'énergie actuelle, toute faite de rien qui puisse durer [...] [Il] crie aux esprits l'idée [...] d'un état exceptionnel — un état qui ne serait qu'action, une permanence qui se ferait et se consoliderait au moyen d'une production incessante de travail [2] ». Comme le philosophe de Valéry, le poème « tente d'approfondir le mystère d'un corps qui, tout à coup, comme par l'effet d'un choc intérieur, entre dans une sorte de vie à la fois étrangement instable et étrangement réglée; et à la fois étrangement spontanée mais étrangement savante et étrangement élaborée [3] ». Tout en se rythmant, le poème, de la sorte, entre dans la question fondamentale qui le constitue, à savoir : qu'est-ce que le rythme?

Le rythme, répond le poème, est une traversée de l'Achéron : un voyage répété au pays de la mort, mais qui s'effectue du côté de la

---

1. « Assumés par la parole chantée et mélodieuse, commente Jacques Geninasca, cris et soupirs se chargent d'un message de consolation : la dernière strophe d' " El Desdichado " illustre les vertus salvatrices de la poésie. Au fond de sa détresse, le poète peut encore charmer sa douleur. Dernier recours contre la mélancolie, le chant mélancolique. » *Analyse structurale des " Chimères " de Nerval*, Neuchâtel, La Baconnière, coll. " Langages ", 1971, p. 89. Ceci est juste, mais encore trop simple.

2. Valéry, *Philosophie de la danse*, in *Œuvres, op. cit.*, t. I, p. 1396.

3. *Ibid.*, p. 1397.

vie. Seule la répétition symbolique du langage permet au sujet de survivre à toutes les formes de mort, de rupture, dont est tissée la vie. Le rythme surgit à chaque fois à travers une rupture du silence; il retourne également au silence. « Ce silence est contradictoire, commente le Socrate de Valéry : instant absolument vierge. Et puis, instant où quelque chose doit se rompre dans l'âme, dans l'attente [...]. Quelque chose se rompre... Et cependant c'est aussi comme une soudure [1]. » Ce passage rythmique de silence à silence, ce moment à travers lequel quelque chose de même devient autre, est ainsi assimilable à un passage répété par la mort : le rythme n'est rien d'autre que le système ouvert de la répétition des ruptures. Que le pathos de la répétition, la rhétorique du rythme, rende vivable la répétition des ruptures, neutralise les contradictions en faisant alterner les alternatives —

> Modulant tour à tour sur la lyre d'Orphée
> Les soupirs de la sainte et les cris de la fée

— il n'empêche que ce pathos reste et demeure souffrance. Le rythme est un système fondamental de *déséquilibre*. La « musique » n'est possible que parce que l'homme est d'abord, comme dit Nietzsche, « une *dissonance* incarnée [2] ».

LA TREIZIÈME REVIENT

Comme la fin du « Desdichado », « Artémis » — sixième sonnet des *Chimères* — est une incarnation pure du pathos : le pathos qui fait le poème est ce dont le poème parle. Les symétries rythmiques, là encore, articulent le lieu — proprement textuel — d'une radicale asymétrie.

> La Treizième revient... C'est encor la première;
> Et c'est toujours la seule, — ou c'est le seul moment;
> Car es-tu reine, ô toi! la première ou dernière?
> Es-tu roi, toi le seul ou le dernier amant?...

---

1. Valéry, *Dialogues* : « L'âme et la danse », in *Œuvres, op. cit.*, t. II, p. 138.
2. Nietzsche, *La Naissance de la tragédie*, Genève, Gonthier, 1964, chap. xxv, p. 159 (trad. fr. par C. Heim) : « Si nous pouvions nous représenter une dissonance incarnée — et l'homme est-il autre chose? —, celle-ci aurait besoin, pour vivre, d'une illusion souveraine qui lui couvre sa propre nature sous un voile de beauté. »

Aimez qui vous aima du berceau dans la bière;
Celle que j'aimai seul m'aime encor tendrement :
C'est la mort — ou la morte... O délice! ô tourment!
La rose qu'elle tient, c'est la *Rose trémière* [1].

« Artémis » est un poème sur le nombre. On sait que les théoriciens du Moyen Age appelaient Nombre l'action musicale de la cadence, ou du rythme. Encore aujourd'hui, le « nombre », dans son sens didactique (1549), signifie la « répartition rythmique, harmonique, des éléments d'un vers, ou d'une phrase [2] ». « Artémis » est donc un poème sur le rythme. Nerval a lui-même suggéré une autre explication, qui d'ailleurs n'exclut pas la première (ou dernière...), lorsqu'il a noté en bas du manuscrit Eluard : « la XIIIe heure (pivotale) ». On sait également que, dans une des versions, le sonnet s'intitule « Le ballet des heures ». Le poème dessine un cadran d'horloge où le tour des aiguilles, à la treizième heure, marque de nouveau la première. « Le ballet des heures » est ainsi un discours — rythmique — sur le temps. C'est aussi un discours sur l'amour — et la mort, comme il est précisé dans la deuxième strophe. La « Treizième » est à la fois « heure, femme, et signe prophétique de la mort [3] ». On peut dire, d'une autre façon, qu'Artémis tâche de définir l'identité lyrique de la femme : après l'échec d' « El Desdichado » à établir, à nommer, une identité du « je », « Artémis », s'attache, de façon parallèle, à l'identité du « tu ».

Car es-tu reine, ô toi! la première ou dernière?

Il est pourtant remarquable qu' « Artémis » ne *nomme* pas la femme : la métaphore du nom propre, dont « El Desdichado » consacre l'échec, cède ici la place à la précision impersonnelle du nombre : « la Treizième », « la première ». Le nombre, scientifiquement, se définit, pour ainsi dire, par sa non-définition [4] : l'unité numérique présuppose et figure une somme de *relations*, mais non une entité en soi.

Le poème tout entier est construit cependant sur une série de *définitions*. Quelques-unes sont calquées sur le verbe *aimer* : « Aimez *qui vous aima* »; « Celle *que j'aimai* ». Mais la plupart des définitions

---

1. « Artémis », p. 241-242.
2. *Petit Robert,*
3. Cf. A. Chevalier, « Notes de lecture sur " Artémis " », in *Romantisme*, nos 1-2, 1971. p. 141.
4. « Une des notions fondamentales de l'entendement que l'on peut rapporter à d'autres idées (de pluralité, d'ensemble, de correspondance), *mais non définir* » (*Petit Robert*).

sont une mise en jeu du verbe *être* : « *C'est* encore la première »; « Et *c'est* toujours la seule, — ou *c'est* le seul moment »; « *C'est* la mort — ou la morte... »; « La rose qu'elle tient, *c'est* la *Rose trémière* ». Le verbe « être » se répète dans les définitions interrogatives : « *Es*-tu reine? », « *Es*-tu roi? », ainsi que dans l'affirmation finale : « La sainte de l'abîme *est* plus sainte à mes yeux. » On pourrait donc considérer « *Artémis* » comme un poème sur le verbe *être*, sur « le supplément de copule [1] » et sa valeur ontologique : le poème serait une mise en acte du langage *en tant qu'aptitude à définir*, à atteindre la vérité.

Les définitions du poème procèdent par l'établissement d'une série d'équations :

> La Treizième revient... C'est encor la première;
> Et c'est toujours la seule, — ou c'est le seul moment;

L'identité s'établit au moyen de la ressemblance.

> Cet amour vague et sans espoir, conçu pour une femme de théâtre [...] avait son germe dans le souvenir d'Adrienne [...] — La ressemblance d'une figure oubliée depuis des années se dessinait désormais avec une netteté singulière; c'était un crayon estompé par le temps qui se faisait peinture, comme ces vieux croquis de maîtres admirés dans un musée, dont on retrouve ailleurs l'*original* éblouissant [2].

Aurélie est aimée parce qu'elle *ressemble* à Adrienne : c'est Adrienne qui constitue l'*original* d'Aurélie. La Treizième ressemble à la première : la première lui donne son identité. La Treizième, en d'autres termes, est *métaphorique* de la première, c'est-à-dire qu'elle renvoie à un sens premier, ou propre. Il faut également noter que « la Treizième » est, dans le texte, munie d'une majuscule, mais que « la première » ne l'est pas. La première est prise dans son sens littéral (elle représente *le* sens littéral) alors que « la Treizième » est *allégorique*. Le poème tout entier se présente, d'ailleurs, comme une énigme allégorique. « Artémis » pourrait être lue comme une *allégorie*, précisément, des rapports *métaphoriques*. L'allégorie de « la Treizième » est une méditation sur « la première » : une quête du sens propre de la métaphore, de « l'original » de la peinture, du coup de force — ou du choc — initial, qui brise le silence et déclenche le Rythme.

1. Cf. J. Derrida, « Le supplément de copule : la philosophie devant la linguistique », in *Langages*, n° 24, décembre 1971; repris in *Marges*, Paris, Éd. de Minuit, 1972.
2. *Sylvie*, II, p. 114.

« NEVERMORE », OU « C'EST ENCORE LA PREMIÈRE »

Qu'est-ce qui fait la force de la première fois, du premier amour ? On perçoit facilement le tragique de l'expression : « pour la dernière fois ». On n'a pas assez remarqué combien la littérature est fondée également sur le tragique de l'expression : « pour la première fois ». C'est que la première fois, comme la dernière, d'une certaine façon se dérobe — on le croit — à la répétition. « La première » est *unique*. Et c'est en tant qu'unique qu'elle est Reine :

> ... C'est encor la *première;*
> Et c'est toujours *la seule*, — ou c'est le seul moment :
> Car es-tu *Reine*, ô toi !...

L'unique signifie, d'une part, que la répétition est impossible, puisque l'unique est, par définition, ce qui ne se *re*produit jamais. Mais l'unique crée en même temps — et c'est là son piège — le désir de la répétition. « Jamais plus » — *nevermore* — qui indique que la répétition est impossible, est sans doute le mot le plus répété dans la littérature. C'est le mot *lyrique* par excellence, celui qui déclenche le rythme, le pathos de la répétition : en témoigne le jeu du refrain dans le poème de Poe, « Le corbeau » — admirable poème qu'on pourrait sans peine lire comme une méditation sur le lyrisme, le corbeau étant une caricature évidente du « je » lyrique. L'unique, dont procède l'impossibilité de répéter, « la mort — ou la morte », engendre ainsi l'impossibilité d'oublier, qui à son tour engendre l'impossibilité de *ne pas* répéter. L'unique est donc une fiction, et un piège, parce que la croyance dans l'unique *annule* la possibilité de vivre dans une non-répétition. Telle est la contradiction de Nerval qui, de dramatiser la folie du lyrisme, transforme la vie elle-même en une sorte de délire rythmique. C'est ainsi que « la seule Étoile » du « Desdichado » est immédiatement contredite — à l'intérieur du même vers — par le « luth constellé » du poète, luth parsemé d'étoiles. L'unique est dès lors, précisément, ce qui ne cesse de se répéter. L'unique, en d'autres termes, n'existe pas. La fiction du caractère irremplaçable de l'unique crée le désir de métaphore, qui consiste, paradoxalement, en une croyance à la fois dans la *ressemblance* et dans l'*unicité :*

> Il me semblait que la déesse m'apparaissait, me disant : « Je suis la même que Marie, la même que ta mère, la même aussi que sous toutes

les formes tu as toujours aimée. A chacune de tes épreuves, j'ai quitté l'un des masques dont je voile mes traits, et bientôt tu me verras [1]. »

> La Treizième revient... C'est encor la première;
> Et c'est toujours la seule, — ou c'est le seul moment.

Or, la première n'a pas d'identité. La métaphore utilise la ressemblance, une fiction, pour répéter l'unique, qui est également une fiction. C'est ce que découvre le narrateur de *Sylvie*.

> J'avais projeté de conduire Aurélie au château [...] sur la *même* place verte où *pour la première fois* j'avais vu Adrienne. — Nulle émotion ne parut en elle. Alors je lui racontai tout; je lui dis *la source* de cet amour entrevu dans les nuits, rêvé plus tard, réalisé en elle. Elle m'écoutait sérieusement et me dit : — Vous ne m'aimez pas! Vous attendez que je vous dise : La comédienne est la *même* que la religieuse; vous cherchez un drame, voilà tout, et le dénouement vous échappe. Allez, je ne vous crois plus [2]!

> Le jour où la troupe dont faisait partie Aurélie a donné une représentation à Dammartin, j'ai conduit Sylvie au spectacle, et je lui ai demandé si elle ne trouvait pas que l'actrice *ressemblait* à une personne qu'elle avait connue déjà. — A qui donc? — Vous souvenez-vous d'Adrienne?
> Elle partit d'un grand éclat de rire en disant : « Quelle idée! » Puis, comme se le reprochant, elle reprit en soupirant : « Pauvre Adrienne! elle est morte [...] [3]. »

Adrienne n'existe pas : « C'est la Mort — ou la Morte. » Ce qui se répète, ce n'est ni « la première » ni *celle* qui « revient », mais le *revenir* de celle qui revient : c'est-à-dire une fiction, une métaphore — qui répète une autre métaphore —, mais non — jamais — un sens propre, un « original », une identité. L'allégorie, ici encore, raconte donc l'échec de la métaphore à atteindre une vérité. Ce qui fait l'allégorie, ce qui fait précisément le *texte*, c'est qu'ils perçoivent l'illusion comme champ de forces, la ressemblance — comme énergie de différences, indéfiniment substituables les unes aux autres.

Le moment du *retour* devient, dès lors, un moment de retournement : lorsque la Treizième heure *retourne* à la première, c'est le concept même de « première » qui est *retourné :* renversé. Le poème tout entier se construit comme un *chiasme*, une figure rhétorique de renverse-

---

1. *Aurélia*, in *les Filles du Feu*, suivi d'*Aurélia*, *op. cit.*, p. 266. Cf. ci-dessous, chap. II, notamment p. 61.
2. *Sylvie*, XIII, p. 137.
3. Dernier paragraphe de *Sylvie*, XIV, p. 139.

ment, et le jeu infini de la substitution de la dernière et de la première se généralise à *tous* ses niveaux. Au niveau des rimes, tout d'abord : abab abba c_1dc_2 c_2dc_1. Contrairement à la tradition, le schéma des rimes du deuxième quatrain ne reproduit pas celui du premier, et il manque une troisième rime dans les tercets. Dans les quatrains comme dans les tercets, la dernière rime (a, c_1) est encore la première. Sémantiquement et rhétoriquement, le chiasme habite et fait éclater — tour à tour — tous les vers du premier quatrain :

> La Treizième revient... C'est *encor* la première ;
> Et c'est toujours la seule, — *ou* c'est le seul moment ;
> Car es-tu reine, ô toi ! la première *ou* dernière ?
> Es-tu roi, toi le seul *ou* le dernier amant ?

Ce qu'ainsi le « ballet des heures » déconstruit, c'est le *sens*, la direction, ou l'ordre, de la série mathématique, le sens de l'histoire, ou du temps, c'est-à-dire tout schéma génétique, de causalité ou de finalité. C'est ici « le sens de la montre » qui dissémine le sens de l'histoire. L'histoire non seulement « tourne en rond » mais tourne à vide : « c'est la Mort — ou la Morte », une répétition sans limite et sans fin. Ce mouvement tournant que le texte reproduit, ce « ballet des heures », n'est-il pas le même que la ronde dansante dans *Sylvie* ?

> Des jeunes filles dansaient en rond sur la pelouse en chantant de vieux airs transmis par leurs mères [...] J'étais le seul garçon dans cette ronde, où j'avais amené ma compagne [...] Sylvie [...] Je n'aimais qu'elle, je ne voyais qu'elle [...] Tout à coup, *suivant les règles de la danse*, Adrienne se trouva placée seule avec moi au milieu du cercle. On nous dit de nous embrasser, et la danse et le chœur tournaient plus vivement que jamais [1].

Les pas de la danse sont les mêmes tandis que les danseuses changent — Sylvie, Adrienne, Aurélie. Cependant, à mesure que le texte se déroule, le narrateur *se déplace* de l'intérieur à l'extérieur du cercle de la danse [2]. Tour à tour, il perd toutes les femmes, par sa faute. Il apprend que le cercle égocentrique, narcissique, est un cercle vicieux et que le cercle lyrique, d'autre part, est dépourvu de *centre*. Non seulement le lyrisme nervalien dissémine donc la ligne droite par le cercle, mais le cercle lui-même est disséminé par ses propres puissances divergentes, ex-centriques, par le mouvement textuel qui est un mouvement de *décentrement*.

1. *Sylvie*, II, p. 112-113.
2. Intérieur : Adrienne, II ; Sylvie, IX. — Extérieur : Adrienne, VII ; Sylvie, VIII.

Ce mouvement chiasmatique de renversement, les tercets d' « Artémis » le prolongent encore, en le transposant du plan *temporel* des quatrains à la perspective de l'*espace* : le mouvement d'ascension du premier tercet appelle le mouvement de chute du deuxième.

> Sainte napolitaine aux mains pleines de feux
> Rose au cœur violet, fleur de sainte Gudule :
> As-tu trouvé ta croix dans le désert des cieux?
>
> Roses blanches, *tombez!* vous insultez nos dieux,
> Tombez, fantômes blancs, de votre ciel qui brûle :
> — La sainte de l'abîme est plus sainte à mes yeux [1]!

C'est une chute littérale du ciel dans l'abîme que le poème sollicite, pour se clore. De même que le narrateur de *Sylvie* concluait : « Les illusions *tombent* l'une après l'autre [2] », la voix lyrique, à la fin d' « Artémis », désire les voir tomber toutes, faire chuter les fantômes célestes, *en finir avec l'illusion*, pseudo-divinités, apparences trompeuses, prétendues vérités de toutes sortes. Ce mouvement de chute d'illusions réfléchit encore le mouvement du poème : c'est le renversement poétique en acte, la déconstruction rythmique de la mystification lyrique.

LA SAINTE DE L'ABÎME

Que signifie « l'abîme » que célèbre le dernier vers d' « Artémis »? Ce n'est pas simplement un gouffre *profond*. Il semble que Nerval reproduise le sens étymologique du mot, du grec *abussos* : « sans fond ». Ce sens est explicité dans le poème qui suit « Artémis », « Le Christ aux Oliviers », et cette répétition d'un sonnet à un autre, cet enchaînement lexical des poèmes, n'est sans doute pas un hasard. C'est en insistant sur le terme *abîme* que le Christ nervalien délivre son dernier message, à savoir : que « Dieu est mort »; que « le ciel est vide » [3].

> Frères, je vous trompais : Abîme! abîme! abîme!
> Le dieu manque à l'autel où je suis la victime...
> Dieu n'est pas! Dieu n'est plus!... [...]

. . . .

---

1. « Artémis », p. 242.
2. *Sylvie*, xiv, p. 137.
3. Épigraphe du poème. Citation de Jean-Paul.

En cherchant l'œil de Dieu, je n'ai vu qu'une orbite
Vaste, noire et *sans fond*, d'où la nuit qui l'habite
Rayonne sur le monde et s'épaissit toujours[1].

Qu'est-ce donc que « l'abîme », dans « Artémis », sinon, justement,
« *la mort de Dieu* », c'est-à-dire la perte du sens, du sens propre,
l'incapacité du langage à atteindre une vérité? Après avoir tant
cherché « Dieu », c'est-à-dire l'origine perdue, la genèse, « *la première* »
en tant qu'élément fondateur, le poème s'engloutit dans un *sans
fond*, dans l'infini de la répétition non originaire, non référentielle.
L'abîme, c'est l'abîme de la ressemblance, l'engloutissement de la
métaphore dans une répétition infinie. La « sainte de l'abîme », c'est
la sainte du sans-fond, c'est-à-dire la sainte du non-sens; non-sens,
il est vrai, sanctifié, posé comme une vérité, comme un sens : au dernier moment, le poème, se prenant dans le piège de son propre
pathos, n'échappe pas lui-même au mouvement mystifiant qu'il
s'efforce, justement, de démystifier, et établit le sens du non-sens,
la vérité de la non-vérité. Il n'empêche qu' « Artémis » énonce son
propre échec à atteindre un sens. Car la répétition elle-même signifie
que l'acte du langage n'a pu s'accomplir, que la tâche poétique est
sans terme, toujours à recommencer. « Notre mémoire, écrit Valéry,
nous *répète* le discours que nous n'avons pas compris. La répétition
répond à l'incompréhension. Elle nous signifie que l'acte du langage
n'a pu s'accomplir [...] » :

> L'acte du langage accompli nous a rendus maîtres du point central
> [...] En somme, le sens, qui est la tendance à une substitution mentale
> uniforme, unique, résolutoire, est l'objet, la loi, la limite d'existence
> de la prose pure [...].
> Il faut donc que dans un poème le sens ne puisse l'emporter sur la
> forme et la détruire sans retour; c'est au contraire le retour, la forme
> conservée [...] qui est le ressort de la puissance poétique[2].

La répétition véhicule une *puissance* de langage, poétique et lyrique.
Dans la mesure même où cette répétition répond à l'incompréhension,
où elle consacre un acte de langage qui n'a pu s'accomplir, elle ouvre
un espace de lecture illimité qui est, en même temps, un infini poten-
tiel d'erreurs. Ici, le lecteur est en fait assuré de se tromper : de
toutes parts le texte lyrique lui tend le piège narcissique, le piège
d'une lecture naïve, littérale, s'appropriant un sens illusoire. « Prenez
donc ce miroir, dit Hugo, et regardez-vous-y » :

1. « Le Christ aux Oliviers », I p. 242; II, p. 243.
2. Valéry, « Commentaire de *Charmes* », in *Œuvres, op. cit.*, t. I, p. 1510.

> On se plaint quelquefois des écrivains qui disent moi [...] Hélas!
> Quand je vous parle de moi, je vous parle de vous. Comment ne le
> sentez-vous pas? Ah! insensé, qui crois que je ne suis pas toi [1]!

Dans la mesure où tout texte lyrique adresse au lecteur, d'une façon
ou d'une autre, cet appel mystifiant, excite l'illusion lyrique, invite
le lecteur à s'identifier, voire à s'aliéner, à se perdre dans le leurre
fascinant de sa propre fiction, on peut dire que le lyrisme est — par
essence — une *erreur de lecture*; qu'il est *l'*erreur de la lecture. Si
cependant tout lyrisme relève de la séduction du sujet et invite le
lecteur à son tour à perpétuer le stade du miroir, à prolonger l'illusion
spéculaire, les grands textes lyriques — nous l'avons vu dans l'exemple
de Nerval — contiennent en même temps un avertissement, un contre-
point ironique, un chiasme, et invitent le lecteur, plus profondément,
à *rompre* l'illusion qu'ils suscitent. Est-ce un hasard si les rimes
d' « Artémis » : « Première, moment, dernière, amant [...] » répètent
en écho : erre-ment? *Ment* — le mensonge narcissique —; *Erre* —
l'erreur, ou l'errance, l'égarement de la lecture —, deviennent comme
des échos sonores. On songe au discours de « *La Pythie* », dans les
Charmes de Paul Valéry :

> Qui me parle, à ma place même?
> Quel écho me répond : Tu mens [2]!

Démenti de l'écho. D'une façon ou d'une autre, tout grand texte
lyrique constitue en même temps une *remise en question* du lyrisme,
une analyse déliée de ses propres limites. Dans ses meilleurs moments,
le lyrisme tout à la fois séduit son lecteur *et* le met en garde, le mystifie
et le démystifie, l'enchante et le désenchante. L'ultime message
lyrique de Nerval, à l'intérieur de son propre pathos, est cette auto-
ironisation, cet avertissement, cette mise en garde contre l'erreur
pathétique, contre ce que Ruskin devait baptiser : *the pathetic fallacy*.
Nerval ne prône pas le lyrisme : il se donne, il s'écrit comme *victime*
du lyrisme; et s'il en prolonge le charme, c'est en nous disant, comme
son Christ, qu'il nous trompe.

> Quand le Seigneur, levant au ciel ses maigres bras,
> Sous les arbres sacrés, comme font *les poètes*,
> Se fut longtemps perdu dans ses douleurs muettes,
> [...]

1. V. Hugo, préface aux *Contemplations* Paris, Garnier, 1969, p. 4.
2. « La Pythie », *Charmes*, *op. cit.*, p. 131.

Il se tourna vers ceux qui l'attendaient en bas
Rêvant d'être des rois, des sages, des prophètes...
Mais engourdis, perdus dans le sommeil des bêtes,
Et se prit à crier : « Non, Dieu n'existe pas! »

Ils dormaient. « Mes amis, savez-vous *la nouvelle?*
J'ai touché de mon front à la voûte éternelle;
Je suis sanglant, brisé, souffrant pour bien des jours!

Frères, je vous trompais : Abîme! abîme! abîme!
Le dieu manque à l'autel où je suis la victime...
Dieu n'est pas! Dieu n'est plus! » Mais ils dormaient toujours[1]!

Octobre 1972.

1. « Le Christ aux Oliviers », I, p. 242.

Arthur Rimbaud

Folie et modernité

« TU AS BIEN FAIT DE PARTIR, ARTHUR RIMBAUD »

- Les pro-noms de la modernité
- Tant pis pour le bois qui se trouve viol-on
- Le coup de « dés » : dé-règlement, dé-lires,
*   dé-parts*

- A-dieu
- « Est-ce en ces nuits sans fond... »
- « Il faut être absolument moderne »

« Rimbaud, écrit René Char, est le premier poète d'une civilisation non encore apparue [...]. Mais si je savais ce qu'est Rimbaud pour moi, je saurais ce qu'est la poésie devant moi, et je n'aurais plus à l'écrire[1]... » Or, si le nom de Rimbaud est à juste titre lié, depuis les surréalistes, à une tentative de rupture, à un « départ[2] » poétique moderne, l'on a peu — ou guère — étudié, cependant, le témoignage rimbaldien en lui-même : la réflexion que conduit le texte sur sa propre modernité.

« Il faut être absolument moderne[3] » : trop d'écrivants d'aujourd'hui et d'hier ont hâte d'y acquiescer à bon compte, trop de « drapeaux d'extase[4] » brandissent cette idée-slogan, qui participe de la double urgence de la réclame et du terrorisme commerciaux ou culturels. La modernité fait vendre : des marchandises, des discours, des idées.

Ce commerce inflationniste du nouveau est certes étranger à l'esprit de Rimbaud, dont l'ironie nuancerait l'optimisme des « Ecclésiastes modernes » :

« Rien n'est vanité; à la science, et *en avant!* » crie l'Ecclésiaste moderne, c'est-à-dire *Tout le monde*[5].

---

1. R. Char, *Recherche de la Base et du Sommet*, Paris, Gallimard, 1965, p. 102.
2. Cf. R. Char : « Tu as bien fait de partir, Arthur Rimbaud! Nous sommes quelques-uns à croire sans preuve le bonheur possible avec toi. » (« Tu as bien fait de partir, Arthur Rimbaud », in *Fureur et Mystère*, Paris, Gallimard, coll. « Poésie », 1967, p. 212.)
3. Rimbaud, *Une saison en enfer*, p. 241. Les références des textes cités renvoient, sauf indication contraire, à l'édition Suzanne Bernard : Rimbaud, *Œuvres*, Paris, Classiques Garnier, 1960.
4. L'Expression est de Rimbaud : « Génie », *Illuminations*, p. 308.
5. « L'Éclair », *Une saison en enfer*, p. 238 (Rimbaud souligne).

Dès ses premiers textes, l'apprenti-Voyant tient à marquer la distance qui sépare son aspiration des singeries de la mode. S'il demande aux poètes « du nouveau, — idées et formes », il ajoute aussitôt : « Tous les habiles croiraient bientôt avoir satisfait à cette demande. — *Ce n'est pas cela*[1]. »

« Il faut être absolument moderne » : cette phrase, dans le texte de Rimbaud, n'est ni simple ni claire. Et d'abord, parce qu'elle consiste en un impératif paradoxal, énoncé sur un mode oxymorique, défini par une contradiction dans les termes. Que veut dire « être *absolument* moderne »? Comment le moderne, qui est par excellence historique, relatif, peut-il échapper à l'histoire et au temps, revendiquer un statut d'absolu? Comment, plus généralement, ce qui relève du devenir peut-il chercher à être, et à « être absolument... »? Et que veut dire, dès lors, « *il faut* être »? Puisque l'invitation à être moderne est énoncée de telle sorte qu'elle se remet elle-même en question, qu'elle est d'emblée — au niveau du langage — annoncée comme rigoureusement impossible, quel sens faut-il donner à « il faut », à l'énoncé éthique normatif qui inaugure la proposition?

Découvrir les contradictions par lesquelles le langage rimbaldien tout à la fois accueille et rejette le concept de modernité, ce n'est pas simplement remettre, avec Rimbaud, ce concept en question; c'est aussi et surtout voir comment ce concept même bouleverse et renverse le texte qui l'écrit, observer comment la contradiction, se pensant dans le texte, pense le texte, et ouvre l'écriture rimbaldienne aux modes spécifiques de sa production.

On a pu d'ailleurs définir comme spécifiquement moderne la question de la contradiction elle-même : « Nous proposons, écrit René Char, que soit examinée avec attention la question moderne des incompatibilités, *moderne* parce que agissant sur les conditions d'existence de notre temps [...] à la fois louche et effervescent[2]. »

Si la contradiction est moderne, et si le moderne est contradictoire, la littérature moderne pourrait être définie comme celle qui se contredirait elle-même, qui se remettrait elle-même en question *en tant que* « *littérature* ». C'est le propre de l'expérience rimbaldienne, dont la modernité revient, justement, à interroger le statut même de l'idée littéraire.

Il est instructif d'observer comment, à partir de ses propres contradictions, la pensée moderne se thématise, et généralise une pensée *du*

---

1. Lettre à Paul Demeny du 15 mai 1871 (la « Lettre du Voyant »), p. 348 (je souligne).
2. *Recherche de la Base et du Sommet*, *op. cit.*, p. 36 (Char souligne).

moderne. Ainsi, Valéry, en réfléchissant sur « La crise de l'esprit » moderne, théorise — et conceptualise — la modernité de la crise :

> Et de quoi est fait le désordre de notre Europe mentale? — De la libre coexistence dans tous les esprits cultivés des idées les plus dissemblables, des principes de vie et de connaissance les plus opposés. C'est là ce qui caractérise une époque *moderne*.
> Je ne déteste pas de généraliser la notion de moderne et de donner ce nom à un certain mode d'existence, au lieu d'en faire un pur synonyme de *contemporain* [1].

Mais n'est-ce pas une contradiction en soi que de vouloir ainsi transformer une *situation* en *essence*, penser théoriquement, et généralement, non pas *l'*époque moderne, mais « *une* époque moderne » (Valéry), non pas *la* vie moderne, mais « *une* vie moderne et plus abstraite » (Baudelaire) [2], et de s'efforcer à rien de moins qu'à « tirer l'éternel du transitoire » (Baudelaire) [3] ? « Il faut être absolument moderne. » — « Je ne déteste pas de généraliser la notion de moderne. » Mais la question est : *comment* généralise-t-on une *telle* notion, une telle désignation du particulier? Et pourquoi cette généralisation, contradictoire et « intempestive », semble-t-elle si urgente et si nécessaire, si *actuelle* pour la littérature? A partir de quel lieu, de quelle sorte de durée, tire-t-on l'éternel du transitoire? A partir de quelle instance temporelle, et de quelle instance de discours, l'intempestif devient-il actuel, et le particulier général? *Qui* parle, *qui* généralise, et en vertu de quelle *autorité?*

LES PRO-NOMS DE LA MODERNITÉ

« Il faut être absolument moderne » : cet énoncé catégorique valorise le prédicat « falloir », mais en escamote le sujet; « il », sujet neutre, grammatical, est un signe vide qui annonce simplement un verbe à la troisième personne. Logiquement, le verbe n'a pas de sujet;

---

1. Valéry, « La crise de l'esprit », in *Essais quasi-politiques, Œuvres, op. cit.*, t. I, p. 991-992 (italiques de l'auteur).
2. Baudelaire, *Petits Poèmes en prose*, Paris, Garnier, 1962, p. 6 (préface : « A Arsène Houssaye »).
3. Baudelaire, *Le Peintre de la vie moderne :* « Ainsi il [l'artiste] va, il court, il cherche. [...]. Il cherche ce quelque chose qu'on nous permettra d'appeler la *modernité* [...]. Il s'agit pour lui, de dégager de la mode ce qu'elle peut contenir de poétique dans l'historique, de tirer l'éternel du transitoire », in *Œuvres complètes, op. cit.*, p. 1163 (Baudelaire souligne).

il n'y a pas de *personne* dans cette phrase. « Être absolument moderne » a un sujet absent. L'énoncé, décentré, semble viser une vérité impersonnelle, un dépassement du « je » - locuteur, l'au-delà d'une affirmation narcissique ou égocentrique.

Mais, d'autre part, le « moderne », de par sa définition, implique un rapport fatalement *subjectif* entre temps et langage, entre le temps de l'énoncé et l'acte même de l'énonciation. L'étymologie du mot remonte au bas latin (1361), de *modo*, « récemment ». D'où « moderne : qui tient compte de l'évolution récente dans son domaine, qui est de son temps », glose le *Petit Robert*, et plus précisément : « Qui est du temps de celui qui parle, ou d'une époque relativement récente. » Même si « moderne » était employé dans le sens nietzschéen, qui n'est pas « *de* ce temps », mais « *contre* ce temps[1] », la modernité serait encore et toujours une *fonction* « du temps de celui qui parle ». « Il est l'affection et le présent [...]. Il est l'affection et l'avenir [...]. O *lui et nous!* [...] O monde!... »

> Et si l'Adoration s'en va, sonne, sa promesse sonne : « Arrière ces superstitions, ces anciens corps, ces ménages et ces âges. C'est *cette époque-ci* qui a sombré[2]! »

Tout décentré que puisse donc paraître l'appel à la modernité, il dépend avant tout de la voix locutrice : qui dit *moderne*, dit *je*. « Ce monde dans lequel je subis ce que je subis », écrit Breton,

> ce monde *moderne*, enfin, diable! que voulez-vous que j'y fasse? La voix surréaliste disparaîtra peut-être, je n'en suis plus à compter mes disparitions[3].

J'apparais ou je disparais, je m'approprie ou je m'exproprie, j'inclus ou j'exclus : je dis « *moderne* », donc *je* parle; donc, je dis « je parle ».

La modernité s'apparente ainsi, linguistiquement, à la catégorie grammaticale de la première personne. Bien que substantivée, elle

---

1. « Si cette considération est intempestive, c'est aussi parce que j'essaie de comprendre comme un mal, un dommage, une carence, une chose dont ce temps se glorifie [...]. [J'ai] pu éprouver des sentiments aussi peu actuels, tout en me sentant le fils du temps présent [...]. Je ne vois pas à quoi servirait la philologie classique à notre époque, si ce n'est à mener une action intempestive *contre ce temps*, donc aussi *sur ce temps* et, je l'espère au profit d'un temps à venir » (Nietzsche, « De l'utilité et des inconvénients de l'histoire pour la vie », in *Considérations intempestives*, Paris, Aubier, coll. bilingue, 1964, p. 199-201; trad. fr. par G. Bianquis).

2. Rimbaud, « Génie », *Illuminations*, p. 308-309. Sauf indication contraire, c'est nous qui soulignons les textes cités.

3. Breton, *Manifestes du surréalisme*, *op. cit.*, p. 62 (italique de Breton).

garde une logique pronominale. Comme le « je », elle fonctionne comme un « indicateur [1] » linguistique qui inclut, à chaque désignation spécifique, à la fois son propre signe verbal et ceux qui en font usage. Théoriquement et généralement, le « moderne » demeure donc un signe vide, disponible pour un locuteur qui, à chaque fois, l'assume et se l'approprie dans l'exercice même de son discours. La modernité ne se définit qu'en termes de locution, non en termes d'objet, comme le ferait un signe authentiquement nominal. Elle renvoie non à la réalité spatiale-temporelle « objective », mais à la réalité du discours, à l'instance de l'énonciation. Indicateur auto-référentiel, la modernité — dans son sens rigoureux — se soustrait à la fois à la dénégation et à la vérification. Elle échappe ainsi essentiellement à la condition de vérité que pourtant elle désire et réclame. « Il faut être absolument moderne » : vide du discours qui revendique la plénitude de l' « être », la modernité se situe, en fait, au cœur même de la vérité littéraire; elle est avant tout une structure du pathos, et ne désigne rien d'autre qu'un certain *rapport au sujet parlant.*

Il s'agit ici, dans le concret, d'examiner de près ce rapport, et la nature du sujet textuel. Que dit de lui-même ce *je* qui déclare vouloir être moderne?

Précisément, il dit qu'il n'est pas.

TANT PIS POUR LE BOIS QUI SE TROUVE VIOL-ON...

> Car Je est un autre. Si le cuivre s'éveille clairon, il n'y a rien de sa faute. Cela m'est évident : j'assiste à l'éclosion de ma pensée : je la regarde, je l'écoute : je lance un coup d'archet : la symphonie fait son remuement dans les profondeurs, ou vient d'un bond sur la scène [2].

Spectateur plutôt qu'acteur dans « l'éclosion de sa pensée », le « je » y assiste, c'est-à-dire la subit : l'activité de la pensée s'applique à un sujet réceptif, qui en observe l'effet plutôt qu'il n'en possède les clés.

> C'est faux de dire : Je pense. On devrait dire : On me pense. Pardon du jeu de mots.
> Je est un autre. Tant pis pour le bois qui se trouve violon, et nargue aux inconscients, qui ergotent sur ce qu'ils ignorent tout à fait [3].

1. Cf. R. Jakobson, « Les embrayeurs, les catégories verbales et le verbe russe », art. cité, et É. Benveniste, « La nature des pronoms », art. cité.
2. Lettre dite « du Voyant », du 15 mai 1871, à P. Demeny p. 345.
3. Lettre à Georges Izambard, du 13 mai 1871, p. 344.

Il est fascinant de découvrir avec quelle rigueur, avec quelle ironie ce texte rimbaldien inscrit, réécrit et déconstruit un autre texte, qui s'y lit en filigrane : celui du *Cogito* cartésien. *Cogito :* « C'est faux de dire : je pense »; *ergo :* « ... et nargue aux inconscients, qui *ergotent* sur ce qu'ils ignorent tout à fait »; *sum :* « Je est un autre. » Non pas même « Je suis un autre », autre qui serait alors simplement un « double », reflet du même « Je » cartésien, assuré d'être, d'être en place, d'habiter un « Je suis »; mais « Je *est* un autre ». La déconstruction est violente, rigoureuse.

« On me pense. » Le « moi » traditionnel, sujet du *Cogito* cartésien, se transforme ici en « objet direct », subissant et non agissant, agi et non pas agent; le véritable sujet est « on » — substitut de la non-personne, « pronom personnel indéfini ». Par le « on », l'individuation devient impersonnelle, ou plutôt, la personne non individuée. « On », une force anonyme qui échappe à la condition de personne — que ce soit le texte inconscient (le Ça freudien : un autre pronominal indéfini), ou plus généralement le langage, le corps social du discours, le texte de la culture qui me parle, qui parle à travers moi —, « on me pense » : « Je suis en mots, je suis fait de mots, des mots des autres [...]. Je suis tous ces mots, tous ces étrangers, cette poussière de verbe [1]... » La pensée n'est pas l'attribut d'un « moi », d'un être substantiel, spontané, immédiatement présent à soi, mais une action sur un « me » passif, qui sent que sa propre intelligence, sa propre faculté de discours — par laquelle il dit « Je » — s'exerce en lui et sur lui, non par lui.

Le résultat de la pensée, « l'œuvre », est donc habité par le « on », et souvent à l'insu de l'auteur :

> Si le cuivre s'éveille clair-ON, il n'y a rien de sa faute [2].
> Tant pis pour le bois qui se trouve viol-ON [...] [3].

A plusieurs reprises, Rimbaud fait remonter sa « pensée », ses « talents », à cette non-personne, aux « pronoms indéfinis » qui fonctionnent textuellement en tant que case vide de la personne : « on », « un autre », « quelqu'un », « personne » (négatif).

> Je vais dévoiler tous les mystères [...]
> Écoutez! [...]
> J'ai tous les talents. — Il n'y a *personne* ici et il y a *quelqu'un* [4].

---

1. Beckett, *L'Innommable*, Paris, Éd. de Minuit, 1953, p. 204.
2. Lettre à P. Demeny du 15 mai 1871, p. 345.
3. Lettre à G. Izambard du 13 mai 1871, p. 344.
4. « Nuit de l'enfer », *Une saison en enfer*, p. 221.

« Quelqu'un », « personne ». Mais il est des auteurs qui croient encore en leur « moi » créateur, qui, aveugles à leur rapport au langage, pris dans les sortilèges du miroir, se croient encore l'origine de leur œuvre : ce sont là les « poètes subjectifs », antithèses du poète moderne et de la « poésie objective », c'est-à-dire de la poésie du « On » ou encore, de la Poésie tout court.

> Tant d'égoïstes se proclament auteurs; il en est bien d'autres qui s'attribuent leur progrès intellectuel [1]!
> Si les vieux imbéciles n'avaient pas trouvé du Moi que la signification fausse, nous n'aurions pas à balayer ces millions de squelettes qui, depuis un temps infini, accumulent les produits de leur intelligence borgnesse, en s'en clamant les auteurs [2]!

« Car Je est un autre. » En dépit de sa logique pronominale, *je* est ici, comme la modernité, substantivé (« Je *est*... »), mais non pas pour devenir, comme le moi, une substance identique et présente à soi : Je est — un autre. Ce n'est pas simplement le « je » qui est de la sorte doublement subverti, puisque « autre » et délogé du « je suis », dépossédé de la forme verbale qui lui est « propre »; mais aussi, plus radicalement encore, dans cette opposition-équivalence entre le « je » et son « autre », c'est le « être » lui-même qui est pulvérisé, *la copule* qui se fait éclater : le principe même de l'identité ne se ressemble plus. L'identité est altérité.

Le texte où s'inscrit pour la première fois cet ébranlement de l'identité à travers la formule « Je est un autre », est une lettre envoyée par Rimbaud à son professeur Izambard, en fait commentaire, ou introduction, à l'envoi d'un poème. Il faudrait donc, pour mesurer la complexité du discours rimbaldien, étudier le poème en fonction de la lettre.

« *Le cœur supplicié* », qui sera plus tard réintitulé : « Le cœur volé », décrit explicitement une scène de viol homosexuel, dans une caserne. Il s'agit peut-être d'une expérience subie par Rimbaud pendant la Commune. Mais peu importe le référent autobiographique. Le problème que pose ce texte, commenté par la lettre, est celui de savoir comment une fantasmatique du viol (entendre : du sujet violé) se transforme en poétique du viol, pour soutenir et animer le prestigieux « Je est un autre ».

1. Lettre à P. Demeny du 15 mai 1871, p. 346.
2. *Ibid.*, p. 345.

Mon triste cœur bave à la poupe,
Mon cœur couvert de caporal :
Ils y lancent des jets de soupe,
Mon triste cœur bave à la poupe :
Sous les quolibets de la troupe
Qui pousse un rire général,
Mon triste cœur bave à la poupe,
Mon cœur couvert de caporal!

. . . .

Quand ils auront tari leurs chiques,
Comment agir, ô cœur volé?
Ce seront des hoquets bachiques
Quand ils auront tari leurs chiques :
J'aurai des sursauts stomachiques,
Moi, si mon cœur est ravalé :
Quand ils auront tari leurs chiques
Comment agir, ô cœur volé [1]?

La troisième personne du pluriel, le « Ils », remplit, dans ce poème, la fonction syntaxique du « on » — pronom-sujet indéfini —, alors que le sujet parlant, métonymiquement désigné par « le cœur supplicié », est réduit à l'état non seulement d'objet mais d'objet *volé*, ravi à son propriétaire. Le sujet violé est ainsi dépossédé de son propre : à la fois de la propreté de son corps et de la propriété de son cœur. Le « cœur » pourrait symboliser l'image narcissique et fictive du « moi », les vœux d'une « belle-âme » romantique; si le « cœur » regrette sa pureté perdue, c'est que le viol lui a ravi son « identité » rêvée : mais celle-ci n'en était pas moins fausse, nourrie par l'idéalisme bourgeois. Dépossédé de sa propre maîtrise et de sa propre image de soi, le sujet, é-cœuré, se réveille à la conscience d'un « je » qui est « autre ». « Tant pis pour le bois qui se trouve *VIOL*-ON, et nargue aux inconscients, qui ergotent sur ce qu'ils ignorent tout à fait. » La violence subie se transforme en violence de pensée. « La violence du venin tord mes membres [2]. » « Toutes les monstruosités *violent* les gestes atroces d'Hortense [3]. » Chaque pensée, dès lors, devient vol et viol d'un système reconnu comme faux. Et puisque chaque vol est, du même coup, une violation du code bourgeois, une atteinte au régime du sujet autoritaire et propriétaire, le vol — sur le plan pragmatique-politique, comme sur le plan idéologique — devient un « Chant de guerre » nécessaire et euphorique.

1. « Le cœur volé », p. 100-101.
2. « Nuit de l'enfer », p. 220.
3. « H », *Illuminations*, p. 303.

> Le printemps est évident, car
> Du cœur des Propriétés vertes
> *Le vol* de Thiers et de Picard
> Tient des splendeurs grandes ouvertes [1] !

Il faudra que « Le cœur volé » se transforme en « Bateau ivre », pour qu'apparaisse la valeur *linguistique* de la symbolique du v(i)ol, pour que le texte lui-même élucide et mesure la distance, la portée de son propre « je » devenu autre : du « cœur volé » au bateau violé [2], une donnée biographique s'est transformée en donnée textuelle, une fantasmatique s'est élaborée en théorie du langage poétique. L'histoire du bateau débute, on le sait, par un acte de violence et de vol : rapt du bateau-sujet par des pirates :

> Comme je descendais des Fleuves impassibles,
> Je ne me sentis plus guidé par les haleurs :
> Des Peaux-Rouges criards les avaient pris pour cibles,
> Les ayant cloués nus aux poteaux de couleurs.
>
> . . . .
>
> Plus douce qu'aux enfants la chair des pommes sures,
> L'eau verte pénétra ma coque de sapin
> Et des taches de vins bleus et des vomissures
> Me lava, dispersant gouvernail et grappin.
>
> Et dès lors, je me suis baigné dans le Poème
> De la Mer [...] [3].

La métaphore du bateau-carcasse dépossédé de ses Maîtres-haleurs signifie, là encore, l'éclatement des illusions de maîtrise, d'autorité et de propriété que pouvait entretenir le sujet. Mais la propriété a ici une implication particulière : ce que le vol liminaire ravit au bateau, c'est d'abord, son *sens* : la finalité de son déplacement, la *direction* qui lui était « propre », le sens de son itinéraire. C'est par une perte de sens, et non pas par un gain de sens, que le sujet subit son inscription dans un texte.

> Ce Charme ! Il prit âme et corps,
> Et dispersa tous efforts.

1. « Chant de guerre parisien », p. 88 ; envoyé par Rimbaud à Demeny dans sa lettre du 15 mai 1871, où de nouveau il développe l'idée du « Je est un autre ».
2. Celui-ci, il est vrai, est déjà pressenti, linguistiquement préfiguré, dans le rêve marin du « poète de sept ans » : « — seul, et couché sur des pièces de toile/Écrue et pressentant violemment la voile » (« Les poètes de sept ans », p. 97).
3. « Le bateau ivre », p. 128-129.

> Que comprendre à ma parole?
> Il fait qu'elle fuie et *vole*[1]!

Le cœur volé se transforme en parole poétiquement envolée.

> — Des écumes de fleurs ont bercé mes dérades
> Et d'ineffables vents m'ont ailé par instants[2].

A la dérive du désir, *possédé* par les ressources du langage, le bateau est violemment pansé-pensé par la mer. Cette déperdition du sujet dans la langue est la condition d'une parole poétique : ce n'est qu'en perdant son sens que le bateau peut enfin plonger dans « le Poème de la Mer ». L'écriture est ainsi conçue comme un procès violent — de viol, ou de vol — de sens : un procès de dépossession et d'expropriation du sujet.

LE COUP DE « DÉS » : DÉ-RÈGLEMENT, DÉ-LIRES, DÉ-PARTS

Vols et viols se systématisent et s'intègrent dans une théorie générale :

> Le poète se fait *voyant* par un long, immense et raisonné *dérèglement* de *tous les sens*[3].

Le dérèglement — « raisonné » — relève d'un « système [4] », d'une « étude [5] », d'un « travail [6] » : il s'appuie méthodiquement sur toute une lignée de notions textuelles, qui se signalent par des coups de « dé » : « dé-règlements », « dé-placements », « dé-couvertes », « dé-luges », « dé-lires », « dé-parts », etc. La fréquence et l'insistance du « dé », le martèlement du préfixe négatif explicitent le sens du « travail » poétique et l'enjeu de l'entreprise rimbaldienne : celui d'une *dé-construction généralisée*. « Éclairs et tonnerre, — montez et roulez;

---

1. « O saisons, ô châteaux », p. 180.
2. « Le bateau ivre », p. 130.
3. Lettre à P. Demeny du 15 mai 1871, p. 346 (italiques de Rimbaud).
4. « Aucun des sophismes de la folie — la folie qu'on enferme — n'a été oublié par moi. Je pourrais les redire tous, je tiens le *système* » (« Délires II », *Une saison en enfer*, p. 233).
5. *Ibid.*, p. 228.
6. Cf. : « Je *travaille* à me rendre voyant [...]. Il s'agit d'arriver à l'inconnu par le dérèglement de tous les sens » (lettre à G. Izambard du 13 mai 1871, p. 343-344).

— Eaux et tristesse, montez et relevez les Dé-luges [1]. »

> Mes faims, tournez. *Paissez, faims,*
> *Le pré des sons.* [...]
> Mangez les *cailloux qu'on brise,*
> Les vieilles pierres d'églises;
> Les galets des vieux *dé-luges* [...] [2].

« Dé-règlement de tous les sens », c'est à prendre dans tous les sens du mot « sens ». On se souvient de la percutante réplique de Rimbaud à sa mère lui demandant ce qu'il peut bien avoir voulu dire dans *Une saison en enfer :* « J'ai voulu dire ce que ça dit, littéralement et dans tous les sens. » Dérèglement donc de tous les *sens : significations* (linguistiques), *directions* (géographiques), *sensations* (charnelles et physiologiques) — les unes comme les autres sont, sans exception, soumises à l'épreuve du renversement et à la quête du déséquilibre; l'entreprise du pervertissement, de la dé-viation, du dé-tour, précisément, hors du « droit » chemin (latin : *pervertere*, « renverser », « re-tourner ») porte tant sur le corps que sur le langage; le système classique des interdictions éthiques, linguistiques, idéologiques est méthodiquement dés-organisé : « Toutes les formes d'amour, de souffrance, de folie [3] »; tentative — « démoniaque [4] » — d'affolement du code.

> Je finis par trouver sacré le *dés-ordre* de mon esprit [5].

> Jamais *dé-lires* ni tortures semblables [6].

« Délires. » *Dé-lire :* dé-coder des « Voyelles » (corps du délit) pour violer, dé-lier [7], dé-chaîner le code; dé-monter et dé-faire la lecture classique, linéaire et orientée vers un sens, pour la dé-lirer, pour la disséminer, « littéralement et dans tous les sens ». *Dés-apprendre* donc à lire classiquement : « Ce fut d'abord une étude [8]. » Désapprendre la littérature existante :

1. « Après le Déluge », *Illuminations*, p. 254.
2. « Faim », version citée dans « Délires II », p. 231.
3. Lettre à P. Demeny du 15 mai 1871, p. 346.
4. « Le Démon! — C'est un Démon, vous savez, *ce n'est pas un homme* » (« Délires I », *Une saison en enfer*, p. 224).
5. « Délires II », p. 230.
6. « Délires I », p. 223.
7. Cf., dans *les Nègres* de Jean Genêt, ce credo si profondément rimbaldien : « Inventez, sinon des mots, des phrases qui coupent au lieu de lier. Inventez, non l'amour, mais la haine, et faites donc de la poésie, puisque c'est le seul domaine qu'il vous soit permis d'exploiter » (Marc Barbézat, 1963, p. 38).
8. « Délires I », p. 228.

Je trouvais *dé-risoires* les célébrités de la peinture et de la poésie moderne.
J'aimais les peintures idiotes [...]; la littérature *dé-modée* [...] [1].

Fonctionnant en tant que dé-lire, en tant que « délires [...] plus vastes que nos *lyres* [2] », la modernité rimbaldienne dé-lit, dé-lyre le lyrisme en vogue, et dé-mode, activement, la poésie dite moderne.

Si les « délires » sont « *plus vastes* que nos lyres », c'est que le « Délire » non seulement dé-lit, mais dé-lie, des langues; « Trouver une langue [3] » est le but ultime du dérèglement poétique; « inventer un verbe poétique accessible, un jour ou l'autre, à *tous les sens* [4] ».

J'écrivais des silences, des nuits, je notais l'inexprimable.
Je fixais des vertiges [5].

Ré-écrire le code, le re-lire, le dé-lire, à partir de ses silences, de ses nuits, c'est essayer de pousser, de repousser les limites du langage. Déplacer des limites est d'ailleurs l'ambition générale de Rimbaud :

Je rêvais voyages de *dé*-couvertes dont on n'a pas de relations, républiques sans histoires, [...] *dé-placements* de races et de continents [6].

L'écriture de la limite devient donc nécessairement une écriture du *dé-part*. Pour celui qui se sent, lui aussi, un « captif solitaire du seuil [7] », le déplacement devient une obsession, une hantise :

Parce qu'*il faudra que je m'en aille*, très loin, un jour [8].

1. « Délires I », p 228.
2. « Le bateau ivre » :
   > *Où, teignant tout à coup les bleuités, délires*
   > *Et rythmes lents sous les rutilements du jour,*
   > *Plus fortes que l'alcool, plus vastes que nos lyres,*
   > *Fermentent les rousseurs amères de l'amour !*
3. Lettre à P. Demeny du 15 mai 1871, p. 347.
4. « Délires II », p. 228.
5. *Ibid.*
6. *Ibid.*
7. Mallarmé, « Sonnet » (pour votre chère morte), in *Œuvres complètes, op. cit.*, p. 69.
8. « Délires I », p. 226.

La hantise du dé-part est encore un dé-lire, une frénésie de dé-liaison : elle dé-lie le sujet de son appartenance à un pays, une famille. Le dérèglement est un dé-racinement : le « je » qui est autre se reconnaît essentiellement nomade, décentré :

> Ah! Cette vie de mon enfance, la grande route par tous les temps, plus *dés-intéressé* que le meilleur des mendiants, fier de n'avoir ni pays, ni amis [1].

Et si les départs « dé-chirent les cœurs [2] », le déchirement, lui aussi, est une force : force de rupture, énergie de disjonction et de détachement. Le départ — renouvelé — s'efforce du même coup de se conjurer lui-même : de conjurer les arrêts de la vie.

> Assez vu. [...]
> Assez eu. [...]
> Assez connu. Les arrêts de la vie. [...]
> *Départ* dans l'affection et le bruit *neufs* [3]!

« A-DIEU »

> Un Ennui, désolé par les cruels espoirs,
> Croit encore à l'adieu suprême des mouchoirs.
> Mallarmé, « Brise marine ».

« En poésie, écrit Char, on n'habite que le lieu que l'on quitte [4]. » C'est dire que le déplacement, le départ — la modernité, si l'on veut —, loin d'être un accident, un possible, est au contraire une nécessité inhérente à la poésie. C'est dire aussi que la poésie n'a jamais *fini* de partir.

Or, le problème du départ, pour Rimbaud, est précisément celui de la fin : du départ définitif, de l'écriture radicale d'un « Adieu ». Tout l'effort d'*Une saison en enfer* est pour écrire cet « Adieu [5] », pour partir *une fois pour toutes*, sortir des « saisons [6] », du schéma temporel

---

1. « L'impossible », p. 235.
2. « Délires I », p. 224.
3. « Départ », *Illuminations*, p. 266.
4. *Recherche de la Base et du Sommet*, op. cit., p. 104.
5. La question discutée par les biographes, à savoir : si « Adieu » *(Une saison en enfer)* est, oui ou non, dans la chronologie, le texte ultime de Rimbaud, importe peu, puisque, dans un cas comme dans l'autre, « Adieu » est le texte *du dernier mot*, c'est-à-dire, symboliquement, l'écriture de la fin (impossible...).
6. En effet, loin d'être un texte final, chronologiquement, « Adieu » est le texte « intempestif » par excellence, un texte *hors de saison :* « L'automne déjà! — Mais

répétitif et cyclique, et pour être sans mémoire, ou encore, « absolument moderne ».

> Oui, l'heure nouvelle est au moins très sévère.
> Car je puis dire que la victoire m'est acquise
> [...]. Tous les souvenirs immondes s'effacent [...].
> Il faut être absolument moderne [1].

Ce que Rimbaud recherche dans ce texte qu'il intitule « Adieu » et qui clôt la *Saison en enfer*, c'est donc une « sortie » du passé qui le fera émerger dans un présent inaugural et originaire. L'« adieu » est un acte d'effacement; un radical oubli qui devrait le rendre contemporain.

Mais l'obsession de l' « adieu » véhicule un désir impossible; l'insistance sur l' « adieu » témoigne, en même temps, d'une pathétique incapacité de se détacher, d'oublier :

> Je disais adieu au monde dans d'espèces de romances [2].

Je *disais* adieu : que le mot du départ, le discours par excellence non répétitif et définitif soit lui-même énoncé à l'imparfait — temps de la répétition — souligne la problématique d'un départ qui est toujours déjà pris dans un schéma de répétition. Le discours de la rupture n'est jamais absolument moderne. Le désir de la modernité originaire et non répétitive est lui-même voué à la forme et au paradoxe de la répétition. Le mot de la fin est précisément celui qui ne cesse de recommencer. La figure de la disparition est vouée à sans cesse réapparaître. Le départ est une tâche sans terme, toujours à recommencer. L' « adieu » ne signifie donc pas l'avènement du déplacement final, de la rupture définitive, mais le système ouvert de la répétition des ruptures.

Quel est le lieu de la modernité dans cette chaîne signifiante de répétitions? C'est la question que se pose Baudelaire, en méditant « Le Voyage » :

---

pourquoi regretter un éternel soleil, si nous sommes engagés à la découverte de la clarté divine, — *loin des gens qui meurent sur les saisons* » (p. 240). Cf. « Barbare » *(Illuminations)* : « Bien après les jours et les *saisons*, et les êtres et les pays [...] » (p. 292). Cf. aussi lettre à Delahaye (juin 1872) : « Et merde aux saisons et courage. Courage » (p. 352); et le brouillon de « O saisons, ô châteaux », précédé de ces lignes : « C'est pour dire que ce n'est rien, la vie; voilà donc les *Saisons* » (p. 448).

1. « Adieu », p. 241.
2. « Délires II », p. 230.

> Singulière fortune où le but se déplace,
> Et, n'étant nulle part, peut être n'importe où [1]!

La modernité habite un non-lieu. Le départ, c'est aussi la découverte — harassante — de l'impossibilité de partir. « On ne part pas », note Rimbaud [2].

> La même magie bourgeoise à tous les points où la malle nous déposera [3]!

Lorsqu'on a compris cela, « faut-il partir, rester »? La seule réponse possible est celle — énigmatique, ambiguë, et pourtant si juste — de Baudelaire :

> [...] Si tu veux rester, reste;
> Pars, s'il le faut [...] [4].
>
> Mais les vrais voyageurs sont ceux-là seuls qui partent
> Pour partir; [...]
> De leur fatalité jamais ils ne s'écartent [5].

Il n'est peut-être pas possible de véritablement *partir*. Mais pour Rimbaud, il n'est pas davantage possible de *ne pas* partir.

> Je ne puis plus, baigné de vos langueurs, ô lames,
> Enlever leur sillage aux porteurs de cotons,
> Ni traverser l'orgueil des drapeaux et des flammes,
> Ni nager sous les yeux horribles des pontons [6].

« Je ne puis plus » : le bateau ivre assume, non d'ailleurs sans regret, sa fatalité paradoxale : son *impuissance* à ne pas partir, à la recherche d'une « future *vigueur* ». La modernité s'impose comme une fatalité du départ : d'un départ répétitif.

> Un pas de toi c'est la levée des nouveaux hommes et leur en marche.
> Ta tête se détourne : le nouvel amour! Ta tête se retourne : — le nouvel amour [7]!

---

1. Baudelaire, « Le voyage » (CXXVI), *les Fleurs du Mal*, Paris, Garnier, 1961, p. 156.
2. « Mauvais sang », *Une saison en enfer*, p. 215.
3. « Soir historique », *Illuminations*, p. 301.
4. Baudelaire, « Le voyage », *op. cit.*, VII, p. 159.
5. *Ibid.*, I, p. 155.
6. « Le bateau ivre », p. 131.
7. « A une raison », *Illuminations*, p. 268.

L'amour — « l'affection et le présent [1] » — est toujours « à ré-inventer, on le sait [2] ». Que peut la tête sinon, tour à tour, se détourner et se retourner pour héler les nouvelles amours? L'illusion de la modernité se répète; mais il n'y a pas de sens nouveau (ni direction ni signification) au mouvement de la tête, si ce n'est celui, énergétique, du mouvement en soi, de la répétition. La modernité n'est peut-être rien d'autre que le détour d'un retour, ou le retour d'un détour.

Si le « nouvel amour » dévoile l'illusion, l'erreur, le mensonge de l'amour ancien, il n'échappe pas lui-même à l'erreur répétée, à la fascination d'une nouvelle illusion, au malheur à venir de la désillusion.

> Il est l'affection et le présent [...]. Il est l'affection et l'avenir [...].
> Il est l'amour, mesure parfaite et réinventée [...].
> O monde! et le chant clair des malheurs nouveaux [3].

L' « adieu » de la modernité est donc un adieu à l'amour; un nouvel adieu à l'ancien amour.

> Un bel avantage, c'est que je puis rire des vieilles amours mensongères, et frapper de honte ces couples menteurs [4].

L'originalité de Rimbaud est d'avoir pressenti la modernité comme un problème du couple : du couple, au double niveau du désir et du langage; le couple des amoureux, ou du signifiant et du signifié, du mot et de sa vérité. Car la même dualité des « Délires » : « Délires I, Vierge folle, L'Époux infernal » : expérience du désir, « Délires II, Alchimie du Verbe » : expérience du langage, est de nouveau reprise et mise en corrélation dans « Adieu », mais en tant que double erreur, objet d'une double abdication. La modernité surgit de la prise de conscience de l'inadéquation, de l'illusion du couple : de la non-identité entre un système signifiant et un système signifié. La modernité est ainsi la nécessité même de l'arbitraire : de l'arbitraire du signe; la tentation à chaque fois renaissante de combler le vide du désir — ou l'écart sémiotique — le décalage entre « l'heure du désir » et celle de « la satisfaction essentielle » [5]. C'est dans cet écart, dans le signe, entre, *d'une part*, la dissemblance du signifiant et du signifié, et d'autre part, l'identité qui leur est demandée, que s'intercale et s'insi-

1. « Génie », *Illuminations*, p. 308.
2. « Délires I », p. 224. Cf. « Génie », p. 308.
3. « Génie », p. 308.
4. « Adieu », p. 241.
5. « Il voulait voir la vérité, l'heure du désir et de la satisfaction essentiels », « Conte », *Illuminations*, p. 259.

nue le « mensonge », l'effet de leurre, le soupçon, voire la nécessité d'une interprétation. L'arbitraire du signe fonde la *lecture*. La modernité, en effet, est avant tout un acte de lecture. Le texte de l' « Adieu » est une mise en question, une *interprétation*, une démystification de l'ancienne tentative de la modernité (celle du dérèglement des sens), de l'ancienne conception de l'amour — ou de la littérature. L' « Adieu » fonde ainsi la *Saison en enfer* en tant que sa propre lecture : le surgissement de sa modernité dans la répétition de sa relecture.

Le fonctionnement de l' « Adieu », du processus interprétatif, le jeu de miroirs et de reflets entre l'amour et la littérature, découvre, d'une part, que le désir est avant tout langage et désir de langage : que l'amour est discours, n'est que littérature; mais, d'autre part, que la littérature n'est que mensonge, simulacre : une illusion de l'amour. Si tout est littérature, la littérature, pour autant, ne désigne aucune vérité. L' « adieu » de la modernité devient donc le moment symbolique où la littérature prend conscience de son divorce radical du réel, de son existence en tant que structure irrémédiable d'erreur. Dire adieu à l'erreur sera, dès lors, dire adieu à la littérature. L'ultime forme de rupture littéraire est celle par laquelle la littérature se détache de la littérature.

C'est ainsi qu'avec Rimbaud la poésie « s'annexe son absence », « s'établit sur son refus » [1]. Mais le refus de la poésie engendre encore de la poésie. Se détournant de la littérature, la modernité est encore régie par l'énergie *littéraire*, textuelle, de la différence et du décentrement : énergie en vertu de laquelle l'écriture continue à s'écrire tout en s'effaçant, et la littérature se répète en se renversant.

Ce sont ce refus et ce renversement qui expliquent les affirmations répétées — et paradoxales — des poètes modernes : « La poésie est inadmissible, d'ailleurs elle n'existe pas [2]. » Ces affirmations ne peuvent se comprendre qu'en tant que *dénégations*, proférées par des poètes, c'est-à-dire en tant qu'énoncés par excellence poétiques. Mais le texte de la modernité, hanté par son propre silence, par son propre refus, remet en question la sécurité, l'innocence de son énonciation, le confort, ou la légitimité de son étrange statut de « poésie » ou de « littérature ». « Tout l'éclat de la poésie », note Bataille, en pensant à Rimbaud et à Lautréamont, « tout l'éclat de la poésie se révèle hors des beaux moments qu'elle atteint : comparée à son échec, la

---

1. M. Blanchot, « Le sommeil de Rimbaud », in *la Part du feu*, Paris, Gallimard, 1949, p. 158.
2. Cf. D. Roche, in *Tel Quel*, *Théorie d'ensemble*, Paris, Éd. du Seuil, 1968, p. 221-227. « Nous prétendons dire précisément par des poèmes que cette conception de la poésie n'est pas » (p. 223).

poésie rampe. Ainsi, un commun accord situe à part les deux auteurs qui ajoutèrent à celui de leur poésie l'éclat d'un échec. L'équivoque est liée à leurs noms, mais l'un et l'autre épuisèrent le sens de la poésie qui s'achève en son contraire, en un sentiment de haine de la poésie. La poésie qui ne s'élève pas au non-sens de la poésie est encore le vide de la poésie : la belle poésie [1]. »

> Je dois enterrer mon imagination et mes souvenirs.
> Une belle gloire d'artiste et de conteur emportée [2]!
>
> Adieu, chimères, idéals, erreurs [3].
>
> [...] je puis [...] frapper de honte ces couples menteurs [...] et il me sera loisible de *posséder la vérité dans une âme et un corps* [4].

Sortir de la littérature, c'est encore y donner; et « frapper de honte ces couples menteurs », c'est encore aspirer à leur vérité. Il n'y a qu'un moyen, radical, pour sortir du passé: c'est de sortir du discours. « Posséder la vérité » ce sera, pour Rimbaud, répudier le langage : comprendre que la vérité est ce qui ne se possède pas. « Absolument moderne », la littérature désormais habitera son propre silence.

> Il faut être absolument moderne.
> Point de cantiques : tenir le pas gagné [5].

Point de cantiques : le suprême adieu rejoint le sens étymologique de ce mot de la fin : *A Dieu*. La marche vers la modernité est une « dure nuit », semblable en tout à la nuit de la crucifixion.

> Dure nuit! Le sang séché fume sur ma face et je n'ai rien derrière moi que cet horrible arbrisseau [6]!...

L'horrible arbrisseau, c'est la croix :

> [...] l'ivresse, les mille amours qui m'ont crucifié [7].
>
> Le combat spirituel est aussi brutal que la bataille d'hommes; mais la vision de la justice est le plaisir de Dieu seul [8].

1. G. Bataille, *L'Orestie*, *op. cit.*, p. 63.
2. « Adieu », p. 240. Cf. brouillon d' «Alchimie du Verbe », p. 338 : « Maintenant je puis dire que l'art est une sottise. »
3. « Mauvais sang », p. 218.
4. « Adieu », p. 241.
5. *Ibid.*
6. *Ibid.*
7. *Ibid.*, p. 240.
8. *Ibid.*, p. 241.

L'être humain est voué à l'erreur ; la vision de la justice lui est refusée. La seule relation avec Dieu (« la vision de la justice » : principe suprême de la Vérité, du Sens, des Identités) est celle qui engage le Christ à accepter sa disparition. Être le Christ (le Verbe), c'est précisément, dans ce texte, apprendre que Dieu n'existe pas : apprendre que le langage ne recouvre aucune vérité. Et le Christ rimbaldien pourrait s'écrier, comme le « Christ aux Oliviers » de Nerval :

> Frères, je vous trompais : Abîme ! abîme ! abîme !
> Le dieu manque à l'autel où je suis la victime...
> Dieu n'est pas ! Dieu n'est plus [...].
>
> En cherchant l'œil de Dieu, je n'ai vu qu'une orbite
> Vaste, noire et sans fond, d'où la nuit qui l'habite
> Rayonne sur le monde et s'épaissit toujours [1].

« EST-CE EN CES NUITS SANS FOND... »

> [...] parce qu'en raison d'un événement toujours que j'expliquerai, il n'est pas de Présent, non — un présent n'existe pas [...]. Mal informé celui qui s'écrierait son propre contemporain.
> Mallarmé, « L'action restreinte ».

L'adieu du Christ à Dieu constitue le prolongement de l'interrogation angoissée suscitée par « Le bateau ivre » :

> Est-ce en ces nuits sans fond que tu dors et t'exiles,
> Million d'oiseaux d'or, ô future Vigueur [2] ?

La majuscule nous l'indique, la modernité est une allégorie : celle d'une « future Vigueur ». La puissance promise est avant tout *figure*, dont la forme se déplace, se répète tout au long d'une chaîne de substitutions, mais dont le sens est voué à l'exil. La « *future* Vigueur » est, par définition, ce qui ne se *présente* jamais, ce qui n'a pas de sens *propre :* un point de fuite qui sans cesse se recule pour plonger dans « une nuit sans fond ». Livrée au vertige qui la constitue, la modernité, pourtant recherchée comme un point d'origine, un nouveau commencement, un principe de *fondement*, s'abîme et s'effondre dans un *sans fond*. La modernité est aspirée par son illimitation. « Je m'approche de la poésie, écrit Bataille, mais pour lui manquer [3]. » L'ensei-

1. Nerval, « Le Christ aux Oliviers », I, II, in *les Chimères, op. cit.*, p. 242, 243.
2. « Le bateau ivre », p. 131.
3. G. Bataille, *L'Orestie, op. cit.*, p. 60.

gnement de Rimbaud n'est-il pas, précisément, qu'on ne peut s'approcher de la modernité — ni de la poésie — *que pour leur manquer?* La poésie dit son propre manque : elle est constituée tout entière par un défaut d'elle-même. Et peut-être la modernité, elle aussi, n'est-elle qu'un excès d'elle-même : un excès de son propre défaut; un vide ouvert à l'excès du désir, toujours déplacé par rapport à lui-même, manquant à son propre équilibre et à sa propre identité.

C'est ainsi que la modernité a pour statut le problématique. L'énergie du déséquilibre est l'énergie d'une question. Rimbaud est parti, mais demeure son interrogation. Son silence ne fait que perpétuer indéfiniment sa question :

> Est-ce en ces nuits sans fond que tu dors et t'exiles,
> Million d'oiseaux d'or, ô future Vigueur?

S'organisant autour de cette interrogation centrale, le texte de Rimbaud, au lieu d'y répondre, bouleverse le contexte de la question. « Le moderne, écrit C. G. Jung, c'est l'homme qui vient d'apparaître; un problème moderne est une question qui vient de se poser et dont la réponse est encore dans l'avenir. Aussi le problème psychique de l'homme moderne ne consiste-t-il, même en mettant les choses au mieux, qu'à poser des questions qui seraient peut-être tout à fait autres si nous avions la moindre idée de la réponse future[1]. » Parcourir l'absence de réponse, c'est modifier, déconstruire, ou plutôt déplacer la question. En effet, la question du moderne est — pour qui la lit. C'est dire qu'en un sens, la question du moderne n'est autre que la question du texte. Le texte lui non plus n'a pas de présent; ses millions d'oiseaux d'or sont disséminés littéralement et dans *tous les sens;* sa Vigueur est à jamais *future,* puisque aucune lecture ne pourra jamais épuiser, et sonder, le fond de ses nuits.

« IL FAUT ÊTRE ABSOLUMENT MODERNE »

> Être moderne, c'est bricoler dans l'incurable.
> Cioran, *Syllogismes de l'amertume.*

> Lui qui ne s'est satisfait de rien, comment pourrions-nous nous satisfaire de lui?
> R. Char, *Recherche de la Base et du Sommet.*

Lui parti, sa plume abdiquée, Rimbaud nous a pourtant légué, avec sa question, un impératif : « Il faut être absolument moderne. »

1. C. G. Jung, « Le problème psychique de l'homme moderne », in *Problèmes de l'âme moderne*, Paris, Buchet-Chastel, 1960, p. 165 (trad. fr. par Y. Le Lay).

Impératif d'autant plus ambigu que la question qu'il engendre met en doute l'espoir de son accomplissement; d'autant plus complexe que le texte rimbaldien inscrit la modernité comme le lieu de l'inaccessible, comme une tentative dont l'échec obligé détermine les modes spécifiques de son énonciation. La modernité — absolue — de Rimbaud est, précisément, cette impasse, cette tension par laquelle le texte découvre l'impossibilité radicale d'être « absolument moderne ».

Qu'en est-il, dès lors, du *falloir* de « Il faut être absolument moderne »? Comment, sur quel mode, dans quel statut la modernité — qui s'écrit impossible — peut-elle s'énoncer comme un impératif?

C'est sans doute « Génie » qui rend le mieux compte de cette complexité, chez Rimbaud, de l'invite à la modernité.

> Il est l'affection et le présent [...], lui qui est le charme des lieux fuyants et le délice surhumain des stations. Il est l'affection et l'avenir, la force et l'amour que nous, debout dans les rages et les ennuis, nous voyons passer dans le ciel de tempête et les drapeaux d'extase.
>
> . . . .
>
> Il nous a connus tous et nous a tous aimés. Sachons, cette nuit d'hiver, de cap en cap [...] forces et sentiments las, le *héler* et le voir, et le *renvoyer*, et sous les marées et au haut des déserts de neige *suivre* ses vues, ses souffles, son corps, son jour [1].

Ce qui est remarquable, c'est la clôture — tout ouverte — de ce texte, dernier des *Illuminations*. « Sachons [...] le héler et le voir, et le renvoyer, et [...] suivre ses vues. » Nous sommes tout à la fois invités à « *renvoyer* » et à « *suivre* » le Génie de la modernité. Le regard ironique et lucide qui anime le texte de « *Génie* » est un regard désabusé, mais qui n'a pas pour autant perdu son enthousiasme; un regard enthousiaste, mais qui n'a pas pour autant perdu sa conscience de l'illusion. C'est un regard qui, ni mystifié ni démystificateur, ne se situe ni *dans* l'illusion, ni *en dehors* d'elle, ni *dans* la littérature, ni *hors* d'elle, mais à la fois dedans et dehors; un regard tout entier animé par le pathos de la modernité, tout en sachant qu'il habite une structure littéraire, c'est-à-dire non pas une structure de la vérité, mais un complexe de pathos et d'erreur. C'est pourquoi il faut *renvoyer* ce « génie » sans nom, sans nom *propre;* c'est pourquoi aussi il faut le héler et le voir, et suivre ses vues. Il faut écrire pour continuer

---

1. « Génie », p. 308-309.

à « ré-inventer » l'illusion. Car la modernité n'est pas simplement l'excès de son propre défaut. Elle est l'excessive case vide qui fait fonctionner le système littéraire, la faille essentielle, le défaut nécessaire, constitutif du fait structural.

Le « falloir » est réinvesti, de la sorte, du poids de la nécessité structurelle : il *faut* la modernité, il *faut* l'illusion, il *faut* la faille. « Il faut », le seul verbe que la modernité peut énoncer au présent, serait peut-être à lire tout aussi bien dans son sens archaïque, étymologique, comme un dérivé de *faillir* : il faut = il manque, il s'en faut [1]. « Il *faut être* absolument moderne » : l'absolument moderne est ce qui *manque à être*. C'est ainsi que la modernité inscrit la nécessité de sa rupture — et de son ouverture : la nécessité, et la fatalité, de son « il faut » : du faillir, du falloir — de la faille et du défaut.

> Les philosophes : Le monde n'a pas d'âge. L'humanité se déplace, simplement. Vous êtes en Occident, mais libre d'habiter dans votre Orient, quelque ancien qu'il vous le *faille* [2].
>
> Parce qu'il *faudra* que je m'en aille, très loin, un jour [3].
>
> Voyez comme le feu se relève! Je brûle comme il *faut* [4].

« Je le suivais, il le *faut* », dit la Vierge folle de l'Époux infernal :

> Je vais où il va, il le *faut* [5].

C'est ainsi que la littérature — Vierge folle — se déplace, pour sans cesse répéter la cérémonie de ses noces impossibles avec un Moderne qu'elle « suit » et « renvoie », et qui est son Époux infernal.

Septembre 1972.

---

1. « Faillir » et « falloir », on le sait, sont historiquement des doublets. Cf. M. Grevisse, *Le Bon Usage*, Gembloux, Duculot, et Paris, Hatier, 1969, p. 653.
2. « L'Impossible », *Une saison en enfer*, p. 236.
3. « Délires I », p. 226.
4. « Nuit de l'enfer », p. 220.
5. « Délires I », p. 224.

TROISIÈME PARTIE

FOLIE ET RÉCIT

Je dus reconnaître que je n'étais pas capable de former un récit avec ces événements. J'avais perdu le sens de l'histoire, cela arrive dans bien des maladies.

Maurice Blanchot, *La Folie du jour*.

Honoré de Balzac

Folie et idéologie

FOLIE ET ÉCONOMIE DISCURSIVE :
« L'ILLUSTRE GAUDISSART »

LA FOLIE ET LE ROMAN

Existe-t-il un rapport entre folie et roman? Hors contexte, cette proposition peut paraître extravagante. Il suffit cependant de songer à *Don Quichotte* pour reconnaître que le roman, en tant que tel, entretient avec la folie un rapport fondamental, dont les implications peuvent se vérifier tant sur le plan thématique que sur le plan structural.

Thématiquement, *Don Quichotte* explicite une relation triangulaire, qui lie la folie, d'une part, au désir et, d'autre part, au langage : le délire donquichottesque est une manière de référence, un mode de renvoi du désir au langage. Tout roman est un cheminement à l'intérieur du langage. Tout roman est une aventure du désir. Or, *Don Quichotte* met à jour un désir qui lui-même est en soi déjà langage, texte écrit par les livres. La gageure est de *vivre* le « romanesque », de tenir la promesse des livres. Lire des romans, c'est déjà, du même coup, délirer : réécrire le Livre du Monde. A travers la folie donquichottesque, le roman dramatise donc sa propre lecture, se déchiffre comme désir de lui-même. A l'origine du roman, le désir; à l'origine du désir, le roman. Quoi d'étonnant alors si l'homme-texte est voué au donquichottisme, au vertige de sa propre lecture-écriture? Mais ce dé-lire textuel constitue le principe même du « romanesque » : le roman est, avant tout, *folie du roman*.

Les écrivains le savent bien, qui tour à tour exaltent et dénoncent cet enchantement du langage. « Voici une autre *folie romanesque* dont jamais je n'ai pu me guérir », écrit Jean-Jacques Rousseau [1].

---

1. *Confessions*. Cf. « Ma mère avait laissé des romans. Nous nous mîmes à les lire. [...] Je n'avois aucune idée des choses, que tous les sentiments m'étoient déjà

De la même façon, Stendhal évoquera un ami d'enfance : « Il n'était pas *romanesque* [...] L'absence de cette *folie* le rendait plat à mes yeux [1]. » Inversement, et sans métaphore, ce n'est plus à la folie du roman, mais au roman de la folie que Gérard de Nerval se réfère, pour parler de sa maladie : « Heureusement, écrit-il de l'asile, le *mal* a cédé presque entièrement aujourd'hui; je veux dire l'exaltation d'un esprit beaucoup trop *romanesque*, à ce qu'il paraît [2]. »

Dès lors que les grands romanciers ont compris que le principe même du « romanesque » est d'être ce risque suprême, cette séduction de la folie, tout roman véritable se structure comme une thérapeutique. Tout roman contient à la fois la tentation de la folie et la négation de celle-ci, par un système réflexif au sein duquel, d'une façon ou d'une autre, c'est la folie elle-même qui s'accuse et se dénonce comme telle. Structure schizophrénique, qui se construit pour se détruire, et dont le mode de fonctionnement est celui de sa propre négation.

Cette schizophrénie structurale est certes facile à déceler dans le roman moderne. Puisque, toutefois, elle nous semble constitutive du genre, nous avons choisi de la vérifier dans un texte réputé classique. La présente étude portera donc sur un roman de Balzac; Balzac, dont on sait l'intérêt qu'il n'a cessé de porter au phénomène de la folie. On a pu remarquer, à plusieurs reprises, l'intérêt psychologique que présentait la folie, pour Balzac, dans ses rapports avec la « passion »; on n'a pas encore considéré, cependant, le *fonctionnement* de la folie dans le texte balzacien : la folie en tant que modèle fonctionnel, autour duquel s'organise le roman comme système qui, de se jouer, se déjoue. C'est cet aspect qui nous retiendra, dans un texte à valeur exemplaire, et dont la richesse étonnante n'a pas encore retenu toute l'attention critique qu'elle mérite : il s'agit de *l'Illustre Gaudissart*.

« LE MYSTIFICATEUR MYSTIFIÉ »

L'histoire — rappelons-la brièvement — est celle d'un commis voyageur infaillible, dit l'Illustre Gaudissart, qui se rend en Touraine

---

connus. Je n'avois rien conçu; j'avois tout senti. Ces émotions confuses que j'éprouvois coup sur coup n'altéroient point la raison que je n'avois pas encore; mais elle m'en formèrent une d'une autre trempe, et me donnèrent de la vie humaine des *notions bizarres et romanesques*, dont l'expérience et la réflexion n'ont jamais pu me guérir. » (Paris, Gallimard, « Bibl. de la Pléiade », livre I, p. 8; je souligne.)

1. *La Vie de Henri Brulard*, in *Œuvres intimes*, Paris, Gallimard, « Bibl. de la Pléiade », p. 392.

2. Lettre à Mme Émile de Girardin, du 27 avril 1841, in *Œuvres, op. cit.*, t. I, p. 851 (Nerval souligne).

à la fois pour le compte d'une compagnie d'assurances et pour celui d'un groupe de journaux : *le Journal des enfants, le Mouvement* et *le Globe*. Pour se débarrasser du commis voyageur, les Tourangeaux le mettent en contact avec le fou du village, Margaritis, qu'ils lui présentent comme un homme d'affaires, un banquier célèbre. Une des obsessions de ce fou consiste à vouloir à tout prix vendre deux pièces de vin que, par ailleurs, il ne possède pas. Un long dialogue s'engage, de la sorte, entre Gaudissart et le fou. A la grande joie des Tourangeaux, non seulement le commis voyageur ne s'aperçoit pas de la folie de son interlocuteur, mais encore il se laisse duper jusqu'au bout, devenant à son tour acheteur, et signant le bon à livrer des deux pièces de vin inexistantes.

Se trouvant, en 1833, à court de quelques pages pour faire un volume complet, Balzac a écrit cette nouvelle en une nuit. C'est sans doute la rapidité-éclair de la rédaction qui a déterminé un jugement préconçu sur le « non-sérieux » du texte. Mais si ce texte a été mal lu, c'est qu'il est en lui-même piégé. Il se donne volontiers pour une farce, mais c'est tout autre chose que vise, en réalité, l'ironie balzacienne; autre chose également que l'étude politique et économique, ou la peinture de mœurs que vante la lecture classique :

> Même si nous oublions, écrit Suzanne Bérard, l'intérêt que présente l'étude politique et économique d'un certain monde de spéculateurs au lendemain de la révolution de Juillet; même si nous dédaignons des pages fines et brillantes sur le commerce parisien et ses prolongements en province, on ne peut se débarrasser du personnage même de Gaudissart [1].

Cette appréciation est symptomatique. Si on accorde à Balzac une réussite littéraire, c'est, d'un commun accord, le portrait du commis voyageur. Or, qu'en est-il du « personnage », non moins important, du fou? Ne s'en débarrasse-t-on pas un peu trop vite et trop facilement? « Ainsi, écrit Bernard Guyon, s'éclaire l'intrusion de cet aliéné dans l'aventure de Gaudissart [...] Balzac [...] a cru nous amuser [...] Il s'est trompé. Passons vite sur cette faute de goût [2]. » Ce n'est sans doute pas un hasard si les exégètes ont systématiquement refoulé l'importance du fou dans le texte. Car c'est là précisément l'aspect problématique d'un tel texte, la difficulté qui lui est inhérente : quelle peut être la pertinence de la folie dans la « littérature »? Que

1. S. Bérard, préface à *l'Illustre Gaudissart*, Paris, Garnier-Flammarion, 1968, p. 34.
2. B. Guyon, introduction à *l'Illustre Gaudissart*, Paris, Garnier, 1970, p. XXVII.

veut dire l'intrusion du pathologique jusque dans le discours romanesque? L'enjeu de la littérature, c'est le sens; or, le discours d'un fou est, *a priori*, un non-sens; du moins est-il illisible, incompréhensible. La folie intégrée à la littérature pose donc d'emblée la question de savoir comment l'illisible se lit : pourquoi, et de quelle manière, le non-sens produit-il du sens?

On ne saurait dégager la portée du discours délirant sans réfléchir, du même coup, sur le discours dit « normal » : les propos du fou ne prennent leur portée, et leur sens, que de leur référence immédiate au discours de Gaudissart, auquel ils constituent une réplique.

Or, on s'aperçoit alors, précisément, que ce texte de Balzac est avant tout une réflexion — dramatisée — sur le discours : il ne s'y passe rien d'autre que des échanges de paroles. Non seulement c'est au moyen d'une parole — celle du fou — que Gaudissart est vaincu; mais c'est aussi au moyen d'une parole — la sienne propre — qu'il entendait gagner. La défaite de Gaudissart comme sa victoire dépendent du langage.

Si Gaudissart représente, comme nous le dit le texte en une formule essentielle qu'on ne saurait trop souligner, *le génie de la civilisation* [1], c'est en tant qu'il est à la fois esclave et maître du pouvoir de la langue :

> Personne en France ne se doute de l'incroyable puissance déployée par les voyageurs [...] Comment oublier ici ces admirables manœuvres qui pétrissent l'intelligence des populations, *en traitant par la parole* les masses les plus réfractaires [...]
> Voulez-vous connaître *le pouvoir de la langue* et la haute pression qu'exerce la phrase sur les écus les plus rebelles? [...] *Écoutez le discours* d'un des grands dignitaires de l'industrie parisienne [...]
> Ainsi *l'éloquence*, le flux labial entre pour les neuf dixièmes dans les voies et moyens de notre exploitation (p. 192) [2].

Quoi d'étonnant si le physique, le visage de Gaudissart est assimilé à « ces classiques visages adoptés par les sculpteurs de tous les pays pour les *statues de l'Abondance, de la Loi, de la Force, du Commerce* »? C'est, en fait, un projet de domination, voire de séduction, qui anime l'entreprise du commis voyageur : la parole est, pour lui, un champ de forces où s'affirme sa volonté de puissance; le langage est le lieu par excellence de la capture de l'autre. Et Balzac de souligner :

1. Balzac, *L'Illustre Gaudissart*, in *la Comédie humaine*, Paris, Éd. du Seuil, coll. « L'Intégrale », t. III, 1966, p. 192. Les références des textes cités renvoient à cette édition.
2. Dans les textes cités, je souligne, sauf indication contraire.

Parler, se faire écouter, n'est-ce pas *séduire ?* Une nation qui a ses deux chambres, une femme qui prête ses deux oreilles sont également perdues (p. 193).

Toutefois, le projet du commis voyageur repose sur une hypothèse erronée : Gaudissart ignore à quel point il est lui-même déterminé par la parole; il croit pouvoir dominer la langue, comme il est parvenu, par elle, à dominer les autres. Or, le texte balzacien est là pour nous apprendre, précisément, qu'on ne domine pas le langage : voilà la fonction, et le fonctionnement — démystifiant —, du discours du fou.

Trois oxymorons définissaient, dès la première page, le personnage de Gaudissart : « Ce pyrophore humain est un *savant ignorant*, un *mystificateur mystifié*, un *prêtre incrédule* qui n'en parle que mieux de ses mystères et de ses dogmes » (p. 192). On pourrait inverser ces oxymorons pour définir le fou : c'est un incroyant crédule, un ignorant savant, un mystifié mystificateur, ou démystificateur. Ce n'est pas un hasard si le narrateur compare la physionomie du fou à celle d'un « vieux professeur de rhétorique » (p. 200) : il existe en effet dans ce roman une *rhétorique* de la folie, rhétorique qui fait contrepoids à celle « de la Loi, de la Force, du Commerce», à celle du commis voyageur. La folie est là pour démystifier la formidable mystification de notre civilisation.

LA RHÉTORIQUE DU TEXTE : MÉTAPHORE ET MÉTONYMIE

« *Though this be madness, yet there is method in it.* » Quelle est cette méthode qui préside au discours du non-sens? Quels sont les procédés linguistiques qui transforment une logique délirante en une contre-rhétorique cohérente, en une rhétorique de la démystification?

> — Monsieur, dit Gaudissart, a été dans les affaires...
> — Publiques, répondit Margaritis en l'interrompant [...]
> — Oh! alors, répondit Gaudissart, nous nous entendrons parfaitement.
> — Je vous écoute, répondit Margaritis, en prenant le maintien d'un homme qui pose pour son portrait chez un peintre [...].
> — Monsieur, dit Gaudissart, monsieur, si vous n'étiez pas un homme supérieur... (Ici le fou s'inclina) je me contenterais de vous chiffrer matériellement les avantages de l'affaire [...] De toutes les richesses sociales, le temps n'est-il pas la plus précieuse; et l'économiser, n'est-ce pas s'enrichir? Or [...] y a-t-il rien qui mange plus de

temps que le défaut de garantie à offrir à ceux auxquels vous demandez de l'argent, quand, momentanément pauvre, vous êtes riche d'espérance?

— De l'argent, nous y sommes, dit Margaritis.

— Eh bien! monsieur [...] Je vais m'expliquer par des exemples sensibles [...]. Au lieu d'être un propriétaire vivant de vos rentes, vous êtes un peintre, un musicien, un artiste, un poète...

— Je suis peintre, dit le fou en manière de parenthèse.

— Eh bien! soit, puisque vous comprenez bien ma métaphore, vous êtes peintre, vous avez un bel avenir, un riche avenir. Mais je vais plus loin.

En entendant ces mots, le fou examina Gaudissart d'un air inquiet pour voir s'il voulait sortir, et ne se rassura qu'en l'apercevant toujours assis.

— Vous n'êtes même rien du tout, dit Gaudissart en continuant, mais vous vous sentez...

— Je me sens, dit le fou (p. 200).

A lire ce dialogue, on ne peut s'empêcher de le rapprocher des remarques de Breton dans les *Manifestes du surréalisme* :

C'est encore au dialogue que les formes du langage surréaliste s'adaptent le mieux. Là, deux pensées s'affrontent [...]. Mon attention, en proie à une sollicitation qu'elle ne peut décemment repousser, traite la pensée adverse en ennemie; dans la conversation courante, elle la « *reprend* » presque toujours *sur les mots* [...]; elle me met en mesure d'en tirer parti dans la réplique en les dénaturant. Cela est si vrai que dans certains *états mentaux pathologiques* où les troubles sensoriels disposent de toute l'attention du malade, celui-ci, qui continue à répondre aux questions, se borne à s'emparer du dernier mot prononcé devant lui ou du dernier membre de phrase surréaliste dont il trouve trace dans son esprit [...].

Il n'est point de conversation où ne passe quelque chose de ce désordre [...].

Le surréalisme poétique [...] s'est appliqué [...] à rétablir dans sa vérité absolue le dialogue, en dégageant les deux interlocuteurs des obligations de la politesse. Chacun d'eux poursuit simplement son soliloque [...]. Les mots ne s'offrent que comme tremplins à l'esprit de celui qui les écoute [1].

Surréaliste avant la lettre, le dialogue entre Gaudissart et le fou a comme effet moins une *communication* de la parole qu'un *déplacement* du discours. Ce déplacement se produit, tout d'abord, par la

1. *Manifestes du surréalisme, op. cit.*, p. 48-49.

répétition : en reproduisant des membres de phrases, des extraits du discours de Gaudissart, le fou leur confère un accent nouveau, une valeur différente; la simple reproduction, en interprétant, interroge, ou, pour mieux dire, *problématise* les affirmations du commis voyageur; la reprise devient remise en question. La rhétorique de la répétition est en fait une rhétorique de la discontinuité.

Discontinuité entre signe et signifié : la folie prend forme dans le discours comme une passion du signifiant, comme la reproduction des signes — sans rapport à leurs signifiés.

Ce n'est pas simplement le message qui, de la sorte, se trouve court-circuité, mais aussi la façon même dont ce message est articulé et représenté. Car Margaritis, avant tout, supprime, dans les phrases de Gaudissart qu'il reprend, la dimension analogique, symbolique ou métaphorique.

> — Je suis peintre, dit le fou en manière de parenthèse.
> — Eh bien! soit, puisque vous comprenez bien ma métaphore, vous êtes peintre, vous avez un bel avenir, un riche avenir. Mais je vais plus loin.
> En entendant ces mots, le fou examina Gaudissart d'un air inquiet pour voir s'il voulait sortir [...] (p. 200).

> — Vous avez mesuré toute la portée du *Globe?*
> — Deux fois... à pied (p. 203).

En prenant le figuré pour le propre, en déplaçant, constamment, le symbolique dans le littéral, le fou démolit le fondement même du discours mystifiant du commis voyageur : la fiction métaphorique. A la métaphore, il substitue la métonymie. Aux rapports analogiques qui, chez le commis voyageur, postulent une coïncidence possible entre signe et signifié, entre fiction et réalité, il substitue, au hasard des mots, des rapports de contiguïté : le discours de la folie se défait dans la pure différence d'un signe linguistique qui, de se référer à un autre signe, se décale toujours davantage de son sens, et à force de se répéter, se dissout.

Mais, en se défaisant de la sorte, c'est aussi le discours du commis voyageur que la folie désamorce et démasque : non pas tant en démontrant sa *fausseté*, mais en le ramenant, simplement à la *fiction* linguistique qui le fonde, et qu'il a pour but, justement, d'occulter. Il n'existe pas, dit Nietzsche, de contradiction entre le « faux » et le « vrai »; elle est entre « les abréviations des signes et les signes eux-mêmes ». Le fou n'est-il pas au commis voyageur, précisément, ce que sont les abréviations des signes aux signes? Le discours de Gaudissart est ainsi disloqué par son propre écho et se dissout, lui aussi, dans la pure vacuité du langage.

LA FOLIE ET L'ILLUSION RÉALISTE

Ce jeu fondamental des personnages face à la parole, ne serait-il pas, à un autre niveau, le jeu du roman lui-même? La structure de l'interlocution, la circulation de messages entre deux actants — l'un, émetteur, et l'autre, destinataire-récepteur — pourrait suggérer, par homologie, la circulation du récit lui-même entre l'auteur et le lecteur : le roman réfléchirait, de la sorte, sa propre lecture-écriture.

Que, dans cette « mise en abyme », le rôle du lecteur soit joué par un fou nous ramène à la structure fondamentale du donquichottisme, à cette folie qui sous-tend, à la limite, toute lecture de roman. Si le lecteur est un lecteur fou, c'est d'abord parce que, comme Don Quichotte, Margaritis se prend pour, et se construit comme, un personnage de roman : face à Gaudissart, il se vit comme fiction et s'arroge, tour à tour, des titres imaginaires; essayant de capter une image désirée dans le regard de l'autre, il assume tous les rôles fantaisistes que lui assigne ce faux miroir.

> — Monsieur, dit Gaudissart, a été dans les affaires...
> — Publiques, répondit Margaritis [...] J'ai pacifié la Calabre sous le règne du roi Murat.
> — Tiens, il est allé en Calabre maintenant! dit à voix basse monsieur Vernier. [...]
> — Je vous écoute, répondit Margaritis en prenant le maintien d'un homme qui pose pour son portrait chez un peintre.
> — Monsieur, dit Gaudissart en faisant tourner la clef de sa montre à laquelle il ne cessa d'imprimer par distraction un mouvement rotatoire et périodique dont s'occupa beaucoup le fou et qui contribua peut-être à le faire tenir tranquille, monsieur, si vous n'étiez pas un homme supérieur... (Ici le fou s'inclina) je me contenterais de vous chiffrer matériellement les avantages de l'affaire. [...] Au lieu d'être un propriétaire vivant de vos rentes, vous êtes un peintre, un musicien, un artiste, un poète...
> — Je suis peintre, dit le fou en manière de parenthèse. [...]
> — [...] Je vois que monsieur a été dans les affaires.
> — Oui, dit le fou, j'ai fondé la Banque territoriale de la rue des Fossés-Montmartre, à Paris, en 1798 (p. 200-201).

Que ce soit à titre de fou, sous la caution du délire, qu'un personnage de roman se fabrique comme personnage de roman : ce paradoxe ne rejoint-il pas les intuitions du récit moderne, n'implique-t-il pas une remise en question du traditionnel « personnage de roman », dans sa conception réaliste et psychologique? Margaritis n'est plus un personnage dans le sens conventionnel du terme : il est un pur signifiant, un signe producteur de signes. Son affabulation délirante ne renvoie pas à un référent d'ordre psychologique, mais à la dynamique du langage en tant que jeu. Il n'est pas défini par ses motivations, mais par son rôle dans le récit, et par sa place dans le discours. Il n'est pas même une entité, mais la possibilité de permutation des signifiants du destinateur au destinataire. Le fou n'est donc pas une personne : il n'est, proprement, *personne*. Et c'est en tant que « personne », c'est-à-dire en tant que case vide, qu'il fait fonctionner le système.

Ainsi, si l'on pousse jusqu'au bout ce soupçon radical qu'explicite — ou recèle — la folie dans le texte balzacien, on s'aperçoit que Balzac, dont le titre de gloire, pour certains, est d'être héraut du fameux « réalisme », n'était pas dupe, lui-même, de sa propre prétention réaliste.

Prétention réaliste qu'incarne, ici, le discours du commis voyageur; et qui consiste à faire croire que le langage « exprime » quelque chose qui ne serait pas, lui-même, un signe, mais un réel déjà-là, extérieur et préexistant, que le signifiant ne fait que doubler et « représenter ».

Balzac ne nous dit-il pas, justement, que Gaudissart, prétendu « réaliste », est un « mystificateur mystifié » , et la folie ne déflore-t-elle pas cette illusion référentielle, cette mystification romanesque? Si la prétention réaliste tâche d'occulter, de dissimuler les origines discursives du récit, la folie est là pour ramener « l'histoire » à la seule instance du discours.

Sont ainsi confrontées, dans l'épreuve discursive entre Gaudissart et le fou, deux tendances générales du roman : la tendance au récit, à la mise en scène, à la représentation; et la tendance au discours, à l'exploration du langage comme tel. En effectuant la permutation du récit au discours, la folie apparaît comme un agent de transformation du texte balzacien : le roman renonce à la tentation de reproduire un espace qui lui serait extérieur, pour devenir une expérience productrice de son propre espace.

ÉCHANGE ET RÉVERSIBILITÉ : L'ÉCONOMIE DU TEXTE

A l'*échange* discursif entre Gaudissart et le fou correspond un *échange* commercial : récit et discours sont tous deux fondés sur la même dynamique. Une subtile correspondance structurale s'établit, de la sorte, entre le plan de l'énonciation et celui de l'énoncé. Correspondance accentuée par le fait que, comme l'échange discursif, l'échange commercial est à son tour dénué de référent : puisque les deux pièces de vin ne sont que le rêve d'un fou, le marché est marché de dupes, et l'échange — au niveau du récit comme au niveau du discours — met en circulation un objet absent.

Le texte cependant s'organise selon l'économie de l'échange, c'est-à-dire neutralise les oppositions au profit d'un système de corrélations : puisque tout s'échange, tout est interchangeable. Fou et commis voyageur sont, de ce fait, mis en équivalence, au-delà de leur contradiction. Car si le discours du fou est l'envers du discours du commis voyageur, il en est en même temps, nous l'avons vu, la reproduction en caricature. Les deux discours se ressemblent dans leur projet fondamental : séduire, fasciner, réduire l'autre, pour lui vendre les choses qui n'existent pas.

Où se trouve, dès lors, la frontière qui distingue le projet délirant du projet « raisonnable », sensé? Où finit la raison, où commence la folie? Qui des deux est plus fou, de Gaudissart ou de Margaritis? Gaudissart n'incarne-t-il pas, lui aussi, une folie : « la folie de notre époque » (p. 194)? Et Margaritis, lecteur assidu du journal mais qui, « depuis sept ans, ne s'était point encore aperçu qu'il lisait toujours le même numéro » (p. 199), ne représente-t-il pas, au contraire, un certain « bon » sens, une raison — à l'envers, qui consiste précisément à refuser la « folie de l'époque »?

Le texte nous apprend, de la sorte, que « sens » et « non-sens » pourraient être, eux aussi, interchangeables; que « raison » et « folie » sont des termes dialectiques, *réversibles* [1]. Comme le sont, d'ailleurs, les oxymorons, dont les termes polaires déterminent, par leurs péripéties narratives, la dynamique du roman : réversibles, et interchangeables, tour à tour pris aux pièges du récit, les incrédules et les croyants, les ignorants et les savants, les mystifiés et les mystificateurs.

Car, si le fou ne se laisse pas séduire par la structure mystifiante du discours du commis voyageur, s'il parvient même à démystifier

---

1. Cf. le renversement des termes, p. 205 : « Comment! répondit Vernier [...], croyez-vous que nous n'avons pas le droit de nous moquer d'un monsieur qui débarque en quatre bateaux dans Vouvray pour nous demander nos capitaux, sous prétexte que nous sommes des grands hommes, des peintres, des poétriaux; [...] Ma parole d'honneur la plus sacrée, *le père Margaritis dit des choses plus sensées.* [...]

— Hé bien! monsieur, je vous tiens pour insulté, [...] et *je ne vous rendrai pas raison, car il n'y a pas assez de raison dans toute cette affaire-là* pour que je vous en rende. »

celui-ci, ce n'est qu'en le mystifiant à son tour, et en se mystifiant soi-même. La démystification prend elle-même la forme d'une suprême mystification. Le processus de la désillusion n'est d'emblée que l'échafaudage d'une illusion nouvelle. On n'échappe à la fascination qu'en cédant, subtilement et subrepticement, à une fascination différente. Nous sommes pris dans la toile d'araignée du langage, et il n'est pas de porte, pas d'issue définitive.

FOLIE ET IRONIE : LES TROIS DIMENSIONS DE L'ESPACE ROMANESQUE

La fonction de la folie dans le texte est donc une fonction *ironique* : ce dialogue surréaliste pourrait être considéré, en même temps, comme une parodie du dialogue socratique, où le fou serait un Socrate-bouffon, pédagogue sans le savoir, qui transmet un enseignement ironique dont, bien entendu, il n'est pas responsable, dont il n'a pas conscience.

Car le « professeur de rhétorique » n'est pas, à vrai dire, le fou : c'est Balzac. Balzac, c'est-à-dire la structure du texte, le système de rapports entre les différents discours.

Contrairement à ce qu'on a pu affirmer, ce roman est admirablement construit. On remarquera à quel point le texte s'y rapproche du théâtre : non seulement le dialogue est une forme spécifiquement théâtrale, mais encore le dialogue est ici théâtralisé, *mis en scène*, proprement, par M. Vernier; la machination est donnée en spectacle, contemplée par des témoins cachés. Les spectateurs sont ainsi, eux aussi, incorporés dans le texte :

> Indiquer la *commère* la plus rieuse, la plus *éloquente*, la plus gogue-narde du pays, n'était-ce pas dire à madame Vernier de prendre des *témoins* pour bien observer la *scène* qui allait avoir lieu entre le com-mis-voyageur et le fou, afin d'en amuser le bourg pendant un mois? (p. 199).

Ce qui fait donc la pointe du dialogue, c'est qu'il est — de façon paradoxale — un dialogue *à trois voix*, ou à trois centres discursifs : Gaudissart, Margaritis, et les témoins, dont en particulier « la commère la plus éloquente du pays ». Où que l'on se place dans ce texte, on retrouve l'éloquence; mais une éloquence qui devient chaque fois plus parodique et plus répétitive : la commère *répétera* les propos du fou, qui *répète* les propos du commis voyageur. Trois centres d'écoute, également. Les deux interlocuteurs sont, bien entendu, censés s'écouter; mais en fait, s'ils *s'entendent* si bien, c'est parce que, précisément, ils *s'écoutent* si mal, si narcissiquement. Le jeu de mots est d'ailleurs de Balzac : une fréquence facilement perceptible des verbes de l'écoute dans le texte souligne ironiquement le fait qu'il s'agit non seulement d'un dialogue de *sourds*, mais aussi d'une histoire de *mal-entendu*.

> — Monsieur Margaritis, lui dit madame Vernier [...] Voilà un monsieur que mon mari vous envoie, il faut *l'écouter* avec attention [...]
> Les trois femmes allèrent dans la chambre de madame Margaritis afin de *tout entendre* [...]
> — Oh! alors, reprit Gaudissart, *nous nous entendrons* parfaitement.
> — *Je vous écoute*, répondit Margaritis [...]
> — Monsieur, dit Gaudissart [...] *Écoutez!*
> . . . .
> — *Vous vous êtes donc entendus?* dit du plus grand sang-froid l'impitoyable Mistouflet. C'est drôle. [...]
> — Monsieur, dit le prince des voyageurs [...] vous [...] devez me rendre raison de l'insulte que vous venez de me faire en me mettant en rapport avec un homme que vous saviez fou. *M'entendez-vous*, monsieur Vernier, le teinturier? [...]
> — [...] De quoi vous plaignez-vous? *Vous vous êtes parfaitement entendus* (p. 200, 204-205).

Il en est de l'ensemble des mots comme des verbes *écouter* ou *entendre* : leur tension ironique réside dans leur *passage* réitéré d'un locuteur à un autre, d'un contexte à un autre. Mais seul le troisième centre d'écoute, celui des témoins cachés, est à même de percevoir ce passage. Seuls les spectateurs, de même que l'auteur et le lecteur, possèdent un savoir ironique, qui échappe, comme toujours, aux protagonistes. L'ironie dramatique est ainsi elle-même *dramatisée* dans ce roman.

C'est ainsi que le texte s'écrit comme lecture. Se réfléchissant, le roman, sans arrêt, se parodie et se relativise. En vertu de ses trois foyers discursifs, l'espace textuel se décentre, et, se vivant en trois dimensions, désamorce tout discours bi-dimensionnel. Sont ainsi transgressés, dépassés et niés, à la fois le « roman » du fou et celui du commis voyageur : le réalisme truqué comme la gratuité de l'imaginaire. Le roman s'assimile, dès lors, au vertige même de ce jeu de miroirs par lequel, constamment, il se démystifie.

Ce vertige textuel, ce jeu réflexif n'est certes pas sans danger, et la présence de la folie dans un tel texte n'est nullement contingente. Si, ici, la folie, en effet, fait partie intégrante de toute structure ironique. Si, ici, la folie est extrême ironie, c'est parce que l'extrême de l'ironie c'est, précisément, la folie : le fou n'est pas simplement l'*instrument* du savoir ironique, il incarne aussi l'imminence du *péril* qui guette sans arrêt la conscience réflexive, menacée par son déchirement interne, par la tension même qui la constitue comme sa propre contradiction. Balzac le sait, qui disait dans la *Théorie de la démarche* :

> Je me place au point précis où la science touche à la folie, et je ne puis mettre de garde-fous [1].

Et Louis Lambert, « cet immense cerveau qui a craqué de toutes parts comme un empire trop vaste », a succombé, on le sait, pour avoir trop « voltigé à travers les espaces de la pensée » [2].

Ainsi la conscience ironique, chez Balzac, est-elle en réalité une conscience angoissée, et lucide dans son angoisse. Le comique et le tragique balzaciens se recoupent, se rejoignent dans la folie : les textes ironiques sont, précisément, l'envers des textes pathétiques.

Balzac ne se sauve que parce qu'il est double : fou à la fois et commis voyageur, séducteur, discoureur lui aussi, maître et esclave de la langue, il est, lui aussi, et par excellence, le « mystificateur mystifié »; mais qui se sait tel.

Mai 1971.

---

1. *Traité de la vie élégante*, suivi de *la Théorie de la démarche*, Paris, Bossard, 1922, p. 129.
2. *Louis Lambert*, Le Livre de poche, p. 178, 165.

LES FEMMES ET LA FOLIE :
HISTOIRE LITTÉRAIRE ET IDÉOLOGIE

- *La folie et la femme*
- *Idéologie et critique : l'invisible du réalisme*
- *La question textuelle : « Qui, elle? »*
- *La thérapeutique meurtrière*

LA FOLIE ET LA FEMME

> Le silence donne la grâce propre aux femmes.
> Sophocle, *Ajax.*

> Dalila : *In argument with man a woman ever*
> *Goes by the worse, whatever be her cause.*
> Samson : *For want of words, no doubt, or lack of*
> *breath.*
>
> Milton, *Samson Agonistes.*

Est-ce un hasard si l'hystérie — terme provenant du mot « utérus » — a été à l'origine conçue comme un mal exclusivement féminin, comme le lot et l'apanage des femmes? Est-ce un hasard encore si, aujourd'hui même, les statistiques établissent, entre femmes et folie, un rapport privilégié? « Les femmes, écrit Phyllis Chesler, plus que les hommes, et dans une proportion plus grande que ne le laisserait prévoir leur existence dans la population globale, sont engagées dans la " carrière " de malade mentale [1]. » Comment interpréter cet état de fait sociologique? De quel genre est le rapport qu'il implique, entre les femmes et la folie? Documents objectifs à l'appui, Phyllis Chesler confronte ceux-ci aux témoignages subjectifs des femmes : tissé de voix de femmes parlant à la première personne — citations d'écrits féminins, romanesques ou autobiographiques, interviews de femmes dites « malades », rapportés mot à mot —, le livre dégage et met en cause une « psychologie de la femme » façonnée par une culture mâle, oppressive et patriarcale : « Il est évident que si une femme veut être saine, elle doit " s'adapter " aux normes de comportement de son sexe et les accepter, même si ces types de comportements sont en général considérés comme ayant un attrait social moindre [...] Dans notre civilisation, l'éthique de la santé mentale est masculine »

---

1. P. Chesler, *Les Femmes et la Folie*, Paris, Payot, 1975, p. 17 (trad. fr. par J.-P. Cottereau).

(p. 78). A partir de son éducation familiale et à travers son développement, le rôle social assigné à la femme est de *servir* la figure autoritaire, et centrale, de l'homme : être fille/mère/épouse. « La condition *sine qua non* de l'identité " féminine " dans les sociétés patriarcales est la violation du tabou de l'inceste, c'est-à-dire la préférence initiale et incessante pour Papa, suivie d'un amour ou/et d'un mariage consentis avec les puissantes figures du père » (p. 138). Et « ce que nous considérons comme " folie ", qu'elle apparaisse chez les hommes ou chez les femmes, est soit la représentation du rôle dévalué de la femme, soit le rejet total ou partiel du stéréotype du rôle sexuel » (p. 66).

Phyllis Chesler, bien que dénonçant la psychiatrie, ne songe pourtant pas à projeter sur la folie le faux romantisme de la révolte culturelle ou politique : « Il n'a jamais été dans mes intentions de faire de la folie quelque chose de romanesque, ni de la confondre avec la révolution politique ou culturelle : [...] la plupart des femmes en pleurs, déprimées, la plupart des femmes angoissées ou terrifiées ne sont pas capables de s'emparer des moyens de production ou de reproduction » (p. 18). Tout le contraire d'une protestation, la folie est l'impasse de celles que leur conditionnement culturel a privées des moyens mêmes de se révolter, de protester ou de revendiquer : loin d'être une forme de révolte, la « maladie mentale » est la manifestation d'une *impuissance* culturelle et d'une *castration* politique, l'expression sociale et psychologique d'une demande d'aide, d'un appel au secours qui font encore partie du conditionnement de la femme, du stéréotype idéologique de son rôle et de la conduite « féminine ».

Ce n'est pas la condition matérielle, sociale et psychologique de la femme, mais son statut *théorique* dans le discours occidental, qu'analyse Luce Irigaray[1]. Contrairement à Phyllis Chesler, Luce Irigaray s'intéresse non aux voix empiriques des femmes, à leur témoignage subjectif, mais à des *textes* théoriques écrits par des *hommes* — textes clés de la philosophie et de la psychanalyse, qui interrogent ou impliquent le concept de féminité. Elle étudie donc, chez Freud, la conférence (fictive) intitulée : « La féminité »; et chez Platon, l'imagerie métaphoriquement féminine du mythe de la caverne. Elle reprend à son compte l'interrogation féministe anglo-américaine, devenue désormais classique, de la valorisation masculine et du préjugé antiféministe au sein du discours de la psychanalyse; mais pour en élaborer et pour en consolider la critique, elle s'inspire du courant philosophique qui s'est formé en France autour de Jacques Derrida et de sa critique générale de la métaphysique occidentale; principe

1. *Speculum de l'autre femme*, Paris, Éd. de Minuit, 1974.

répressif du « logocentrisme », prévalence du « logos » sur l' « écriture », privilège accordé au présent et à la présence à soi d'un centre (nommé Dieu, Origine, Vérité ou Raison) : subtil mécanisme de hiérarchisation assumant la subordination répressive de toute « négativité », la maîtrise de toute altérité. C'est en examinant de cette façon l'illusion de dualité et le fonctionnement répressif qui valorise un terme unique, dans la polarité Masculin/Féminin, que Luce Irigaray élabore son argument théorique. La femme, soumise dans la théorie au concept de la masculinité, est vue par l'homme comme *son* autre, négatif du positif, et non pas, en son propre droit, comme différente, autre en soi : l'Autre.

A travers déjà les métaphores platoniciennes qui domineront le discours occidental et y véhiculeront le sens, Luce Irigaray déchiffre un projet excluant la femme de la production du discours : la femme et l'Autre comme tel sont assujettis au principe philosophique du Même — lui-même approprié au masculin, appréhendé comme conscience-à-soi d'une présence masculine. Dans le texte platonicien s'établit la logique répressive de l'identité — avec ses principes : privilège de l'un, reproduction du semblable, répétition du même, et avec « les méthodes qui l'étayent : la détermination propre, l'analogie, la comparaison, la symétrie, les oppositions dichotomiques, le projet (ou projection?) téléologique ».

Si Freud a libéré la pensée d'une certaine conception du présent et de la présence à soi, si ses concepts d' « après-coup », d'automatisme de répétition, de pulsion de mort fendent radicalement la logique de l'identité, Freud n'en demeure pas moins prisonnier de la philosophie quand il détermine la différence sexuelle en fonction de l'*a priori* du même, voire du phallus. La sexualité féminine sera dès lors décrite comme absence (de la présence masculine), manque, envie, défaut, par rapport à la seule sexualité reconnue comme valeureuse. Aveuglement théorique à la Différence réelle de la femme, qui désormais se revendique et revendique, pour se penser, une autre logique et un autre type de raisonnement théorique.

Mais une question se présente alors : en tant qu'Autre de toute instance théorique parlante occidentale, comment la femme parle-t-elle dans ce livre? Qui parle ici, et qui revendique l'altérité de la femme? Si, comme le suggère Luce Irigaray, le silence de la femme ou la répression de sa possibilité de parler instituent le système philosophique et le discours théorique comme tel, à partir de quel lieu théorique écrit Luce Irigaray elle-même, pour élaborer son discours sur l'exclusion de la femme? Prononce-t-elle le langage de l'homme, ou le silence de la femme? Parle-t-elle *en tant que* femme, ou *à la*

place de la femme (silencieuse), pour la femme, au nom de la femme?
« Parler en femme », est-ce un fait qui se détermine en fonction du
« destin anatomique [1] » ou du destin(?) culturel? d'une *condition*
biologique ou d'une *position* théorique (stratégique)? Et si « parler
en femme » n'allait pas simplement de soi, n'était pas un fait « naturel »? Il est trop facile à présent de discourir au nom de la femme,
et nombre d'hommes et de femmes se font aujourd'hui à peu de frais
champions de la « sexualité féminine ». Or, qu'est-ce que parler
au nom de la femme? Et qu'est-ce, en général, que « parler au nom
de »? N'est-ce pas — consciemment ou inconsciemment — répéter
le geste oppressif de la *représentation :* par lequel, à travers l'histoire
du logos, l'homme occidental a précisément réduit l'autre (la femme)
en objet, silencieux et subordonné? Cette question essentielle qui se
pose à toute pensée féministe, du statut de son propre discours, de sa
« représentation » de la femme, n'est pas réfléchie par Luce Irigaray,
et demeure la tache aveugle de son projet critique.

[D'une certaine façon, la difficulté de toute interrogation féministe
ressort de la complémentarité, mais aussi de l'incompatibilité, des
deux études féminines auxquelles nous venons de faire allusion.
L'intérêt du livre de Phyllis Chesler, la force de conviction qu'il
emporte en tant que puissant document clinique, réside justement
dans le fait qu'il ne parle pas *pour* les femmes : ce sont les femmes
mêmes qui parlent. Phyllis Chesler accomplit ainsi le geste symbolique inaugural de la révolution féministe : elle donne la parole aux
femmes. Mais elle ne peut la leur donner que de façon pragmatique,
empirique. Du coup, l'apport théorique du livre ne va pas au-delà
de la pensée féministe classique concernant la victimisation socio-
sexuelle de la femme. Le livre d'Irigaray, d'autre part, a le mérite de
poser le problème d'emblée au niveau théorique, de *penser* le féminisme : nous rappelant que l'oppression des femmes se détecte non
pas simplement dans le fonctionnement des structures sociales,
médicales et politiques, mais dans les présupposés du raisonnement
discursif lui-même, dans les mécanismes subtils du procès même de
la production du sens. Mais si est ici pleinement assumée l'altérité
de la femme comme *sujet de l'énoncé*, il n'est pas sûr qu'elle soit
assumée, et qu'elle puisse se revendiquer, au lieu non-interrogé de
son *énonciation*.

[Dans la tentative actuelle de remise en question générale des codes
de notre culture, le féminisme rencontre ainsi un problème théorique

1. On connaît la protestation féministe contre la phrase célèbre de Freud :
« L'anatomie, c'est le destin. »

majeur, commun à la question de la femme et à celle de la folie : comment parler à partir de l'Autre? Comment penser la femme en dehors du schéma Masculin/Féminin, sans la subordonner à l'homme? Comment penser la folie sans la subordonner à la raison? Comment penser la différence sans la subordonner à l'identité? Comment, en d'autres termes, penser autrement que par la logique de l'opposition dichotomique?

A la lumière de cette problématique, nous proposons de lire un texte littéraire qui traite à la fois de la femme et de la (sa) folie, et d'examiner aussi la façon dont ce texte a pu être lu. Il s'agit d'*Adieu* de Balzac, courte nouvelle publiée en 1830, et plus tard intégrée au recueil des *Études philosophiques*.

IDÉOLOGIE ET CRITIQUE : L'INVISIBLE DU RÉALISME

La nouvelle comporte trois parties. La première décrit une localité mystérieuse, en laquelle arrivent par mégarde deux chasseurs qui se sont égarés dans la forêt : Philippe de Sucy, ancien colonel, et son ami-magistrat, d'Albon. Désireux de savoir où ils sont, les chasseurs tentent de s'informer auprès de deux femmes; mais leur interrogation ne rencontre que le silence : l'une des femmes, Geneviève, s'avère sourde-muette, et l'autre, folle aphasique, incapable de prononcer autre chose que le mot : « adieu ». A l'écoute de ce mot, Philippe s'évanouit : il reconnaît dans la folle son ancienne maîtresse, la comtesse Stéphanie de Vandières, qui l'avait accompagné en Russie lors des guerres de l'Empire, et qu'il avait perdue de vue depuis leur séparation au bord de la Bérésina.

La deuxième partie raconte, en flash-back, cet épisode de la guerre. Au milieu des masses abruties de l'armée française en retraite, Stéphanie et Philippe doivent lutter contre l'épuisement surhumain, contre la neige, le froid et la faim. Philippe, héroïquement, protège Stéphanie dans l'espoir de franchir avec elle la Bérésina et d'atteindre ainsi la rive sûre. Mais il ne reste que deux places sur le radeau : Philippe les cède à Stéphanie et à son mari, le comte de Vandières, se sacrifiant pour ce dernier. Le comte néanmoins n'atteint pas l'autre rive : une secousse le renverse et le tue. Stéphanie crie à Philippe « adieu » : dernier mot lucide avant que sa raison ne se perde. Pendant deux ans encore, elle sera traînée à la suite de l'armée, jouet d'un tas de misérables. Folle et chassée comme un animal, elle sera enfin, une fois la guerre terminée, retrouvée par un oncle, un vieux médecin, qui l'accueillera chez lui pour en prendre soin.

La troisième partie narre l'effort conjugué des deux hommes — l'oncle médecin et Philippe venu le rejoindre — pour sauver Stéphanie et la guérir. Or, revoyant Philippe, Stéphanie ne le reconnaît pas : si elle répète le mot « adieu », c'est sans le comprendre, et sans qu'il implique un souvenir ; à la vue de « l'étranger », elle s'effraie plutôt et s'enfuit, comme un farouche animal. Sur le conseil du médecin, Philippe « apprivoise » Stéphanie, en lui donnant des morceaux de sucre qu'elle aime, et qu'elle consent petit à petit à venir chercher dans ses mains, dans ses poches. Mais Philippe espère en vain que Stéphanie finira par le reconnaître un jour. Cette reconnaissance tardant à venir, il décide de soumettre la folle à un psychodrame qui devrait lui rendre la mémoire : il fait reconstruire le décor de la Bérésina et, à l'aide de paysans-figurants déguisés en soldats, reconstitue théâtralement l'épisode exact de la guerre, rejouant — en présence de la folle — la scène de leur séparation. Stéphanie, bouleversée, reconnaît en effet Philippe, lui sourit, lui redit « adieu » — et tombe raide morte.

Une récente édition de poche critique, qui reprend cette nouvelle étonnante [1], en assure, doublement, la présentation : le texte est précédé et suivi de commentaires académiques — une « Préface » de Pierre Gascar, une « Notice » de Philippe Berthier — qui sont censés l' « expliquer » et en situer l'importance. Or, il est frappant que, des trois épisodes qui constituent la nouvelle — la découverte de la folle dans la localité mystérieuse, la guerre, la guérison —, les commentateurs choisissent, l'un et l'autre, de n'en commenter qu'un : le chapitre de la guerre. Ainsi, le récit principal, celui de la folie d'une femme (épisodes I et III), est en quelque sorte passé sous silence, au profit du récit secondaire (épisode II) qui rapporte l'historique de l'avant-folie. Deux éléments sont, du coup, exclus de l' « explication » : la folie, et la femme. *Adieu* devient, dès lors, sous la plume des commentateurs, une nouvelle qui raconte la misère des hommes, et dont les protagonistes véritables sont « les soldats de la Grande Armée ». La Préface loue chez Balzac « le réalisme, sans précédent dans l'histoire de la littérature, avec lequel la guerre est présentée ici » (p. 9) : « En nous montrant, dans *Adieu*, les soldats de la Grande Armée hagards, à demi morts de faim et de froid, vêtus de souquenilles, qui se ruent en foule vers le pont de bateaux jeté sur la Bérésina, il [Balzac] porte au mythe de la grandeur militaire [...] un coup qui se répercute bien au-delà des temps post-napoléoniens » (p. 10-11).

1. Balzac, *Le Colonel Chabert*, suivi d'*El Verdugo*, d'*Adieu*, et du *Requisitionnaire*, Paris, Gallimard, coll. « Folio », 1974.

Une lecture prétendue « objective » du « réalisme » de Balzac sert ainsi d'alibi et d'écran à une opération idéologique de coupure et de découpage du texte. « Ces scènes, concède la Préface, tiennent, en fait, assez peu de place dans [...] *Adieu*, où la plus grande partie de l'action se déroule postérieurement aux événements historiques dont elles constituent la transposition symbolique. *Mais elles suffisent* [je souligne] à donner à la guerre son vrai visage » (p. 12). L'auteur de la Notice, lui, ne cherche même pas à justifier la suppression de deux tiers du texte, par l'argument « réaliste » d'une édifiante *vérité* « qui suffit » : celle du « vrai visage de la guerre ». Dans la tradition académique des « morceaux choisis », il propose, avec une imperturbable bonne conscience pédagogique, de couper *réellement* le texte, d'en extraire le second chapitre, et de matérialiser ainsi l'opération de coupure idéologique :

> *Le second chapitre, que l'on pourrait isoler de l'œuvre* comme le récit de Goguelat l'a été du *Médecin de campagne* (cf. notre édition de ce roman dans Folio), montre l'apparition dans l'œuvre de Balzac du *thème de la disparition à la guerre d'un officier* qui revient bien des années après (p. 206; je souligne).

L'histoire est explicitement résumée ici comme étant exclusivement celle de l'homme. Il n'est pas surprenant, dès lors, que l'auteur de la Notice s'étonne du fait — pour lui inexplicable — qu'à sa deuxième publication, la nouvelle de Balzac ait pu être « intitulée bizarrement » — tels sont ses mots — *le Devoir d'une femme* (p. 265). Manifeste dans un titre abandonné, mais dans le texte ni vue ni connue, la femme ne relève pas de « l'explicable »; elle n'a droit au commentaire qu'en tant que détail d'érudition, morceau de savoir inassimilable.

C'est ainsi que la « critique littéraire » académique élabore son discours magistral, sans s'apercevoir même de l'évidence de sa misogynie. Au fonctionnement sociologique sexiste du système de l'enseignement et de l'institution universitaire répond ici la misogynie naïve, mais non pas innocente, d'un système d'analyse de la littérature, de la fabrication pédagogique du discours « littéraire » et critique. En guidant le lecteur et en lui indiquant, par le découpage des faits « explicables », le « bon » niveau, soi-disant « objectif », de la perception textuelle, les commentaires académiques conditionnent les normes mêmes de la « lisibilité ». Or, la folie et la femme se révèlent ici être les deux refoulés de l'institution du lisible. Une politique de la lecture s'affirme ainsi, non pas tant à travers un traitement négatif de la femme mais à travers son omission, son « oubli » pur et simple. Aveuglement systématique à des faits significatifs, qui fonctionne comme une opération de censure, d'éradication symbolique de la femme du système littéraire. Quels sont les présupposés théoriques qui permettent un tel aveuglement?

Nous avons vu que ce qui est invoqué pour légitimer le découpage arbitraire du texte, c'est le concept critique du « réalisme » de Balzac : ici réalisme de la guerre, « sans précédent, comme l'énonce la Préface, dans l'histoire de la littérature ». Face à ce réalisme viril, la femme est réduite à l'inexistance, elle qui relève de l'irréel : « Au bord de la Bérésina [...] la voiture de Stéphanie, bloquée au milieu des hordes de soldats français rendus féroces par la faim et l'épouvante, devient l'*élément insolite, presque irréel*, où l'absurdité de la situation dans son ensemble éclate » (p. 11-12; je souligne). Mais qu'est-ce ici que ce « réalisme », sinon le postulat — étranger au texte — que *ce qui arrive aux hommes est plus important, ou plus « réel », que ce qui arrive aux femmes?* Ainsi, une frontière subtile, et qui se donne pour « frontière naturelle », est tracée, dans le vocabulaire critique, entre le domaine du « réel » et celui de l' « irréel », entre la catégorie théorique que l'on appelle « réalisme » et celle qu'on nomme « surnaturel » :

> Si *le Colonel Chabert* ne comporte aucun élément *surnaturel* [...] *Adieu* fait une grande place aux phénomènes psychiques, avec la folie de Stéphanie, et même aux phénomènes parapsychiques, avec sa mort. [...] Il faut observer [...] que les nouvelles de Balzac [...] font une place infiniment plus large au *surnaturel*, à la présence de l'*invisible* [...] que ses romans. [...] Dans ces quatre nouvelles où il voisine avec le *réalisme* le plus saisissant, le merveilleux n'est représenté, en fait, que par l'*état de demi-irréalité* auquel l'épreuve de l'horreur fait parvenir les principaux personnages. Nous retrouvons ici [...] la conception romantique du pouvoir transfigurateur de la souffrance (p. 14-17; je souligne).

Le « surnaturel », comme chacun sait, ne supporte pas d'explication rationnelle et n'appelle donc pas, ne doit pas arrêter la *pensée* — littéraire ou critique. Aplatie à la « conclusion édifiante » (p. 17) du pouvoir bienfaisant de la souffrance, la folie de Stéphanie ne mérite pas qu'on s'y arrête, ne fait pas problème, si elle n'accède qu'à « l'état de demi-réalité ». Le réalisme postule de la sorte une conception de la « nature » et de la « réalité » qui se donne elle-même, dans une tautologie théorique, pour « réelle » et « naturelle ». Rien en fait n'est moins neutre que cette apparente neutralité; rien n'est moins « naturel » que cette frontière qui prétend séparer le « réel » de l' « irréel » — et qui ne délimite que le dedans et le dehors d'une clôture idéologique : un dedans qui *inclut* les hommes, la « raison », la « réalité », la « nature »; un dehors qui *exclut* la femme, la folie, le « surnaturel », l' « irréalité ». Et puisque le « surnaturel » est lié, comme l'a dit le critique, à « la présence de l'invisible » (p. 16), il n'est pas étonnant que la femme, fatalement, devienne l'*invisible du réalisme*. « C'est le champ de la problématique, écrit Louis Althusser, qui définit et structure l'invisible comme l'exclu défini » :

> exclu du champ de la visibilité et défini comme exclu, par l'existence et la structure propre du champ de la problématique; comme ce qui interdit et refoule la réflexion du champ sur son objet [...] L'invisible est défini par le visible comme *son* invisible, *son* interdit de voir [...] Pour voir cet invisible [...] il faut tout autre chose qu'un regard aigu ou attentif, il faut un regard *instruit*, regard renouvelé, lui-même produit par une réflexion du « changement de terrain » sur l'exercice du voir [1].

Avec un regard « renouvelé », « instruit » par « le changement de terrain » dû à l'interrogation féministe, essayons donc de relire ici le texte de Balzac et de redéchiffrer son rapport à la femme et à la folie.

LA QUESTION TEXTUELLE : « QUI, ELLE? »

> *Man is the hunter, woman is his game.*
> Tennyson, *The Princess.*

Dès les premières pages, la femme fait problème. Le lecteur est mis en présence d'une série de questions abstraites sur une identité féminine : les deux chasseurs égarés, cherchant à identifier le lieu inconnu où ils se retrouvent, s'interrogent confusément sur la femme qu'ils y ont entrevue :

> — Où diable sommes-nous?
> — Qui, elle?
> — Où sommes-nous? Quelle est cette maison-là? A qui est-elle? Qui êtes-vous? Êtes-vous d'ici?
> — Quelle est donc cette dame?
> — Qui, elle [2]?

Le lecteur, à son tour, se trouve dérouté : dépourvu d'information et accablé de questions, ne sachant pas très bien qui parle, ni davan-

---

1. *Lire le capital*, Paris, Maspero, 1968, t. I, p. 26-28.
2. Balzac, *Adieu*, in *Études philosophiques*, *la Comédie humaine*, Paris, Éd. du Seuil, coll. « L'Intégrale », t. VII, p. 44-47.

tage de qui on parle, il est aussi perdu dans le texte que les protagonistes le sont dans l'espace. Le texte s'inaugure ainsi de la *perte* des
points de repère qui permettent d'établir une identité ; confusion
générale d'où émerge, de façon quasiment anonyme, la question deux
fois répétée : « Qui, elle ? » Le pronom féminin précédant toute
nomination, l'interrogation précédant toute « exposition », cette
question liminaire prend un caractère abstraitement emphatique et
allégorique, et semble situer d'emblée la problématique du texte
dans une interrogation sur l'identité de la femme. Or, dès le début,
cette interrogation se referme sur une impasse : adressée aux femmes
elles-mêmes, elle ne rencontre que le silence, puisque celles-ci sont
ici privées de la capacité de parler. Adressée aux voisins, l'interrogation ne peut obtenir que des réponses distantes et hypothétiques :

> — Quelle est donc cette dame ? [...]
> — *L'on présume* qu'elle vient de Moulins [...] ; *on la dit* folle [...] je
> ne saurais vous garantir la véracité de ces ouï-dire (p. 47 ; je souligne).

La question allégorique : « Qui, elle ? » demeurera ainsi sans réponse.
Le texte n'en fera pas moins *jouer* la question pour, précisément,
montrer en quoi elle exclut toute réponse, en quoi elle est piégée.
A partir de l'absence de réponse, il décalera la question et l'écrira
autrement.

« Qui, elle ? » Les femmes ne peuvent pas répondre : folles, elles
ne comprennent pas les hommes. Raisonnables, les hommes ne
comprennent pas les femmes. Pourtant, les femmes se comprennent
entre elles. Le médecin explique de la sorte l'amitié qui semble lier
Stéphanie à la paysanne Geneviève :

> Ici [...] elle a retrouvé une autre créature *avec laquelle elle paraît
> s'entendre*. C'est une paysanne idiote [...] Ma nièce et cette pauvre
> fille sont en quelque sorte unies par la chaîne invisible de leur com-
> mune destinée, et par le sentiment qui cause leur folie (p. 54).

Ainsi, la compréhension n'a lieu que d'un côté ou de l'autre de la
ligne de partage qui sépare la raison de la folie et la parole du silence.
Il reste frappant que la dichotomie Raison/Folie, ou Parole/Silence,
coïncide exactement dans ce texte avec la dichotomie : Hommes/
Femmes. Les femmes semblent être liées à la fois au silence et à la
folie, alors que les hommes, partageant l'apanage du discours,
apparaissent non seulement comme les détenteurs, mais aussi comme
les dispensateurs du privilège de la raison, qu'ils peuvent à leur gré
accorder — ou enlever — à autrui. Philippe et le médecin se donnent

pour tâche de « rendre la raison » à Stéphanie; le magistrat, en revanche, se vante : « Si vous avez jamais un procès à la cour, je vous le ferai perdre, eussiez-vous cent fois raison » (p. 44). En vertu de leurs professions — magistrat, médecin, militaire —, les trois hommes représentent symboliquement — au nom de la loi, de la santé, ou de la force — le pouvoir et le droit de se prononcer, et d'agir, sur la raison d'autrui.

Vis-à-vis de la folie de la femme, la réaction systématique de la raison virile est d'essayer de se l'approprier : en prétendant, tout d'abord, la *comprendre*, mais d'une compréhension extérieure, qui réduit la folle en spectacle, voire en *objet* que l'on croit de la sorte pouvoir connaître et *posséder* : « Allez, monsieur, abandonnez-la », recommande le médecin à Philippe; « je sais vivre avec cette chère petite créature; *je comprends sa folie, j'épie* ses gestes, je suis dans ses secrets » (p. 57). « Épier » pour « comprendre »; « apprivoiser » pour « guérir » : attitudes ou méthodes par lesquelles la raison virile objective la folie féminine pour tenter de la maîtriser. Si la folle, tout au long de la nouvelle, est comparée à un animal, cette métaphore nous renseigne moins sur le délire de Stéphanie que sur la logique des hommes qui la soignent. Car il s'agit précisément de capter l'animal et de « l'apprivoiser ». C'est de là que la scène initiale de la chasse tire sa portée symbolique. Métaphore parodique de la guerre (« — Allons, député [...], en avant! Il s'agit d'aller au pas accéléré [...] franchissez les sillons [...] Allons, marchez! [...] Si vous restez assis, vous êtes perdu! » p. 44), l'épisode de la chasse inaugurale préfigure, à travers sa logique semblable à la logique militaire, l'attitude de Philippe envers Stéphanie : « Allons », s'écrie Philippe dès l'abord, ignorant encore de qui il parle, mais intégrant tout naturellement la femme dans son entreprise de chasseur, « allons, courons après la dame blanche et noire! En avant! » (p. 46). Mais la course du chasseur sera ici l'exact corollaire de la fuite de sa proie.

Si la raison masculine constitue, de la sorte, un projet de maîtrise, de métaphorique *viol* de la femme, la folie de Stéphanie, à son tour, n'est pas contingente à sa féminité : elle en constitue la *perte*. A plusieurs reprises, Philippe, en effet, définit la folie de Stéphanie, précisément et explicitement, comme la perte de sa féminité. Lorsque le médecin lui conseille d'apprivoiser la folle à l'aide de morceaux de sucre :

> — Quand elle était femme, répondait tristement Philippe, elle n'avait aucun goût pour les mets sucrés (p. 56).

Plus tard encore, Philippe insiste :

— Je meurs tous les jours, à tous les instants! J'aime trop! *Je sup-
porterais tout si, dans sa folie, elle avait gardé un peu de caractère
féminin* (p. 57; je souligne).

La folie, en d'autres termes, est ce qui fait qu'une femme n'est plus
une femme. Or, qu'est-ce qu'une femme? Femme, le « nom » sera
dénié à Geneviève comme à Stéphanie :

Alors *une femme*, si toutefois ce *nom* pouvait appartenir à *l'être
indéfinissable* qui se leva de dessous une touffe d'arbustes, tira la
vache par sa corde (p. 46; je souligne).

« Femme » comme « être définissable », enchaîné à une « définition »,
implique un modèle qui commande une logique de la ressemblance.
Ainsi, déjà à la guerre, Stéphanie a perdu sa « féminité », car

... roulée sur elle-même, *elle ne ressemblait réellement à rien* [...]
Était-ce cette *charmante femme*, la *gloire d'un amant*, la reine *des
bals parisiens?* Hélas! l'œil même de son ami le plus dévoué n'apercevait plus *rien de féminin* dans cet amas de linge et de haillons
(p. 51; je souligne).

Si une « femme » est, strictement, « *ce qui ressemble* à une femme »
(« elle ne ressemblait réellement à rien [...] plus rien de féminin »),
il devient évident que le « féminin » est moins une catégorie « naturelle » qu'une catégorie *rhétorique*, analogique et métaphorique;
métaphore qui, dans la pensée de Philippe, est explicitement rattachée à un stéréotype socio-sexuel, au rôle bien « définissable » de la
maîtresse, « reine des bals parisiens ». Or, bien entendu, une « reine »
existe en fonction d'un roi : le propre de la métaphore féminine est
paradoxalement de nommer une propriété masculine : cette « reine
des bals parisiens » est avant tout « *la gloire d'un amant* ». « Femme »,
en d'autres termes, est l'exacte mesure métaphorique du narcissisme
de l'homme.

Le Masculin s'avère ici être l'équivalent général de l'opposition
Masculin/Féminin. C'est en tant que le Masculin conditionne le
Féminin comme son équivalent général, c'est-à-dire comme ce qui
en détermine et en mesure la valeur, que le paradoxe peut se constituer,
selon lequel la femme est « folie » alors même que la « folie » est
considérée comme « absence de la femme ». La femme est « folie » :
en tant qu'Autre, en tant que *différente* de l'homme. Mais la « folie »
est elle-même « absence de femme » : en tant que « la femme » doit
devenir *ressemblante* à l'équivalent général masculin, dans la division

polaire des rôles sexuels : masculin/féminin. La femme est « folie » en tant que différence; mais la « folie » est « absence de la femme » en tant qu'absence de la ressemblance. Ce que l'économie narcissique de l'équivalent général masculin essaie ici d'éliminer sous le terme « folie », c'est justement la *différence* féminine.

LA THÉRAPEUTIQUE MEURTRIÈRE

Tel est le narcissisme viril qui fonde le système même de la raison et son projet thérapeutique. Car « rendre la raison » à Stéphanie signifie la restituer à sa « féminité » : lui faire reconnaître l'homme, « l'amant » dont elle doit être « la gloire ». « Je vais aux Bons-Hommes, dit Philippe, la voir, lui parler, la guérir [...] Crois-tu que cette pauvre femme puisse *m'entendre* et ne pas *recouvrer la raison?* » (p. 55; je souligne). Dans la bouche de Philippe, « recouvrer la raison » devient synonyme de « *m'*entendre ». « La guérison du fou, écrit Michel Foucault, est dans la raison de l'autre — sa propre raison n'étant que la vérité de sa folie [1]. » La guérison de Stéphanie est dans la raison de Philippe. Le « recouvrement » de la raison devra donc nécessairement passer par un acte de *reconnaissance :*

> — Elle ne me reconnaît pas, s'écria le colonel au désespoir. Stéphanie! c'est Philippe, ton Philippe, Philippe! (p. 55).

> — Elle! ne pas me reconnaître, et me fuir, répéta le colonel (p. 56).

> — Mon amour, lui dit-il, en baisant avec ardeur les mains de la comtesse, je suis Philippe.
> — Viens, ajouta-t-il [...] Philippe n'est pas mort, il est là, tu es sur lui. Tu es ma Stéphanie, et je suis ton Philippe.
> — Adieu, dit-elle, adieu (p. 57).

Ce dont Philippe fait dépendre le recouvrement, par Stéphanie, de son identité de femme, c'est la reconnaissance de son nom *à lui*. Si donc la question sur la femme demeure dans le texte sans réponse, c'est parce que, tout simplement, elle n'est jamais réellement posée : sous couvert de la question « Qui, elle? », Philippe en réalité articule la question : « Qui, je? », dont la réponse est pour lui connue et définie d'avance : « C'est Philippe. » La question sur la femme est ainsi transformée en question de garantie pour l'homme : fausse question close d'avance sur sa réponse : « Tu es *ma* Stéphanie. »

---

1. *Histoire de la folie à l'âge classique, op. cit.,* p. 540 (Gallimard, 1972).

L'adjectif possessif explicite le projet d'appropriation de la propriété des noms propres : mais c'est de la bouche de Stéphanie que Philippe désire obtenir cette garantie de propriété, par le miroitement des « identités » : « Tu es ma Stéphanie, et je suis ton Philippe. » Stéphanie, pour Philippe, n'a de réalité qu'en tant qu'objet, dont le rôle assigné est de servir de médiateur au rapport spéculaire de l'homme à lui-même, de garantir, par un jeu de reflets, sa propre suffisance de « sujet ». Ce que Philippe recherche dans la femme, ce n'est pas un visage, mais un miroir qui, en lui renvoyant le reflet de l'image qu'il se fait de lui-même, doit le confirmer dans le leurre de son « identité » imaginaire. Philippe ne cherche donc pas à *connaître* Stéphanie mais à *se faire reconnaître* par elle ; il lui demande non pas la connaissance, mais la reconnaissance.

A cette demande de reconnaissance et de rétablissement spéculaire du principe de l'identité, à cette revendication linguistique de l'autorité du nom propre, Stéphanie oppose, à travers sa folie, la dislocation du langage transitif et communicatif, la rupture de toute adéquation, de toute transparence, de toute « propriété » entre les « noms » et les « choses ». L'opacité aveugle d'un signifiant égaré qui ne correspond à aucun signifié. La pure différence itérative d'un mot détaché à la fois de son sens et de son contexte.

> — Adieu! dit-elle d'une voix douce et harmonieuse, mais sans que cette mélodie, impatiemment attendue par les chasseurs, parût dévoiler le moindre sentiment ou la moindre idée (p. 47).

> — Adieu, adieu, adieu! dit-elle sans que l'âme communiquât une seule inflexion sensible à ce mot (p. 55).

A cette répétition mécanique du non-sens et de la différence, Philippe voudrait opposer un autre type de répétition, dont le but serait de restaurer au contraire l'identité et la ressemblance : pour guérir Stéphanie, pour restituer au langage disloqué par la folie sa fonction nominative et communicative, il conçoit le projet de *re-produire* la scène primordiale de « l'adieu » et de re-présenter — de façon théâtrale —, du signifiant égaré, le signifié adéquat : le sens *propre*. Stéphanie, à son insu même, sera forcée à littéralement jouer : à jouer son « propre » rôle. Ainsi, par le dispositif théâtral, tout sera amené à *faire sens* : effaçant la différence, la re-présentation ne tardera pas d'amener la *re-connaissance*.

> Le baron avait, sur la foi d'un rêve, conçu un projet pour rendre la raison à la comtesse [...] il employait le reste de l'automne aux pré-

paratifs de cette immense entreprise. Une petite rivière coulait dans son parc, où elle inondait en hiver un grand marais qui *ressemblait* [...] à celui qui s'étendait le long de la rive droite de la Bérésina. Le village de Satout, situé sur une colline, achevait d'*encadrer cette scène d'horreur* [...] Le colonel rassembla des ouvriers pour faire creuser un canal qui *représentât* la dévorante rivière [...] Aidé par ses souvenirs, Philippe réussit à *copier* dans son parc la rive où le général Eblé avait construit ses ponts. [...] Le colonel fit apporter des débris *semblables* à ceux dont s'étaient servis ses compagnons d'infortune pour construire leur embarcation. Il ravagea son parc, afin de *compléter l'illusion* sur laquelle il fondait sa dernière espérance [...] Enfin, il n'oublia rien de ce qui pouvait *reproduire* la plus horrible de toutes les scènes, et il atteignit à son but. Vers les premiers jours du mois de décembre, quand la neige eut revêtu la terre d'un épais manteau blanc, il *reconnut* la Bérésina. Cette fausse Russie était d'une si épouvantable vérité que plusieurs de ses compagnons d'armes *reconnurent* la scène de leurs anciennes misères. Monsieur de Sucy garda le secret de cette *représentation* tragique (p. 57-58).

La cure réussit. Toutefois, pour jouer parfaitement son rôle spéculaire dans ce théâtre de l'identique, pour remplir son « devoir de femme », pour redoubler, « reconnaître » et refléter parfaitement Philippe, Stéphanie doit elle-même s'effacer : elle doit mourir en tant qu'Autre, mourir en tant que sujet existant de son propre droit. Le dénouement tragique de la nouvelle est inévitable, et dès l'abord inscrit dans la logique re-présentative du projet thérapeutique. Stéphanie meurt, Philippe se suicide : si la guérison ambiguë est en réalité un meurtre, ce meurtre est nécessairement, narcissiquement, suicidaire [1] : puisque, en tuant Stéphanie dans l'illusion même de la « sauver [2] », c'est aussi bien sa propre image que Philippe frappe dans le miroir.

1. Ce meurtre suicidaire est d'ailleurs une *répétition*, non seulement de l'attitude générale qui caractérisa Philippe à la guerre, mais d'un geste spécifique déjà tenté à l'égard de Stéphanie. Rappelons que, bien avant la fin de la nouvelle, Philippe a déjà été sur le point de tuer Stéphanie et de se tuer avec elle, lorsqu'il désespérait qu'elle le reconnaisse un jour. Le médecin, devinant Philippe, a alors sauvé Stéphanie par un mensonge habile, faisant jouer, ici encore, l'illusion spéculaire du nom propre. « — Vous ne savez donc pas, reprit froidement le médecin en dissimulant son épouvante, que cette nuit, en dormant, elle a dit : Philippe! — Elle m'a nommé, s'écria le baron en laissant tomber son pistolet » (p. 57).
2. Cette illusion héroïquement et tragiquement narcissique est, elle aussi, déjà préfigurée à la guerre. Philippe est celui qui *impose* de force sa « raison » sur celle des autres, persuadé de la nécessité de les « sauver » — malgré eux. « Sauvons-la malgré elle! s'écria Philippe en soulevant la comtesse » (p. 51).

Par cette fin paradoxale, le texte littéraire subvertit et disloque la logique de la représentation, qu'il n'a dramatisée que pour ironiser, pour s'en désolidariser : là où se récupèrent la transparence et le sens, la « raison » et la « représentation », là où finit la folie, c'est aussi bien le texte qui touche à sa fin. La littérature semble dire, de la sorte, son impuissance à récupérer la folie du signifiant qui la parle, son impuissance radicale à faire sens : à « apprivoiser » sa propre répétition différentielle, à « représenter » une identité, à nommer une vérité, à maîtriser, comprendre, articuler ou thématiser sa différence signifiante.

Il est frappant de voir, ici encore, à quel point la critique peut demeurer aveugle aux indications du texte sur lui-même : à quel point la logique du critique « réaliste » peut répéter, sans soupçon, point par point, ces leurres et ces illusions de Philippe sur lesquelles le texte pourtant ironise et qu'il remet en question. Comme Philippe, le critique « réaliste » tâche, au moyen même de la fiction, de reconstruire avec exactitude la scène historique de la Bérésina. Avec Philippe, le critique « réaliste » partage la hantise des noms propres — de l'identité et de la référence —, et la conception d'un langage transparent où tout a un sens univoque, maîtrisable et explicitable, où chaque nom « représente » proprement une chose, où chaque signifiant renvoie, adéquatement, à un référent. Or, sur la scène critique comme sur la scène littéraire, il s'agit de la même tentative d'appropriation du signifiant et de sa récurrence, de sa répétition différentielle; il s'agit de la même tentative de réduction de la différence, de la même police des identités, de la même entreprise de contrôle et de maîtrise du sens. Dans le projet du critique « réaliste » comme dans celui de Philippe, le lisible est ainsi conditionné non en vue de la connaissance mais en vue de la reconnaissance, non pour la production d'une question, mais pour la reproduction d'une réponse d'avance connue, maîtrisable, délimitée à l'intérieur d'un horizon déjà constitué : la « vérité » à chercher se réduit à la simple nature du donné, immédiatement « représentable » dans le milieu transparent de la langue. Exactement comme Philippe, le préfacier d'*Adieu* s'adonne à la sécurité spéculaire de la structure de reconnaissance.

> Il n'*oublia rien* de ce qui pouvait *reproduire* la plus horrible de toutes les scènes, et il atteignit à son but [...] *il reconnut la Bérésina*. Cette fausse Russie était d'une si épouvantable vérité que plusieurs de ses compagnons [...] *reconnurent* la scène... (p. 57-58).

Cet extrait balzacien, qui s'applique tout autant au critique « réaliste » qu'à Philippe, peut en effet être lu comme une introduction à sa propre Préface : un commentaire ironique sur sa propre lecture académique.

Car, ce qui est *méconnu* dans cette reconnaissance « *réaliste* » de la Bérésina par Philippe, c'est, précisément, le *réel* : le réel en tant qu'effet non de focalisation miroitante, mais, au contraire, de décentrement; le réel en tant qu'Autre, irreprésentable, reste ex-centrique qui échappe au rapport spéculaire de la vision.

Le critique « réaliste » répète de la sorte non seulement les leurres de Philippe mais aussi son meurtre de l'Autre : éradiquant la différence au profit de la reconnaissance, le préfacier tue avec la femme la question du texte et le texte comme question.

Au demeurant, sur la scène critique comme sur la scène littéraire, le meurtre est paradoxalement intégré à une opération qui se veut « thérapeutique ». Car, en effaçant les traits ex-centriques où se marque, à travers la folie féminine, la question de la différence, le critique « normalise » le texte, en évacue et en « chasse » l'angoisse, le scandale, la démence, la violence; en fait ce champ clos sécurisant où la dislocation même du sens ne tire plus à conséquence :

> Repousser fermement ces fantômes dans leur époque, la refermer sur eux, au moyen du récit historique, tel semble être le dessein de l'écrivain (Préface, p. 8).

En réduisant la nouvelle à un schéma de reconnaissance d'une entière familiarité, le critique, comme Philippe, « guérit » le texte de son inquiétante étrangeté.

★

De cette rencontre paradoxale de l'ironie de la littérature avec l'« innocence » de la critique, de cette confrontation où c'est le texte qui semble être d'avance une lecture ironique de sa propre lecture, une question sa dégage : comment lire? Comment lire, et comment « critiquer », « raisonner », sans chercher à « guérir »? Comment *faire sens*, sans *tuer*? Comment, en d'autres termes, détacher le projet critique de la projection thérapeutique?

Cette importante question théorique situe en même temps la difficulté de la position des femmes dans le discours critique actuel. Car si la femme est dans notre culture intrinsèquement, et par définition, reliée à la folie, son problème est précisément : comment se défaire de cette imposition (culturelle) de folie, sans pour autant assumer les positions critiques et thérapeutiques de la raison? comment éviter de parler tout à la fois en tant que *folle* et en tant que *non folle?* Il incombe aux femmes, aujourd'hui, de renaître, en quelque sorte, au langage, et de *ré-apprendre à parler :* à parler autrement que par et pour une structure de sens masculine. Or, c'est bien plus que l'espoir des femmes qui réside dans cet apprentissage féminin : c'est tout l'espoir de notre culture, celui de la transformation du discours qui défera, de l'intérieur, le subtil mécanisme de l'oppression dans ses alibis « naturalistes ».

Rimbaud :

> Trouver une langue [...] Il faut être académicien [...] pour parfaire un dictionnaire [...] Des faibles se mettraient à *penser* sur la première lettre de l'alphabet, qui pourraient vite ruer dans la folie,
> [...]
> Quand sera brisé l'infini servage de la femme, quand elle vivra pour elle et par elle [...] elle sera poète, elle aussi. La femme trouvera de l'inconnu. Ses mondes d'idées différeront-ils des nôtres[1]?

« Pour l'étranger de notre temps la reconnaissance est impossible[2]. »

Août 1974.

1. Lettre à P. Demeny du 15 mai 1871, in *Œuvres, op. cit.,* p. 347-348.
2. Rimbaud, *Illuminations, op. cit.,* p. 280.

Gustave Flaubert

Folie et cliché

ILLUSION RÉALISTE
ET RÉPÉTITION ROMANESQUE

- L'ordre des choses
- L'ordre des mots
- A force de l'entendre
- Le livre sur rien
- La simplicité

« Il est impossible », disait Valéry, de penser — sérieusement — avec des mots comme Classicisme, Romantisme, Humanisme, Réalisme... On ne s'enivre ni ne se désaltère avec des étiquettes de bouteilles [1] ». Flaubert lui-même, que l'histoire littéraire — comme d'ailleurs ses contemporains — s'est obstinée à promouvoir chef de file du réalisme, Flaubert lui-même n'a-t-il pas écrit :

> Comment peut-on donner dans des mots vides de sens comme celui-là : « Naturalisme »? Pourquoi a-t-on délaissé ce bon Champfleury avec le « Réalisme », qui est une ineptie de même calibre, ou plutôt la même ineptie [2]?

La psychanalyse, la sociologie, la linguistique, les sciences modernes nous ont entre-temps appris que le « réel » n'est rien moins que *donné*, qu'il ne coïncide pas avec l'immédiatement observable, que la « réalité » est un concept infiniment plus complexe que ne se le figurait — naïvement — l'entreprise réaliste du xixe siècle.

Si peu d'auteurs tenteraient aujourd'hui une écriture « réaliste », l'illusion réaliste n'en a pas pour autant disparu de la *lecture*, ni des théories de la critique, qui bien souvent se définissent comme la visée d'un « réel » — au-delà ou en deçà du texte. L'ambition réaliste existe moins aujourd'hui chez les écrivains que chez les lecteurs.

Nous voudrions donc poser ici un double problème; non seulement la question évidente : existe-t-il une *écriture* réaliste? mais aussi celle qui en découle, et dont la portée est plus vaste : une *lecture* réaliste est-elle possible? Pour conduire cette double question, il ne sera pas inutile de redéfinir l'ambition réaliste, pour soumettre ensuite

1. « Mauvaises pensées et autres », in *Œuvres, op. cit.*, t. II, p. 801.
2. Lettre à Guy de Maupassant, 25 décembre 1876, in *Préface à la vie d'écrivain* (éd. G. Bollème), Paris, Éd. du Seuil, 1963, p. 277.

cette définition à une aventure textuelle, à l'épreuve — et au jugement — d'un texte lui-même réputé « réaliste » : *Un cœur simple* de
Flaubert.

L'ORDRE DES CHOSES

« L'énoncé réaliste », écrit Claude Duchet, suppose « la transitivité
de son discours » : « la mimésis du réel tend à évider le langage,
qui serait pur transit du sens »[1]. Se donnant comme un pur « reflet »
du réel, l'énonciation réaliste se veut créditée par le seul référent.
A la fois le dire et le lire ne sont justifiés que par leur transparence,
leur contrainte référentielle. « Sémiotiquement, écrit Barthes, le
" détail concret " est constitué par la collusion directe d'un référent et d'un signifiant[2]. » Et de citer, pour illustrer l'ambition réaliste,
le programme que Thiers assignait à l'historien :

> Être simplement vrai, être ce que sont les choses elles-mêmes, n'être
> rien de plus qu'elles, être rien que par elles, comme elles, autant
> qu'elles[3].

« Être *simplement* vrai » : la « simplicité » du projet réaliste est
celle-là même dont Flaubert, semble-t-il, a choisi de parler dans
Un cœur simple; une simplicité qui rejoint la *nature*, sans détour
et sans médiation. Il convient donc d'examiner de plus près de quelle
façon le « cœur *simple* » de Félicité est « *simplement* vrai »; dans la
perspective du vœu réaliste d'adhérence pure et simple aux choses,
à la « nature », à la réalité, quel rapport l'écriture réaliste entretient-
elle avec la simplicité? Que signifie le naturel, ou le « simple », dans
le texte d'*Un cœur simple?*

Lorsque, sur son lit de mort, on informe Félicité qu'elle a une
pneumonie, elle ne fait que répliquer doucement; « Ah! comme
Madame! », trouvant *naturel* de suivre sa maîtresse[4]. S'il est « naturel » pour Félicité de *suivre* sa maîtresse, c'est que la « nature » à
laquelle elle adhère est un certain *ordre*. A la mort de Mme Aubain,

---

1. « Pour une sociocritique ou variations sur l'incipit », in *Littérature*, nº 1,
février 1971, p. 9.
2. « L'effet de réel », in *Communications*, nº 11, p. 88.
3. Cité par Barthes, d'après C. Jullian, *Historiens français du XIXe siècle*, Paris,
Hachette, s.d., p. LXIII.
4. *Un cœur simple*, in Flaubert, *Œuvres complètes*, Paris, Éd. du Seuil, coll.
« L'Intégrale », 1964, t. II, p. 176. Les références des textes cités renvoient à cette
édition. Sauf indication contraire, c'est moi qui souligne les textes cités.

« Félicité la pleura, comme on ne pleure pas les maîtres. Que Madame mourût avant elle, cela troublait ses idées, lui semblait *contraire à l'ordre des choses*, inadmissible et monstrueux » (p. 176). Cet ordre des choses, dans lequel le rôle de Félicité est de suivre, est linguistiquement énoncé dès la première phrase du roman :

> Pendant un demi-siècle, les bourgeoises de Pont-l'Évêque envièrent à Mme Aubain sa servante Félicité (p. 164).

Respectueux de l'ordre des mots, le langage « réaliste » annonce donc, dès l'abord, une structure d'autorité; la hiérarchie grammaticale correspond à la hiérarchie sociale; la servante est nommée en dernier, reléguée au rôle d'objet : complément possessif de Mme Aubain, elle constitue également le complément d'objet des « bourgeoises ». La conscience comme sujet est prise, occupée par la bourgeoisie, dont le regard collectif — envieux — réduit doublement la servante, la transformant de sujet désirant en possession désirable, en capital de Mme Aubain. Réduite en objet, Félicité est d'emblée réduite au silence. « Toujours silencieuse », cette « femme en bois » (p. 166), meuble dans la maison Aubain, n'assumera jamais la fonction de sujet : les quelques bribes de phrases qui rapportent son discours direct ne comportent presque jamais un *je*. L'unique fois où elle exprime un désir, à propos du perroquet, c'est — par ruse — l'autorité de « Madame » qu'elle substitue à elle-même, comme sujet : « C'est Madame qui serait heureuse de l'avoir! » (p. 174). L'histoire de la simplicité sera, dès lors, l'histoire d'une exploitation : Félicité est prédestinée à être tour à tour exploitée, par sa maîtresse [1] ou par sa sœur [2], par sa sœur ou par son neveu [3]. Si Félicité est « simplement vraie », c'est en tant que victime soumise à un ordre social qui l'exploite et qui lui avait appris — au moyen d'un langage d'emblée ordonné, autoritaire, hiérarchique — à accepter comme allant de soi sa fausse évidence d'un « ordre des choses », de réalité naturelle.

L'ORDRE DES MOTS

Bien que la simplicité de la servante ait l'air, par moments, d'une simplicité animale, Félicité est pourtant tout entière une créature

1. Cf. I, p. 166.
2. Cf. II, p. 169.
3. Cf. III, p. 170.

humaine, sociale, fondamentalement *exclue* de l'innocence animale.

> Observez le troupeau, écrit Nietzsche : [...] il ignore ce qu'était hier, ce qu'est aujourd'hui [...] Il est dur à l'homme de voir cela [...] Car il ne souhaite rien de plus que de vivre comme l'animal, sans satiété ni douleur, mais il a beau le vouloir, il ne le veut pas comme l'animal. « Pourquoi ne me parles-tu pas de ton bonheur? Pourquoi te bornes-tu à me regarder? » L'animal voudrait bien répondre et dire : C'est parce que j'oublie à mesure ce que je voulais dire. Mais déjà il a oublié cette réponse et il se tait. Et l'homme alors de s'étonner.
> Mais il s'étonne aussi de lui-même, de ne pouvoir apprendre à oublier et de rester toujours accroché au passé [...] L'homme dit alors : « Je me souviens », et il envie l'animal qui oublie aussitôt et qui voit vraiment mourir l'instant [...] L'animal vit d'une vie *non historique*, car il s'absorbe entièrement dans le moment présent [...] L'homme au contraire s'arc-boute contre le poids de plus en plus lourd du passé qui l'écrase et le dévie [...][1].

A la différence des animaux, Félicité est douée d'une mémoire, c'est-à-dire de la faculté de langage. C'est le langage qui la rend vulnérable; c'est à travers le langage qu'on l'exploite. Sa « spiritualité », sa subjectivité s'affirment à travers la seule forme de *l'illusion*, que conditionnent les différents exercices sociaux du discours. Félicité, tour à tour, est subjuguée par les illusions, séduite par les discours mystifiants qui constituent le principe même de notre civilisation.

Tout d'abord, le discours mystifiant de l'amour, voire du mariage : ce qui séduit Félicité, ce n'est pas le *silence* du premier Théodore, qui la « renverse brutalement », sans succès, mais le *langage* du garçon avisé, discoureur et simulateur, qui disait « qu'il fallait tout pardonner », que, du reste, « il n'était pas pressé et attendait une femme à son goût », faisant « de grands serments » (p. 167) et proposant de l'épouser.

C'est ensuite le discours de M. Bourais, « ancien avoué », qui lui produit « ce trouble où nous jette le spectacle des hommes extraordinaires » (p. 168). C'est M. Bourais qui est à l'origine du cadeau de la géographie en estampes *représentant* « différentes scènes du monde », et qui instruit Félicité en faisant « toute son éducation littéraire » (p. 168). C'est M. Bourais également qui montre à Félicité, sur la carte, l'endroit où se trouve Victor, tout en se moquant de sa naïveté :

1. « De l'utilité et des inconvénients de l'histoire pour la vie », in *Considérations intempestives, op. cit.*, p. 291, 203.

Il atteignit son atlas, puis commença des explications sur les longitudes; et il avait un beau sourire de cuistre devant l'ahurissement de Félicité. Enfin, avec son porte-crayon, il indiqua dans les découpures d'une tache ovale un point noir, imperceptible, en ajoutant : « Voici » (p. 171).

M. Bourais incarne ainsi le geste *réaliste* par excellence, celui qui « purement et simplement » *montre* les objets d'un monde; mais le texte nous intime que ce geste, en réalité, n'est rien moins qu'innocent : qu'il est habité par une idéologie, celle, précisément, de la *représentation*. Ancien avoué, M. Bourais est par définition celui que la société délègue en tant que *représentant*, celui dont la profession est, précisément, de *parler pour les autres*. D'une certaine façon, le discours représentatif de Bourais usurpe le discours de Félicité et la réduit au silence, elle qui n'a jamais appris à parler pour son propre compte. Bourais représente la justice bourgeoise : non pas tant l'institution de la cour et du tribunal, que l'idéologie d'une justice représentative, condition de tant d'oppressions. Les malhonnêtetés de Bourais, dévoilées à la fin du récit, ne feront que mettre en relief l'abus de ce pouvoir discursif et représentatif.

Un autre discours social séducteur, qui enlève la parole à Félicité et la transforme en victime non seulement soumise mais résignée, est le discours de la religion.

Le curé se tenait debout près du lutrin; sur un vitrail de l'abside, *le Saint-Esprit dominait la Vierge;* un autre la montrait *à genoux* devant l'Enfant Jésus, et, derrière le tabernacle, un groupe en bois représentait saint Michel *terrassant* le dragon (p. 169).

Le discours religieux est ainsi un discours de domination et de terrassement. *Un cœur simple* pourrait être lu comme une méditation sur le *langage* en tant que champ d'exercice — et de fonctionnement — du *pouvoir*.

A FORCE DE L'ENTENDRE

Félicité subit l'instance diffuse du pouvoir comme abus, en même temps qu'elle subit l'action, l'influence du discours social. Les agents du discours sont en même temps les relais de l'autorité. Autorité dont le langage n'est pas simplement le « reflet » mais aussi l'exercice, puisque le langage est *appris;* ce qui s'apprend est ce que le pouvoir veut bien enseigner : la Vierge dominée; une position de génuflexion.

> Quant aux dogmes, elle n'y comprenait rien, ne tâcha même pas de comprendre. Le curé *discourait*, les enfants *récitaient* [...] Ce fut de cette manière, *à force de l'entendre*, qu'*elle apprit le catéchisme*, son éducation religieuse ayant été négligée dans sa jeunesse; et dès lors elle imita toutes les pratiques de Virginie (p. 170).

L'exercice sociolinguistique de la répétition devient de la sorte un apprentissage, un conditionnement, un automatisme. Toute pratique linguistique répétitive véhicule une puissance d'hypnose, qui induit l'individu à des comportements sociaux ou mentaux stéréotypés dans lesquels il abdique sa subjectivité. Félicité est ainsi habitée par les automatismes du langage : si, lors de la mort de Virginie, elle répète — pendant deux nuits — « les mêmes prières » (p. 172), elle répète également, pendant toute sa vie, les mêmes formules linguistiques toutes faites, les mêmes stéréotypes appris, qu'elle enseigne à son perroquet : « Charmant garçon! Serviteur, monsieur! Je vous salue, Marie! » (p. 174). Le discours du perroquet, répétant le discours de Félicité, résume, par l'ironie d'un triple cliché, toute l'histoire du « cœur simple » : amour, position sociale, religion. Que, dans la bouche du perroquet, comme d'ailleurs dans celle de Félicité, la prière elle-même soit mêlée au cliché, souligne la suggestion flaubertienne que *tout* lieu commun, tout cliché, est en réalité une sorte de prière, fonctionnant par le même mécanisme de répétition et de suggestion, véhiculant dans la vie sociale la même puissance d'hypnose que celle des prières dans la vie religieuse. La pression socioculturelle impose la répétition. La répétition excite, et suscite, la *superstition :* dans la société comme dans la religion. « Le curé discourait, les enfants récitaient » (p. 170), et Félicité répète, tel son perroquet, après les enfants. Il n'est pas indifférent que le signe du perroquet acquière, dans ce texte, une connotation religieuse : c'est qu'ici les clichés de la religion font écho à la religion des clichés. Il est intéressant de noter, également, que le mot « perroquet » est apparemment dérivé de l'italien *parrocchetto*, de *parroco*, curé.

Le perroquet est ainsi, avant tout, un miroir de Félicité elle-même *en tant que figure de la répétition :* répétition mimétique des clichés, répétition routinière du travail, de l'habitude, des gestes quotidiens, répétition psychique des amours et des pertes, des douleurs et des joies, des frustrations et des substitutions, où se joue, se déplace, la mort dans la vie. « La mort, disait Valéry, est un acte du cœur[1]. » C'est dans ce sens que Félicité est un cœur, non certes simple, mais au

1. *Œuvres, op. cit.*, t. II, p. 890.

contraire fort complexe, un cœur où la répétition ne cesse de se déguiser tout au long d'une chaîne signifiante de substitutions, où se joue la contrainte de la liberté, de la raison — et de la folie.

Le perroquet résume, et répète, cette chaîne de la répétition psychique : « Loulou, dans son isolement, était presque un fils, un amoureux » (p. 175). Mais Loulou ne reproduit pas seulement la répétition des amours, et des pertes, ou la répétition linguistique des clichés : il reproduit, avant tout, la répétition des répétitions. Non seulement le perroquet répète les répétitions de Félicité, mais encore il reproduit des sonorités qui sont déjà, en elles-mêmes, répétitives :

> Comme pour la distraire, il reproduisait le *tic-tac* du tournebroche, l'appel aigu d'un vendeur de poisson, la scie du menuisier qui logeait en face; et, aux coups de la sonnette, imitant Mme Aubain, « Félicité! la porte! la porte! » (p. 175).

> Les éclats de sa voix bondissaient dans la cour, l'*écho* les *répétait*... (p. 174).

Le perroquet symbolise donc ici une répétition au deuxième degré, qui à son tour se répète, se répercute à l'infini. Ce caractère s'accuse davantage lorsque le perroquet lui-même se répète en son propre simulacre, sous la forme empaillée par laquelle il renaît de ses propres cendres, et ressuscite à la suite de sa mort. A mesure que les éléments répétitifs se multiplient, le « fondement » référentiel se disloque : à mesure que la répétition se répète, le signe linguistique se *décale* à la fois de son sens et de son référent.

LE LIVRE SUR RIEN

La répétition fonctionne donc comme un *dys*fonctionnement du discours « réaliste », dysfonctionnement du discours mystifiant — romanesque, culturel ou sociologique. A la limite, la répétition ne répète que des répétitions; la figure répétitive s'impose en elle-même, dès lors, comme le référent de l'œuvre; le perroquet, sous sa forme ultime, est devenu à la fois son duplicatum et son propre référent.

Cette figure géniale de la répétition n'est-elle pas précisément la figure de ce « livre sur rien » tant rêvé par Flaubert, c'est-à-dire la figure du *roman* lui-même, en tant que sa propre répétition, en tant que réflexion — et rappel — de ses propres moments linguistiques? Tant sur le plan social que sur le plan romanesque, le perroquet concrétise le jeu nécessaire du non-sens et du sens : du sens en tant que non-sens toujours déplacé et déguisé; du non-sens en tant que cela même qui engendre et conditionne le sens. Le fonctionnement romanesque du discours du perroquet est exactement assimilable au fonctionnement poétique du refrain : comme le refrain, le perroquet *déplace* le discours et dégage de la répétition, non une identité, mais une pure *différence*, une différence qui radicalement renverse, interroge, et remet en cause le langage. Le roman constitue ainsi une structure répétitive complexe — une structure de déplacement — non mimétique, non imitative. La tâche du roman est de faire coexister toutes les répétitions — du langage, du cliché, de l'habitude, de l'amour, de la mémoire, de la mort — dans un espace linguistique où la différence se distribue comme un pouvoir *critique* de dissentiment et de renversement. C'est ainsi que chez Flaubert, sans arrêt, la répétition *pathétique* désamorce la répétition *ironique*, mais la répétition ironique *déplace* la répétition pathétique. Au lieu de « montrer » le réel dans un geste faussement innocent, le roman décompose celui-ci, décompose — du réel — précisément l'image « représentée », l'idéologie de la représentation mimétique [1].

C'est parce qu'il confisque, un instant, le pouvoir de parler que le perroquet non seulement évide, décale et dévie le discours de son autorité, mais en même temps se joue de toutes nos attentes stéréotypées :

> Plusieurs s'étonnaient qu'il ne répondît pas au nom de Jacquot, puisque tous les perroquets s'appellent Jacquot (p. 174) [2].

A son tour, le roman lui-même utilise des clichés, mais pour les renverser, pour subvertir nos attentes « perroquetières », et pour les interroger. A mesure que le texte se déroule, le cliché, à l'image du perroquet, se désintègre pour laisser voir son vide et son remplissage :

> Bien qu'il ne fût pas un cadavre, les vers le dévoraient; une de ses ailes était cassée, l'étoupe lui sortait du ventre (p. 177).

---

1. C'est ce que signifie, sans doute, la décomposition de Bourais vu par le perroquet : « La figure de Bourais, sans doute, lui paraissait très drôle. Dès qu'il l'apercevait, il commençait à rire, à rire de toutes ses forces. Les éclats de sa voix bondissaient dans la cour, l'écho les répétait. Les voisins se mettaient à leurs fenêtres, riaient aussi [...] » (p. 174).

2. Cf. l'analyse de Victor Brombert dans son livre, *Flaubert par lui-même* (Paris, Éd. du Seuil, 1971), p. 159 : « Le perroquet [...] symbole complexe [...] se réfère à la perversion du Logos. Loulou répète les clichés du langage humain cependant que de la bouche de ses auditeurs amusés sortent d'autres lieux communs sur le sujet des perroquets. On se retrouve en circuit clos de pseudo-pensées. »

Il n'empêche que le texte romanesque s'inscrit, et se saisit tout entier, au niveau du lieu commun. Rien n'est, dans le roman, « virginal », rien n'est innocent, liminaire; le commencement ne commence rien; quel que soit le moment où on le surprenne, le lieu commun a *déjà eu lieu*. C'est ce que suggère la phrase liminaire par laquelle se déclenche le récit de la vie de Félicité.

Elle avait eu, *comme une autre*, son histoire d'amour (p. 166).

L'histoire de Félicité est le signe d'autres histoires pareilles : le commencement du récit ne fait d'emblée que les répéter. L'histoire de Félicité est ainsi en elle-même une *histoire cliché*, et qui se donne comme telle, qui se définit, dès l'abord, par le statut de la *citation*. *Un cœur simple* : quoi de plus cliché que ce titre, titre d'ailleurs dont l'histoire se joue, et que le texte ré-écrit. *Un cœur simple* peut être considéré comme une étude de variations, non sur le « simple », mais sur le cliché. Tous les clichés fonctionnent, chez Flaubert, comme des citations — déplacées, transplantées dans un autre contexte, qui est celui de la déconstruction de leur valeur référentielle, sociale ou textuelle.

C'est ainsi que tous les noms propres sont ici, eux aussi, des clichés, des citations, des références — violentées, déconstruites. Théodore : « cadeau des dieux »; Félicité : « bonheur sans mélange »; et surtout, Paul et Virginie, qui renvoient à Bernardin de Saint-Pierre mais pour, précisément, déconstruire le mythe de la « simplicité » naturelle, de la naturalité a-culturelle, non médiatisée; tous ces noms propres ont pour fonction d'être des noms *impropres*, de contester la « propreté », c'est-à-dire la propriété que ces mots revendiquent sur leurs référents et leur rapport au réel.

La fonction des clichés, comme des noms propres, dans leur statut de *citation*, est donc de nous forcer à réfléchir l'*arbitraire* du signe, qu'ils mettent en évidence, en dénonçant du même coup l'illusion réaliste et référentielle. Flaubert manipule le langage à son deuxième degré. « C'est avec ce premier langage, écrit justement Roland Barthes, ce nommé, ce trop nommé, que la littérature doit se débattre; la matière première de la littérature n'est pas l'innommable, mais bien au contraire le nommé. On entend souvent dire que l'art a pour charge d'exprimer l'inexprimable : c'est le contraire qu'il faut dire (sans nulle intention de paradoxe) : toute la tâche de l'art est d'inexprimer l'exprimable [1]. » En répétant des clichés, le pari du roman est de

---

1. *Essais critiques*, Paris, Éd. du Seuil, 1964, p. 14-15.

répéter ce qui n'avait jamais été dit, et de dire pour la première fois ce qui avait toujours été dit. C'est ce que fait Flaubert dans ce texte si court, *Un cœur simple*, dont Ezra Pound a si bien jugé qu'il «contient tout ce qu'il est possible de savoir sur l'écriture ».

LA SIMPLICITÉ

Plotin disait déjà : « Mais quel discours est possible dès lors qu'il s'agit de ce qui est absolument simple? » La simplicité flaubertienne est un leurre, un piège bien subtil, dans lequel en effet tant de critiques se sont laissé prendre.

Le texte est explicite, d'ailleurs, sur la nature de sa simplicité, puisque, à deux reprises, le mot « simple » lui-même s'y répète, en se commentant. Il s'agit, dans les deux cas, de Félicité. La première fois, dans sa simplicité, la servante pardonne l'égoïsme, la brutalité de sa maîtresse que préoccupe l'absence de nouvelles de Virginie : « Il lui paraissait *tout simple* de *perdre la tête* à l'occasion de la petite » (p. 171). La deuxième fois, c'est une intervention du narrateur qui commente l'état d'esprit de Félicité au chevet de Virginie morte :

> Elle remarqua que la figure avait jauni [...], les yeux s'enfonçaient. Elle les baisa plusieurs fois, et n'eût pas éprouvé un immense étonnement si Virginie les eût rouverts; pour de pareilles âmes *le surnaturel* est *tout simple* (p. 172).

Il est « simple » de « perdre la tête ». Le « surnaturel » est tout simple. La simplicité, c'est, d'une part, la *folie*, et, d'autre part, le *surnaturel*. D'une certaine façon, *Un cœur simple* est l'histoire de l'évolution d'un délire : celui de la confusion mentale entre un oiseau-fétiche et le Saint-Esprit.

> Elle [...] contracta l'habitude idolâtre de dire ses oraisons agenouillée devant le perroquet. Quelquefois, le soleil entrant par la lucarne frappait son œil de verre, et en faisait jaillir un grand rayon lumineux qui la mettait en extase (p. 176).

Or, en quoi consiste, très précisément, la folie de Félicité, sinon en une lecture *réaliste*, une lecture littérale — qui arrête le sens au niveau du réel référentiel?

> Le Père, pour s'énoncer, n'avait pu choisir une colombe, puisque ces bêtes-là n'ont pas de voix, mais plutôt un des ancêtres de Loulou.

168

Et Félicité priait en regardant l'image, mais de temps à autre elle se tournait un peu vers l'oiseau (p. 176).

Toute l'histoire de Félicité est l'histoire d'une erreur de lecture, erreur de lecture qui conduit à l'acceptation de l' « ordre des choses » et, à la limite, au délire, à l'ultime séduction de la folie.

Flaubert pose ici le problème fondamental du lecteur réaliste. A la limite, le réalisme débouche sur une forme de folie. Et ce n'est pas un hasard si dans ce texte la lecture littérale aboutit à une superstition religieuse. Le réalisme n'est rien d'autre qu'une *théologie* inversée. Toute lecture réaliste est superstitieuse. Toute lecture qui arrête le mouvement textuel, qui *traverse* le langage et *bloque* le sens dans une prétention à *la* vérité, entre nécessairement dans une structure mystifiée.

« On nous dit quelquefois », écrit Valéry :

Ceci est un fait. Inclinez-vous devant le fait. C'est dire : Croyez. Croyez, car l'homme ici n'est pas intervenu, et ce sont les choses mêmes qui parlent. *C'est un fait.* Oui. Mais que faire d'un fait? Rien ne ressemble plus qu'un fait aux oracles de la Pythie [...] En histoire, comme en toute matière, ce qui est positif est ambigu. Ce qui est réel se prête à une infinité d'interprétations [1].

Flaubert, lui aussi, nous met en garde. « L'ineptie, écrit-il, consiste à vouloir *conclure* [2]. » *Un cœur simple*, en effet, nous enseigne que, d'une certaine façon, nous sommes tous des perroquets. Nous sommes pris dans la toile d'araignée du langage, dans le piège permanent du discours social, discours où s'exercent, constamment, à nos dépens et à notre insu, des instances diffuses, anonymes, du pouvoir, qui sans arrêt nous pressent, nous séduisent à la superstition d'une lecture littérale.

Flaubert, lui, règle son compte avec l'illusion réaliste par cette déconstruction textuelle, rigoureuse, de l'autorité du référent. Il est vrai qu'il abdique, du même coup, sa propre autorité d'auteur — de propriétaire de la vérité. Il abdique toute prétention réaliste. Mais peut-être est-ce par cette abdication qu'il retrouve, justement, le réel.

Novembre 1972.

1. « Discours de l'Histoire », in *Œuvres, op. cit.,* t. I, p. 1133.
2. Lettre à Louis Bouilhet, 4 septembre 1850, in *Préface à la vie d'écrivain, op. cit.,* p. 52.

THÉMATIQUE ET RHÉTORIQUE
OU LA FOLIE DU TEXTE

- *Thématique de la « folie »*
- *Fonction ironique de la « folie »*
- *Ironie de l'ironie : rhétoricité de la « folie »*
- *Thématique et rhétorique*

Première ébauche de ce que Flaubert, dans une quatrième version, envisagera enfin comme le texte « définitif », publiable, de l'*Éducation sentimentale*, les *Mémoires d'un fou* n'ont été jusqu'ici considérés que comme une « préface à la vie d'écrivain ». Mais une vie d'écrivain a-t-elle vraiment des préfaces? L'œuvre peut-elle se démarquer d'un reste qui serait alors un hors-d'œuvre? Peut-elle marquer avec certitude son point de départ? Peut-elle, à plus forte raison, se confiner aux morceaux choisis de ce qu'il est convenu d'appeler — d'ailleurs arbitrairement — des *chefs*-d'œuvre? N'est-il pas temps de tâcher de lire, chez Flaubert, par exemple, ces débauches d'ébauches où l'écriture, en marge de l'œuvre publique, se débat, s'organise comme *travail?* « La production du sens chez Flaubert » ne se désigne-t-elle pas, justement, dans ce pli — ébauches ou déchets — où l'œuvre se fait *éclater*, ne marque son bord que pour se dé-border?

Un écrivain de seize ans écrit donc les *Mémoires d'un fou* : œuvre au plus haut point « romantique », mais qui d'ores et déjà s'acharne à attaquer les valeurs, les illusions du romantisme; œuvre naïve et sophistiquée, bavarde et déclamatoire, bruyante tout à la fois de maladresse et d'intelligence ; œuvre déroutante, et qui de toutes parts piège le lecteur, le provoquant à être, comme elle ou contre elle : trop ironique ou bien trop naïf. Comment lire un tel texte? Comment rendre compte *à la fois* — c'est là la difficulté — de sa simplification *et* de sa sophistication, de son ironie *et* de sa naïveté?

Nous proposerons ici, successivement, trois directions de lecture : 1) Une lecture *thématique* de la « folie »; 2) Une lecture de la *fonction ironique* de la « folie »; lecture donc de l'ironie du texte contre la naïveté de la « folie » romantique; 3) Une lecture *ironique* de l'ironie du texte, et qui explicitera, précisément, la naïveté de cette ironie : lecture inspirée par l'ironie que le texte, pourrait-on dire, *écrit* dans ses strates de silence, *contre* son ironie *parlée*.

Ces interprétations, qui nous semblent toutes trois suggérées et autorisées par Flaubert, se révéleront contradictoires, se subvertiront successivement, et dégageront la dynamique de la production du sens dans le texte en tant que question d'approche et problématique de lecture.

THÉMATIQUE DE LA « FOLIE »

Suivons donc le fil thématique : fil d'Ariane qui devrait, cette fois-ci, non pas nous sortir mais au contraire nous introduire dans le labyrinthe. On nous prévient au seuil du livre : « C'est un fou qui a écrit ces pages » (p. 30) [1]. *Fou* en quel sens? Lisons : « Je fus au collège dès l'âge de dix ans, et j'y contractai de bonne heure une profonde aversion pour les hommes [...] J'y fus froissé dans tous mes goûts : dans la classe, pour mes idées; aux récréations, pour mes penchants de sauvagerie solitaire. Dès lors, j'étais un fou » (III, p. 232). La folie, c'est la solitude farouche, « l'originalité », la différence du jeune homme romantique. C'est aussi le grand et unique amour, le désir impossible pour une femme qu'on ne reverra plus jamais : « O Maria, [...] cher ange de ma jeunesse [...] adieu! [...] Adieu! et cependant comme je t'aurais aimée [...]! Ah! mon âme se fond en délices à toutes les *folies* que mon amour invente » (XXII, p. 247). « Non, je ne saurais vous dire combien il y a de douces sensations, d'enivrement du cœur, de béatitude et de *folie* dans l'amour » (X, p. 237) [2]. La folie, c'est donc le rêve d'une imagination solitairement exacerbée; rêve quelquefois terrifiant : « C'étaient d'effroyables visions, à rendre *fou* de terreur » (IV, p. 233). « A peine si on me cédait l'imagination, c'est-à-dire, selon eux, une exaltation du cerveau voisine de la *folie* » (V, p. 234).

Selon eux : car en fait, le terme folie est emprunté au langage des autres, dans lequel il désigne un jugement et une condamnation : « Jeunesse! âge de *folie* et de rêves, de poésie et de bêtise, synonymes dans la bouche des gens qui jugent le monde *sainement* » (III, p. 232; italique de l'auteur). Que le narrateur se dise « fou » suggère donc qu'il assume la séparation qu'implique le jugement, qu'il se juge en effet différent de la norme du monde, de l'échelle de valeurs de la société bourgeoise : « On riait de moi, [...] qui jamais n'aurais une idée positive, qui ne montrais aucun penchant pour aucune profes-

---

1. Flaubert, *Mémoires d'un fou*, in *Œuvres complètes*, Paris, Éd. du Seuil, coll. « L'Intégrale » 1964, t. I. Sauf indication contraire, les références des textes cités renvoient à cette édition.

2. Ici comme ailleurs, c'est moi qui souligne, sauf indication contraire.

sion » (III, p. 232-233). « Oh! comme mon enfance fut rêveuse! Comme j'étais un pauvre *fou* sans idées fixes, sans opinions positives! » (II, p. 230). La folie, c'est donc, dans un monde positif, le refus de la positivité.

Voilà, en somme, la quintessence du projet narratif des *Mémoires d'un fou* : « Je vais donc écrire l'histoire de ma vie [...] Mais ai-je vécu? [...] Ma vie, ce ne sont pas des faits; ma vie, c'est ma pensée [...] Vous saurez les aventures de cette vie [...], si remplie de sentiments, si vide de faits » (II, p. 230, 232). La fréquence lexicale du terme « folie » correspond à ce projet de façon tout à fait remarquable : les 25 occurrences du terme « folie » (« fou », « folie », « folies ») qu'on relève sur l'espace des 23 chapitres (18 pages dans l'édition de « L'Intégrale ») sont inégalement réparties; comme par hasard, il se trouve que la « folie » est absente des trois chapitres consécutifs qui relatent précisément les *faits :* la rencontre du grand amour (chap. XI, XII, XIII). Au milieu du roman il y a, si l'on peut dire, une sorte de trou de « folie ». Le terme réapparaît lors du départ de la femme. La folie, ce n'est donc pas l'événement, ce n'est le *fait* de l'amour; plutôt l'avant — et l'après.

> Je me replaçais dans le passé qui ne reviendrait plus [...] C'était dans mon cœur un chaos, un bourdonnement immense, une folie. Tout était passé comme un rêve (XIV, p. 239).

La « folie », c'est donc aussi une sorte de démesure du souvenir. Les *Mémoires d'un fou*, c'est peut-être aussi la folie *des* mémoires, ou *de la* mémoire : mémoire sans référent, mémoire non de l'extérieur, de l'événement et du fait, mais de l'intérieur, du désir, du souvenir; mémoire non pas tant de l'objet du désir, que du sujet désirant lui-même. On reconnaît là l'enjeu du projet romantique de la « confession » — entreprise de dévoilement de l' « identité » subjective : entreprise à la fois de « sincérité » (« C'est un serment que j'ai fait de tout dire », XV, p. 239) et d'expressivité (« ces pages [...] renferment une âme tout entière », dédicace, p. 230). Entreprise pourtant jugée impossible, ressentie comme une tension insoluble entre un sujet intérieur et antérieur, et un langage extérieur, incapable donc de signifier, du sujet, le sens propre, le fondement originaire.

> Je vous dirais bien d'autres choses, bien plus belles et plus douces, si je pouvais dire tout ce que je ressentais d'amour, d'extase, de regrets. Pouvez-vous dire par des mots les battements du cœur? (XXI, p. 247.)

Comment rendre par des mots ces choses pour lesquelles il n'y a pas de langage, ces impressions du cœur, ces mystères de l'âme inconnus à elle-même? (XIII, p. 238).

« S'ex-primer » est donc une tâche impossible ; on ne saurait jamais assez presser les mots pour pouvoir extraire, de leur extérieur, le suc de l'intérieur : du cœur aussi bien que de la pensée.

Comme ma pensée dans son délire s'envolait haut, dans ces régions inconnues aux hommes, où il n'y a ni mondes, ni planètes, ni soleil! J'avais un infini plus immense, s'il est possible, que l'infini de Dieu, où la poésie se berçait et déployait ses ailes dans une atmosphère d'amour et d'extase; et puis il fallait redescendre de ces régions sublimes vers les mots, — et comment rendre par la parole cette harmonie qui s'élève dans le cœur du poète, et les pensées de géant qui font ployer les phrases [...]?
[...] Par quels échelons descendre de l'infini au positif? [...]
Alors j'avais des moments de tristesse et de désespoir, je sentais ma force qui me brisait et cette faiblesse dont j'avais honte, car la parole n'est qu'un écho lointain et affaibli de la pensée (II, p. 231).

Pour celui qui refuse tout positivisme, le langage lui-même apparaît encore trop « fini » et trop positif. Et c'est là peut-être une autre, l'ultime, folie des *Mémoires* : désirer ex-primer une « âme », une intériorité qui ne saurait s'extérioriser : désirer dé-finir l'infini. La folie, c'est à la fois l'ineffable et le désir de *nommer* l'ineffable.

FONCTION IRONIQUE DE LA « FOLIE »

Si le langage est jugé impuissant en tant qu' « expression » du sujet, il n'en recèle pas moins un pouvoir, celui de la nomination, et par là même de la maîtrise, de l'objet. On *me* nomme : on me juge, on me *classe* comme *fou*. Mais je puis, à mon tour, assumer le pouvoir de maîtrise inhérent au langage, nommer, *classer* les autres :

Eux, rire de moi! eux si faibles, si communs, au cerveau si étroit! [...] Moi qui me sentais grand comme le monde et qu'une seule de mes pensées [...] eût pu réduire en poussière, pauvre *fou!* (III, p. 232).

Un *fou!* cela fait horreur. Qu'êtes-vous, vous, lecteur? Dans quelle catégorie te ranges-tu? Dans celle des *sots* ou celle des *fous?* — Si on te donnait à choisir, ta vanité préférerait encore la dernière condition (I, p. 230).

Le narrateur lui-même serait-il un fou, ou un sot? La réponse ne va pas de soi et la question n'est peut-être pas une simple question rhétorique : elle se posera sérieusement dans une strate différente du texte.

Toujours est-il que la « folie » se transforme ici en ironie : c'est-à-dire n'adhère plus tout à fait à son sens, prend une distance vis-à-vis d'elle-même, un recul stratégique vis-à-vis de la condamnation qu'elle subit. La folie, ce n'est plus tout à fait le visage de l' « âme », la nature profonde ou l'essence d'une subjectivité, mais un masque social, un *rôle à jouer*. Sous le masque de l'accusation, l'accusé se transforme en accusateur, pour indiquer du doigt le visage découvert des « sots » : comme son envers la folie désigne non la raison, mais bien la bêtise. Tout se passe comme si la raison n'existait pas, ou existait en creux; ne *s'opposent* que les différentes façons d'y être *opposé* : par la petitesse, c'est alors « la catégorie des sots » (ce qu'on appelle vulgairement la raison : le bon sens bourgeois, une logique d'intérêt); par la grandeur, c'est alors « la catégorie des fous ». Il entre dans la « folie » — on le voit — plus d'un grain de complaisance et d'orgueil. Dire « je suis fou » revient donc à dire, dans ce contexte : « je ne suis pas sot ». La folie constitue ainsi une négation de la négation stigmatisée sous le terme « folie », et qui se donne à lire dans un renversement de signes :

> On aurait tort de voir dans ceci autre chose que les récréations d'un pauvre *fou! Un fou!*
> Et vous, lecteur, vous venez peut-être de vous marier ou de payer vos dettes? (I, p. 230).

Le choix lexical est devenu, de la sorte, une opération stratégique [1]. Si la « folie » consacre le pouvoir qu'a le langage de stigmatiser, ce pouvoir, fondé sur la structure même de *l'opposition*, est aussi *réversible*. Le texte flaubertien ne laissera pas de mobiliser le pouvoir ironique de *l'antithèse* et du chiasme : instance négative au départ, la folie deviendra une instance de négativité, se confondra à la dynamique même du renversement dont la langue est capable, au principe de la négativité constitutif du langage comme tel. C'est ainsi que le fou du roi dit à Louis XI dans la pièce de Flaubert, contemporaine des *Mémoires d'un fou* :

> N'est-ce pas, mon oncle, que vous êtes bien content quand vous avez appelé un homme un *fou?* Bel argument! Un *fou!* Eh bien, un *fou*

1. Cf. l'analyse plus développée de cette même opération chez Stendhal, dans S. Felman, *la « Folie » dans l'œuvre romanesque de Stendhal*, Paris, Corti, 1971, chap. v, vi.

est un homme *sage* et un *sage* un *fou*, car qu'est-ce qu'un *fou?* [...]
Un *fou* est la plus belle invention de la *sagesse* [1].

Donc le langage, incapable d'extérioriser l'intériorité du sujet, est
capable de renverser l'antithèse même de l'extérieur et de l'intérieur :
d'inverser ses rapports de force. L'usage flaubertien du terme « folie »
démontre non seulement qu'en réalité le *dehors* est *dedans* : que ce
que la société rejette, sous le nom de « folie », comme son *extérieur*,
constitue en fait *l'intérieur* même de la subjectivité, mais encore que les
non-fous ne sont que des sots : que ceux qui se croient être *dedans*,
dans la société et *dans* la raison, ne se trouvent en réalité que dans le
dehors de la bêtise. Ainsi, « un fou est un homme sage et un sage un
fou ». Hors la société, le narrateur se considère pourtant « dans le
vrai ». Dans ce monde renversé, est-il dès lors dedans ou dehors?
Qui est dedans? Qui est dehors? Qui est fou? Et qui ne l'est pas?

> [...] A quoi bon, je le demande en vérité, un livre qui n'est ni ins-
> tructif, ni amusant [...]
> mais qui parle d'un fou, c'est-à-dire le monde, ce grand idiot, qui
> tourne depuis tant de siècles dans l'espace sans faire un pas?
> (I, p. 230).

La « folie » se généralise; mais du coup, se relativise : elle n'est plus
qu'un effet de *perspective*, et les perspectives sont multiples.

> Chose étrange que cette diversité d'opinions, de systèmes, de croyan-
> ces et de *folies!* (xx, p. 244).

Ici encore, la fréquence lexicale suit le mouvement ironique du texte :
à mesure que celui-ci se développe, le « fou » disparaît au profit des
« folies » : l'essence du substantif est défaite par ce *pluriel*, qui la
fragmente et la déconstruit.

> Il y a tant d'amours dans la vie pour l'homme! A quatre ans, amour
> des chevaux, du soleil, des fleurs [...]; à dix, amour de la petite fille
> [...]; à treize, amour d'une grande femme à la gorge replète, car je
> me rappelle que ce que les adolescents adorent à la *folie*, c'est une
> poitrine de femme [...] A soixante, amour de la fille de joie [...] et
> vers laquelle on jette un regard d'impuissance, un regret vers le
> passé [...]
> Que de *folies* dans un homme! Oh! sans contredit, l'habit d'un
> arlequin n'est pas plus varié dans ses nuances que l'esprit humain
> ne l'est dans ses *folies* (xv, p. 241).

1. Flaubert, *Loys XI*, in *Œuvres complètes, op. cit.*, t. I, p. 132.

La folie, c'est l'illusion de pouvoir soustraire quelque chose au temps; la croyance à l'éternité, à l'absolu : de l'amour, ou de Dieu. La folie, c'est dès lors l'*illusion* elle-même, la *croyance* en tant que toujours crédule, c'est la perte des perspectives, le relatif pris pour l'absolu. La folie, ce n'est pas simplement l'amour, mais la *croyance à l'amour*. Si la thématique de la folie articulait un : « je souffre » (« folie »), l'ironie du narrateur articule un : « je ne crois pas » (« folies! ») : *je doute* de ce dont je souffre.

> Le doute, c'est la mort pour les âmes; c'est une lèpre qui prend les races usées, c'est une maladie qui vient de la science et qui conduit à la *folie*. La *folie* est le doute de la raison; c'est peut-être la raison elle-même! (XIX, p. 244).

Dans une curieuse combinaison, le texte essaie d'écrire à la fois Rousseau, Voltaire et Descartes : je souffre; je ne crois pas à ce dont je souffre; j'en doute; je doute, donc je pense. « La folie est le doute de la raison »; « ma vie, c'est ma pensée ».

> Oh! comme elle fut longue cette pensée! Comme une hydre, elle me dévora sous toutes ses faces. Pensée de deuil et d'amertume, pensée de bouffon qui pleure, pensée de philosophe qui médite... Oh! oui! combien d'heures se sont écoulées dans ma vie [...] *à penser, à douter!* (II, p. 230).

Le narrateur, dès lors, est lui-même à l'image du fou-bouffon qu'il décrit :

> Tout n'est donc que ténèbres autour de l'homme; tout est vide, et il voudrait quelque chose de fixe; il roule lui-même dans cette immensité du vague où il voudrait s'arrêter, il se cramponne à tout et tout lui manque; patrie, liberté, croyance, Dieu, vertu, il a pris tout cela et tout cela lui est tombé des mains; il est comme un *fou* qui laisse tomber un verre de cristal et qui rit de tous les morceaux qu'il a faits (XX, p. 244).

IRONIE DE L'IRONIE : RHÉTORICITÉ DE LA « FOLIE »

L'ironie flaubertienne — nous venons de le voir — mobilise le pouvoir *rhétorique* du langage. Le narrateur est bien conscient du jeu rhétorique de sa parole, mais il le conçoit uniquement comme un exercice d'éloquence :

> ... je vais mettre sur le papier [...] tout ce qui passe dans la pensée et dans l'âme; du rire et des pleurs, [...] des sanglots partis *d'abord du cœur* et étalés comme de la pâte dans des *périodes sonores*, et des larmes délayées dans des *métaphores romantiques* (ɪ, p. 230).

Aux yeux du narrateur, la figure rhétorique est extérieure et postérieure à ce dont elle parle : au signifié, au *thème*, qui la précède et la fonde; de la même façon que le langage était extérieur à l'âme. Le *thème* serait donc l'âme du texte, le sens originaire de la figure. Et le texte, une figure dont le thème nommerait la vérité. Puisque le jeu des signes est subordonné, de la sorte, à son contenu signifié, la rhétorique apparaît comme *subordonnée* à la thématique : la redoublant, renforçant son effet, dans une éloquente continuité.

Cette esthétique de l'emphase, de l'éloquence et de la plénitude tend naturellement vers une sorte de délire verbal : vers l'excès de l'hyperbole. Mais l'auteur se défend d'avoir exagéré son dire : s'il a utilisé l'hyperbole, c'est parce que le sentiment lui-même (le thème) est hyperbolique, excède le pouvoir du langage. Si le mot paraît exagéré, si la figure rhétorique a l'air de « surpasser » le thème, c'est parce que en fait le thème est bien plus grand que la figure.

> Seulement tu croiras peut-être, en bien des endroits, que l'*expression* est *forcée* et le tableau assombri à plaisir; rappelle-toi que c'est un *fou* qui a écrit ces pages et, si le *mot* paraît souvent *surpasser le sentiment* qu'il exprime, c'est que, ailleurs, il a *fléchi* sous le *poids du cœur* (Dédicace, p. 230).

Lisons de près : « rappelle-toi que c'est un *fou* qui a écrit ces pages, et si le mot paraît souvent *surpasser le sentiment* qu'il exprime...». Le « mot » : quel mot? Ne serait-il pas possible de considérer la proposition : « un fou [...] écrit ces pages », non seulement comme cause, explication, mais comme l'*antécédent* de celle qui suit : « et si le mot surpasse le sentiment »? Lire, en d'autres termes : « rappelle-toi que c'est un fou qui a écrit ces pages, et si le mot (que je viens de prononcer : le mot « fou ») paraît souvent surpasser le sentiment qu'il exprime, c'est que, ailleurs, il a fléchi sous le poids du cœur ». Rien dans la syntaxe n'exclut une telle lecture. « Folie », ou « fou », se donne, ainsi, d'emblée, comme hyperbole. Comme hyperbole qui veut, bien sûr, se justifier, se créditer par la pression, « le poids du cœur ». Mais si le « poids du cœur » était aussi, comme il se peut fort bien, *déjà* une hyperbole, rien qu'un « mot » encore, qui fort souvent « surpasse le sentiment »? Puisqu'il a été question de « mot », puisqu'il n'est question que de cela : de *mots*, comment savoir où est le mot, où le sentiment? Où est le sentiment ailleurs que dans le mot?

Comment pourrons-nous démarquer le cœur de l'hyperbole, le *thème* de la *figure?* La chose n'est pas si simple. Une fois entrée en jeu, la rhétorique fait boule de neige et ne s'arrête pas là où nous voulons, dans les limites où nous croyons la confiner.

La rhétorique est jeu étrange : sa règle est de contourner la règle, de surpasser le code du jeu. « Si le mot paraît souvent surpasser le senti- ment qu'il exprime, c'est que, ailleurs, il a fléchi sous le poids du cœur. » Si l'hyperbole est à portée de vue, c'est que, *ailleurs*, il y a du poids au cœur. Ici, c'est l'hyperbole. Le poids du cœur n'est pas ici, il est ailleurs. Ailleurs, mais où? Nous ne saurons jamais, à moins de nous laisser aller avec le signe, vers la figure d'un autre signe, à moins de consentir à retrouver le sens encore dans l'hyperbole : « le poids du cœur ». Si le « poids du cœur » et le mot excessif se renversent ainsi chiasmatiquement l'un sur l'autre, il ne sera plus possible d'*arrêter* le mouvement de renversement, de fixer une fois pour toutes les places, de savoir lequel des deux vient en premier, lequel des deux fonde l'autre. Nous ne saurons jamais, entre le « poids du cœur » et le mot « fou » qui bien souvent « surpasse le sentiment », lequel n'est pas un mot, lequel n'est pas une rhétorique, un supplément : lequel n'est pas extérieur. La rhétoricité de la « folie » fait en sorte que l'extérieur et l'intérieur ne soient plus *décidables :* elle déconstruit le système même de leur opposition. Mais on voit qu'il ne s'agit plus ici d'une « rhétorique de la folie », dans le sens d'une éloquence de la « folie », mais plutôt d'une folie de la rhétorique : de son mouvement à la fois incessant et incontrôlable, de son renvoi infini, indéfini d'un signe à l'autre.

Mouvement de *déplacement* qui, entre thème et figure, disloque la continuité, interpose un vide, un temps mort.

> Il y a une lacune dans l'histoire, un vers de moins dans l'élégie
> (xv, p. 241).

La rhétorique est rapport de l'infini au fini. Mais ce rapport n'est pas le rapport d' « expression » impossible qu'imagine le narrateur : celui des « pensées de géant qui font ployer les phrases », qui obligent le poète à « descendre de l'infini » au « positif », à « rapetisser ce géant qui embrasse l'infini » (ii, p. 231). L'infini n'est pas en trop : il est au contraire une *case vide*, à partir de laquelle fonctionne le discours. L'infini n'est pas un excès thématique : il est fait non d'un signifié excédant, mais d'un *signifié manquant*, d'un excès de signifiant qui n'en finit pas de se déplacer, et de se substituer un autre signifiant. La figure, ce n'est pas cette « phrase que fait ployer une pensée de géant » — une minceur rhétorique ployée par l'épaisseur du thème: la figure, c'est l'épaisseur par laquelle le thème se dérobe, par laquelle ma pensée se déplace, et m'échappe.

Le sens, dès lors, ne s'inscrit que dans la béance de sa disparition, de sa propre *castration*.

> Dans les nuits, j'écoutais longtemps le vent qui soufflait lugubrement dans les longs appartements vides [...]
> C'étaient d'effroyables visions, à rendre *fou* de terreur. J'étais couché dans la maison de mon père [...]
> Ma porte s'ouvrit d'elle-même, on entra. Ils étaient beaucoup [...]
> Ils étaient [...] couverts de barbes noires et rudes, sans armes, mais tous avaient une lame d'acier entre les dents, et comme ils s'approchèrent en cercle autour de mon berceau, leurs dents vinrent à claquer et ce fut horrible.
> [...]
> Ailleurs, c'était dans une campagne verte et émaillée de fleurs, le long d'un fleuve; — j'étais avec ma mère qui marchait du côté de la rive; elle tomba. Je vis l'eau écumer, des cercles s'agrandir et disparaître tout à coup [...]
> Je me penchai à plat ventre sur l'herbe pour regarder, je ne vis rien, [...] et j'entendais les cris : « Je me noie! je me noie! à mon secours! » L'eau coulait, coulait, limpide... (III, IV, p. 233).

Il n'y a d'inscription que parce qu'il y a effacement. La castration du sens, la noyade du signifié détermine le flottement, la substitution et le déplacement des signifiants. L'effacement de la mère détermine l'inscription de Maria, qu'on retrouve en effet, par métonymie, sous l'eau, au bord de la mer (au bord de la mère?), et dont on commence par « sauver » le manteau : le retirer de l'eau.

> Chaque matin j'allais la voir se baigner; je la contemplais loin sous l'eau [...]
> ... mon regard restait fixé sur la trace de ses pas et j'aurais pleuré presque en voyant le flot les effacer lentement (x, p. 237).

Maria : inscription rhétorique, inscription dans le signifiant, à la fois du désir et de la loi, puisque le nom Maria comporte à la fois la mère : Marie, la Vierge-Mère, et le nom-du-père : mari; mariée, interdite.

Ainsi ma pensée est-elle d'abord une rhétorique inconsciente, un aveuglement réglé, un jeu de signifiants dont je ne suis pas le maître :

> Tu te dis libre, et chaque jour tu agis poussé par mille choses. Tu vois une femme et tu l'aimes, tu en meurs d'amour; es-tu libre [...]

d'apaiser ces ardeurs qui te dévorent? Es-tu libre de ta pensée? Mille chaînes te retiennent, mille aiguillons te poussent, mille entraves t'arrêtent (xx, p. 244).

Mais si l'on sait bien, si l'on affirme que la pensée est déterminée — dans l'illusion de sa liberté et à son insu — par ces aiguillons, par ces entraves et ces chaînes, par cette rhétorique qui fonctionne à travers elle et qu'elle méconnaît et ignore, comment proposer, dans le même souffle, le sens de sa propre pensée? Comment écrire, dans le même texte, ce projet, cette certitude : « je vais raconter l'histoire de ma vie »; « ma vie, c'est ma pensée »?

Le discours du narrateur, on le voit, est un discours contradictoire : le *thème* de la pensée n'est pas transparent pour soi; pas davantage d'ailleurs que ne l'est le thème de la folie. Dire « je suis fou » est déjà, logiquement, une contradiction dans les termes : ou bien on est « fou » et alors ce qu'on dit (le thème) est un non-sens; ou bien on énonce quelque chose de sensé et alors on n'est pas « fou » (du moins au moment où l'on parle). L'énonciation contredit et problématise l'énoncé. On peut dès lors se poser la question : *qui* est fou dans le texte? Et *qui* pense dans le texte? Mais la formulation même de cette question, issue de la contradiction dans le thème, disqualifie la réponse thématique, disqualifie le thème comme réponse. Dans la logique du thème, en effet, la contradiction est insupportable. Mais la rhétorique *suspend la logique* : elle *habite* la contradiction thématique, fonctionnant selon une autre logique, celle de l'inconscient qui, lui, comme on sait, ignore la contradiction. La rhétorique est, justement, un mode de la contradiction dans le texte. Le « thème » n'est jamais simple, ni simplement réversible dans une dialectique à deux termes. Du thème, la rhétorique est, justement, la non-simplicité, la non-transparence pour soi. C'est dire que la rhétorique n'est jamais extérieure au thème : elle l'habite, le traverse de part en part, mais en l'habitant, le décentre, l'articule autrement. A l'intérieur du thème, la rhétorique est un discours radicalement autre.

★

Pour tâcher d'esquisser ce discours autre, ce discours que le texte articule autrement que dans le thème; pour tâcher de dégager l'ironie de l'écriture, et non plus du narrateur, l'ironie silencieuse et non plus celle qui parle, on peut essayer de rhétoriquement renverser le texte sur lui-même; renverser sur le thème, comme nous venons de le faire, ses propres catégories rhétoriques (l'hyperbole, par exemple); mais aussi, renverser le thème sur lui-même, pour découvrir ses fissures, découvrir en quoi — et comment — il ne se ressemble pas.

On peut, par exemple, poser la question : si l'ironie du narrateur, c'est la *folie du doute*, qu'est-ce que cette folie du doute *oublie de mettre en doute?* Plusieurs réponses sont possibles, dont celle-ci est la plus évidente : le narrateur oublie de mettre en doute... justement, *sa folie!* la folie en tant que constituant sa définition. Car il ne suffit pas de se dire « fou » pour l'être. Comme le suggère Jacques Lacan de façon aphoristique : « Ne devient pas fou qui veut [1]. » C'est donc précisément la « folie » du héros qu'il appartient au lecteur de mettre — rigoureusement — en doute. Car si « folie » il y a — et cela pourrait se défendre —, elle n'est pas là où le narrateur croit en capter l'image : elle n'est pas dans le sens thématique, elle est autre.

La folie du narrateur, c'est une définition tout d'abord négative : nommant son être-autre, sa *différence* du monde. Mais puisque le narrateur retourne l'accusation et taxe de « folie » l'univers qui l'entoure, nous proposant un livre qui « parle d'un fou, c'est-à-dire le monde » (I, p. 230), ce qui ressort du texte n'est pas la différence du « je » mais sa *ressemblance* à ce monde qu'il dénonce; ressemblance que le narrateur, bien entendu, méconnaît, même si son vocabulaire — le lexique de la « folie » — la souligne. Le narrateur ne perçoit donc pas que le monde, comme dans un miroir, lui renvoie son image à l'envers; que le monde ne s'oppose à lui qu'en raison du principe moteur qui le régit lui-même : celui que Hegel a analysé sous la figure de « la loi du cœur », l'affirmation de soi comme résistance aux autres du fait de l'individualité singulière. Le narrateur méconnaît le fait que le principe qui régit « la catégorie des sots », par exemple, n'est pas un fait contingent et qui lui est étranger, mais bien le même principe d'égoïsme narcissique par lequel s'est constituée, d'autre part, « la catégorie des fous ». L'intérêt équivaut à l'orgueil : sous l'égide du narcissisme, les « sots » et les « fous » sont peut-être les mêmes. Par cette méconnaissance qui le régit, par cet aveuglement thématique (mais non thématisé), le narrateur se laisse prendre au piège de son image de soi, celle de la « belle âme » auto-séductrice et auto-destructrice; il illustre rigoureusement la définition de la folie proposée par Hegel :

> Le battement du cœur pour le bien-être de l'humanité passe donc dans le déchaînement d'une présomption démente [...] parce que la conscience projette hors de soi la perversion qu'elle est elle-même, et s'efforce de la considérer comme un Autre [2].

1. *Écrits, op. cit.*, p. 176.
2. *La Phénoménologie de l'esprit*, Paris, Aubier-Montaigne, t. I, p. 309 (trad. fr. par J. Hyppolite).

Le narrateur méconnaît donc la nature de sa véritable folie, qui est précisément de *ne pas douter*, donc de *croire* en sa folie, en tant que différence, c'est-à-dire en tant qu'*être-autre* : en tant que définition négative. Mais il oublie également de mettre en doute sa folie en tant qu'*être-propre*, en tant que définition positive. Car — comble d'ironie — ce « pauvre fou sans idées fixes, sans opinions positives » (II, p. 230), qui jamais ne montrerait « aucun penchant pour aucune profession » (III, p. 233), assume le rôle du « fou » romantique en tant qu'attribut justement positif, en tant que métier, vocation et carrière. « Le romantisme, dit Georges Bataille, n'a pu que faire du malheur une forme nouvelle de carrière [1]. » On songe également au passage admirable où Dostoïevski, dans l'*Homme souterrain*, analyse et démystifie les mécanismes subtils de cette « vocation » romantique :

> Oh, si je n'avais rien fait simplement par paresse! Dieu, comme je me serais respecté alors. Je me serais respecté parce que j'aurais été capable au moins d'être paresseux; il y aurait eu en moi au moins une qualité, pour ainsi dire, positive, en laquelle j'aurais pu croire moi-même. Question : qui est-il? Réponse : un fainéant; que ç'aurait été agréable d'entendre dire cela de soi! Cela voudrait dire que j'étais positivement défini, qu'il y avait quelque chose à dire sur moi. « Fainéant » — quoi, c'est un métier et une vocation, c'est une carrière. Ne raillez pas, c'est ainsi. Je serais alors, de droit, un membre du meilleur club, et trouverais mon occupation dans le continuel respect de moi-même [...] Ainsi j'aurais choisi une carrière, j'aurais été un fainéant et un goinfre, non pas un simple goinfre, mais, par exemple, un goinfre avec sympathie, avec goût pour tout ce qui est bon et pour tout ce qui est beau [2].

Une fois encore, la dialectique des fous et des sots revient au Même : la négation de la négation n'est qu'une *dénégation*, c'est-à-dire, en fait, une confirmation du système; le refus de choisir une occupation est relevé par le besoin — analogue — d'être « quelqu'un », c'est-à-dire d'assumer un rôle spécifique. Que ce soit dans la catégorie des « fous » ou dans celle des « sots », le jeu est le même, et confirme la *règle* des « catégories » : la recherche de la sécurité du *classé*, d'une *identité positive*. Ce que l'on ne peut accepter, c'est de demeurer non-classé.

Les *Mémoires d'un fou*, de ce biais, c'est l'histoire de l'illusion d'un adjectif qui se transforme en substantif; « un fou » : attribut transformé en essence, et qui plus est, qualité transformée en *quali-*

---

1. *Œuvres complètes, op. cit.*, t. I, p. 526.
2. *L'Homme souterrain*, 1re partie, chap. VI.

fication. L'erreur du narrateur, c'est d'avoir mis la folie *dans le titre* : de s'être cru, précisément, *titulaire* de la folie. Or, s'il y a une chose que la folie n'est pas, c'est un titre : on ne peut, en effet, y être nommé. A l'encontre du narrateur, le texte raconte ainsi l'histoire non d'un titre *à* la folie, mais, bien plutôt, d'un fou du titre.

Le titre *de* la folie n'a d'autre autorité que celle du rêve et du fantasme. La « folie, » ce n'est pas le constat d'un fait, mais le lieu visé d'une aspiration : la « folie », c'est un *désir* de folie, une précipitation aveugle vers le sens, un rêve d'excès et d'hyperbole, de plénitude et de puissance qui, là encore, ne cherche qu'à oublier, à dénier la castration : la castration du sens.

> J'aspirais à pleine poitrine cet air salé et frais de l'océan qui vous pénètre l'âme de tant d'énergie [...]; je regardais l'immensité, l'espace, l'infini [...]
> Oh! mais ce n'est pas là qu'est l'horizon sans bornes, le gouffre immense. Oh! non, un plus large et plus profond abîme s'ouvrit devant moi. *Ce gouffre-là n'a point de tempête;* s'il y avait une tempête, il serait *plein* — et il est *vide!* (II, p. 231).

Créer la tempête d'une folie ou la folie d'une tempête, par une débauche d'écriture, une ivresse d'hyperboles, une orgie de langage, n'est-ce pas se donner l'illusion, justement, de la plénitude du vide? « J'étais ivre », dira plus tard le narrateur de *Novembre* :

> J'étais *fou*, je m'imaginais être grand [...] c'était la vie même du dieu que je portais dans mes entrailles [...] j'avais fait de moi-même un temple pour contenir quelque chose de divin, le temple est resté vide [1].

La « folie », c'est une hyperbole de soi à travers une ivresse du langage; c'est l'illusion d'ivresse qui de fait recouvre l'impuissance à devenir ivre, l'impuissance à « être fou ». Le narrateur des *Mémoires* s'y trompe peut-être, mais non pas le fou du roi *Loys XI* :

> Car qu'est-ce qu'un fou? c'est celui qui dort en plein vent et pense qu'il fait chaud, *boit de l'eau et croit boire du vin* [2].

Ainsi, tout en désamorçant le thème de l'illusion, le narrateur est-il en fait victime de l'ultime et ironique illusion de sa propre « folie » : illusion de différence (définition négative); illusion d'identité (défi-

---

1. Flaubert, *Novembre*, in *Œuvres complètes, op. cit.*, t. I, p. 253.
2. Flaubert, *Loys XI, op. cit.*, p. 132.

nition positive); illusion de plénitude et d'ivresse. La folie, c'est, là encore, la croyance : croyance qu'on est identique à soi et qu'on diffère des autres; croyance au vertige de l'ivresse alors qu'on n'a bu que de l'eau; croyance qu'on est fou, alors même qu'on ne l'est pas ou qu'on l'est si peu. Mais paradoxe : celui qui se croit fou, alors qu'il n'est pas fou, est fou — du fait même de cette croyance; fou, non parce qu'il se croit fou, mais parce que, tout court, il *se* croit; s'identifie à une ombre d'image dans un lac ou dans un miroir; *s'aliène* donc, de par la folie même de l'identification spéculaire [1].

Ainsi, en désamorçant l'illusion, l'ironie du narrateur ne fait que renforcer la structure et l'effet de l'illusion, puisqu'elle ajoute aux autres l'illusion de n'avoir plus d'illusions : la croyance qu'on n'a plus de croyances. Si l'ironie du narrateur consistait en sa folie du doute, la naïveté de son ironie — l'ironie du texte — consiste dans le fait que sa véritable folie lui échappe.

De même qu'à travers sa « pensée », le narrateur raconte un récit qui ne le pense pas : *se* raconte comme *impensé*. « Le désir, dit Emmanuel Levinas, n'est que le fait de penser plus qu'on ne pense [2]. » Le désir, et peut-être aussi la folie. Dans cet étrange rapport — constitutif de la rhétorique — entre pensée et désir, entre écriture et folie, le texte *impense* activement la pensée du narrateur. Dans son « message » thématique, « je pense que je doute », le narrateur oublie encore de mettre en doute, justement, le « je pense ». Mais le texte le fait pour lui, renverse rhétoriquement le *dit :* « je pense que je doute », en *écrit :* « je doute que je pense ». Paradoxalement, le thème de la folie s'articule dans ce texte en une formule cartésienne : « je pense, donc je suis ». Mais l'ironie du texte, la façon dont la « folie » non pas s'y *dit* mais y *fonctionne* rhétoriquement, s'articulerait plutôt en une formule lacanienne : « Je pense où je ne suis pas, donc, je suis où je ne pense pas [...]. Je ne suis pas, là où je suis le jouet de ma pensée; je pense à ce que je suis, là où je ne pense pas penser [3]. »

THÉMATIQUE ET RHÉTORIQUE

Nous venons de proposer trois lectures différentes des *Mémoires d'un fou*. Dans cette pluralité de déchiffrages, il ne s'agissait pas de la

1. Cf. l'aphorisme lacanien, qui prend ici toute sa pertinence : « Si un homme qui se croit un roi est fou, un roi qui se croit un roi ne l'est pas moins » (*Écrits, op. cit.*, p. 170).
2. *Totalité et Infini. Essai sur l'extériorité*, La Haye, M. Nijhoff, 1961.
3. J. Lacan, *Écrits, op. cit.*, p. 517.

simple « coexistence pacifique » de divers aspects d'un texte, mais plutôt de la confrontation stratégique de différentes *positions* de sens. Le texte était ici abordé en tant que champ de forces et de déplacement d'intensités; sa lecture ne pouvait être qu'intervention dans le conflit, c'est-à-dire subversion, à chaque fois, de l'autorité d'une lecture précédente. Entre les trois lectures, il ne saurait y en avoir une d'exclusive ou de privilégiée, puisque toutes sont interdépendantes : plus une lecture se complique, plus elle dépend d'une autre, qu'elle a pour tâche de déconstruire, en y explicitant un mode spécifique d'illusion ou d'erreur. Bien que successivement présentés, les trois déchiffrements ne constituent pas une chronologie, ou une évolution dans le devenir du texte. Ils existent tous ensemble, cohabitant l'espace textuel.

Trois positions de sens différentes. 1) L'interprétation *thématique* que le je-héros donne de sa « folie »; 2) L'interprétation *ironique* que le je-narrateur propose de la folie du je-héros, déconstruisant rhétoriquement sa lecture *thématique;* 3) L'interprétation *ironique* de l'ironie même du narrateur, démontrant comment l'ironie du texte déconstruit — rhétoriquement — l'*ironie thématisée* par la voix du narrateur.

Si la voix du narrateur a déclenché un renversement, un chiasme rhétorique-ironique du *thème* de la folie du héros, ce geste rhétorique de renversement, le narrateur à son tour l'a *thématisé*, l'a articulé dans un énoncé explicite : le *thème* de la folie du doute. De sorte que, bien que le je-narrateur démystifie ironiquement, rhétoriquement, le je-héros, le rapport du narrateur à lui-même est encore un rapport mystifié, un rapport foncièrement thématique : de conscience et de *présence à soi* dans sa folie du doute.

Si bien que la position thématique et la position rhétorique du sens se sont confrontées et contestées tour à tour, à deux reprises, à deux niveaux de lecture différents : dans l'ironie du narrateur et puis dans celle du texte. Pour reprendre encore, dans ce sens, le mouvement stratégique de nos trois lectures : nous avons lu, tout d'abord, de concert avec le héros, le point de vue *thématique;* ensuite, le point de vue démystifiant du narrateur, sa réinscription *rhétorique* (ironique) de la lecture thématique du héros, mais aussi la *thématisation* de cette réinscription rhétorique; dans un troisième temps, l'ironie du texte déplaçait — *rhétoriquement* — l'ironie *thématisée* dans le texte : l'écriture inscrivait ainsi la *rhétorisation* (ironique) de la *thématisation* de l'ironie du narrateur.

Rhétorique et thématique sont ainsi engagées dans un jeu qui n'est pas de symétrie, qui n'est pas dialectique. Le thème n'a pas prise sur la rhétorique, il ne peut que la méconnaître, et ne peut donc la déconstruire. En revanche, si la rhétorique écrit souvent la déconstruction,

185

le décentrement du thème, elle est toujours guettée par sa propre thématisation, qui lui ôte sa force ironique, et l'annule. Seul le thème existe dans les catégories de la présence et de la conscience. La rhétorique ne peut devenir consciente de soi, sous peine de se perdre, de perdre son effet spécifiquement rhétorique. La rhétorique ne peut elle-même dire ce qu'elle a de propre : elle ne peut *savoir* ce qu'elle sait; elle ne peut donc s'achever, atteindre le calme d'une vérité terminale. Chaque mouvement rhétorique atteignant la conscience, explicitant son sens, s'arrêtant dans une pensée finie, devient thème, qui à son tour aura à être démystifié par une autre rhétorique textuelle [1], par une autre rhétorique impensable, impensée.

L'erreur du narrateur était, justement, de se croire situé à l'axe *commun* de la rhétorique et de la thématique de sa « folie ». Or, la rhétorique et la thématique ne fonctionnent pas dans le même plan : parce qu'elles se situent à deux niveaux radicalement différents, leur axe commun n'existe nulle part. Le rapport qui tout à la fois les relie et les sépare est assimilable au rapport analysé par Freud entre le « travail du rêve » et « la pensée éveillée » : de l'un à l'autre, il y a une « différence de nature », telle qu' « *on ne peut les comparer* ». Le « travail du rêve » (telle la rhétorique) « ne pense pas, ni ne calcule; d'une façon plus générale, il ne juge pas; *il se borne à transformer* [2] » :

> Les éléments qui nous paraissent essentiels pour le contenu ne jouaient dans les pensées du rêve qu'un rôle très effacé.
> Inversement [...] Le rêve est *autrement centré*, son contenu est rangé autour d'autres éléments que les pensées du rêve.
>
> (chap. VI, p. 263; je souligne)

De même, les éléments qui paraissent essentiels pour le « contenu », pour la thématique d'un texte, peuvent n'être que secondaires dans la pensée proprement textuelle : ce qui ressort comme central dans le contenu, fort souvent ne l'est pas; le travail spécifiquement textuel, la rhéticité du texte est *autrement centrée*. Le « contenu du rêve », écrit encore Freud, et les « pensées du rêve » (mode de pensée spécifique au sommeil) « nous apparaissent comme deux exposés des mêmes faits *en deux langues différentes* » (VI, p. 241). On pourrait ainsi dire

---

1. Bien entendu, ceci n'exclut pas mon propre discours critique, qui, à son tour, n'a pu que *thématiser* l'ironie du texte, et qui aura donc à être, lui aussi, déconstruit. C'est en quoi la troisième lecture *ressemble* aux deux premières : c'est pourquoi elle n'est, en aucun cas, privilégiée, ou définitive : il n'y a pas de lecture dernière.

2. Freud, *L'Interprétation des rêves*, Paris, PUF, 1971, chap. VI, p. 432 (trad. fr. par I. Meyerson, révisée par D. Berger).

que la thématique et la rhétorique sont, elles aussi, deux articulations du même texte, en deux langues différentes. En elles-mêmes, les deux langues ne sauraient ni s'entendre, ni communiquer : seule l'intervention extérieure d'un *interprète* pourrait les traduire l'une dans l'autre.

Le travail du texte est ainsi homologue au travail du rêve. Or, si le rêve, comme on sait, a pour fonction majeure d'être « gardien du sommeil [1] », de réaliser un désir de dormir, ce désir ne va pas toujours sans obstacles. « Ce n'est pas une petite chose — comme l'affirme Nietzsche — que de *savoir dormir* : il faut commencer par *veiller* tout le jour [2]. » Pourrait-on dire que la thématique, elle aussi, a pour fonction de *veiller* précisément pour nous *endormir*, pour préserver la puissance de sommeil que véhicule le langage? Car, par sa clarté même, le thème aveugle; il a pour tâche d'*occulter la rhétoricité* du texte, de rendre la rhétorique littéralement *illisible*. La rhétorique, en revanche, est tout ce qui, dans le thème, dysfonctionne, tout ce par quoi le thème ne fonctionne pas : *s'inaccomplit*.

C'est pourquoi la tâche de la lecture est d'abord, bien sûr, de trouver le thème, mais ensuite, de chercher à le *perdre*. Or, quelquefois perdre le thème est plus difficile que le trouver [3].

★

1. Freud, *op. cit.*, chap. VII.
2. *Ainsi parlait Zarathoustra, op. cit.*, 1re partie (« Des chaires de la vertu »), p. 38.
3. Cf., dans le même sens, le très beau passage où Heidegger commente à la fois la folie et la pensée de Nietzsche : « ... pour que nous puissions seulement rencontrer la pensée de Nietzsche, il nous faut d'abord la trouver. Ce n'est que lorsque nous aurons réussi à la trouver que nous aurons le droit de chercher à perdre de nouveau ce que cette pensée a pensé. Ceci — la perdre — est plus difficile que cela : la trouver. [...] Nietzsche avait le savoir de ces rapports entre découvrir, trouver et perdre [...]. Ce qu'il avait encore à dire de ce point de vue tient sur l'un des billets qu'il dépêchait à ses amis dans les jours qui entourent ce 4 janvier 1889, où il s'écroula dans la rue et sombra dans la folie. On appelle ces billets " billets de la folie ". Selon le mode de représentation médico-scientifique, cette désignation est exacte. Pour la pensée, elle demeure cependant insuffisante. L'un de ces billets est adressé au Danois Georg Brandès qui, l'année 1838, à Copenhague, a tenu les premiers cours publiés sur Nietzsche.

Posté de Turin 4-1-89

A mon ami Georg!
Après que tu m'as eu découvert, ce n'était pas un exploit de me trouver : la difficulté est maintenant celle de me perdre...

LE CRUCIFIÉ.

Nietzsche savait-il que quelque chose d'inoubliable était venu par lui dans les mots? Quelque chose d'inoubliable pour la pensée? Quelque chose d'inoubliable pour la pensée, sur quoi la pensée doit toujours faire à nouveau retour, plus elle devient pensante? » (Heidegger, *Qu'appelle-t-on penser?* Paris, PUF, 1973, p. 50-51; trad. fr. par A. Becker et G. Granel).

Perdre le thème : n'est-ce pas le mouvement esquissé, précisément, par le texte de Flaubert dans son ensemble? La folie joue, le délire creuse les figures de plus en plus démentes des derniers ouvrages de Flaubert : celles de Bouvard et Pécuchet, de saint Julien l'Hospitalier, ou bien celle de Félicité qui délire à propos d'un perroquet, qu'elle croit être le Saint-Esprit. Le délire creuse, mais l'énoncé de folie, le mot même « folie » a disparu. A mesure qu'a augmenté la folie, le *thème* de la folie s'est effacé, perdu.

Mais déjà dans les *Mémoires d'un fou*, le mouvement rhétorique de la folie est d'effacer son sens, de perdre son signifié. Le texte de la « folie » perd son titre, la « folie » perd le titre en tant qu'*autorité* de sens. Le signe « folie » ne cesse de se nier et de s'effacer en tant que concept, c'est-à-dire en tant qu'identique à soi. Tout se passe comme si les *Mémoires* entendaient en réalité raconter l'échec des *Mémoires d'un fou* à nommer le *sens propre* de la folie. « C'est un fou », nous disait-on au seuil du livre, « qui a écrit ces pages » : illusion d'autonomie du sujet de la folie, assuré de son être (« c'*est* un fou »), et qui croit déterminer l'écriture (« *qui a écrit* ces pages ») comme sa *subordonnée relative*. Mais par l'action du texte, le « écrire » subvertit et perd le « être », l' « être » de la « folie », la « folie » en tant que sujet, thème ou sens : centre signifié du texte.

La « folie » finit par concrétiser — emblématiquement — le glissement du sens, et sa fuite à chaque fois qu'on croit le tenir; le lexème « folie » polarise ainsi la tension insoluble entre la volonté, le désir irréductible de nommer véridiquement, et ce qui, en tant que texte, en tant que jeu, signifiant, rhétorique, échappe à la vérité.

La folie n'est pas *origine* de l'écriture, *cause* du sens, mais *effet de discours* : comme d'ailleurs le sujet lui-même. La question des *Mémoires d'un fou* pourrait, ici encore, s'articuler dans une problématique et dans un langage lacaniens :

> La place que j'occupe comme sujet de signifiant est-elle, par rapport à celle que j'occupe comme sujet de signifié, concentrique ou excentrique? — Voilà la question. Il ne s'agit pas de savoir si je parle de moi de façon conforme à ce que je suis, mais si, quand j'en parle, je suis le même que celui dont je parle [1].

La folie des *Mémoires d'un fou* est une *excentricité* du sujet par rapport au *thème* dont il parle; le signe « folie » ne *se dit* que parce

1. J. Lacan, *Écrits, op. cit.*, p. 516.

qu'il *exclut* le sujet : *dit* le sujet *hors du sens*. L'espace des *Mémoires d'un fou* est un espace où le je-signifié ne cesse de disparaître ; un espace où l'*écrire* de la « folie » ne se laisse pas précéder par son *être*.

C'est pour cette raison sans doute que, cherchant où *commence* son être, où s'origine sa folie, le narrateur ne peut que *re*-commencer son histoire, découvrir à chaque fois que l'écriture a *déjà commencé* :

CHAPITRE I
Je vais mettre sur le papier [...] mes idées et mes souvenirs... (p. 230).

CHAPITRE II
Je vais donc écrire l'histoire de ma vie (p. 230).

CHAPITRE IX
Ici commencent vraiment les *Mémoires*... (p. 236).

CHAPITRE XV
Mais je vais remonter plus haut ; [...] le fragment qu'on va lire avait été composé en partie en décembre dernier, avant que j'eusse eu l'idée de faire les *Mémoires d'un fou* (p. 239).

Au lieu supposé du départ, de l'origine, du propre, ce qui advient, c'est toujours — déjà — dans la figure d'un recommencement, le recommencement de la figure ; d'une figure qui est leurre et mensonge ; d'une figure qui cerne non pas l'identité d'un passé, ni le passé d'une identité, mais le passage, la trace d'un langage : la figure d'un passé qui, jamais, n'a eu lieu, qui jamais n'a été présent :

Quoi ! rien de tout cela ne reviendra ? [...] Je me rappelai ces longues et chaudes après-midi d'été où je lui parlais sans qu'elle se doutât que je l'aimais [...] Comment aurait-elle pu en effet voir que je l'aimais, car *je ne l'aimais pas alors, et en tout ce que je vous ai dit, j'ai menti ;* c'était maintenant que je l'aimais, que je la désirais.
(XXI, p. 246).
Adieu ! et cependant, *comme je t'aurais aimée* [...] ! Mon âme se fond en délices à toutes les *folies* que mon amour invente. Adieu !
(XXII, p. 247).

Les *Mémoires* ne débouchent que sur la « folie » du conditionnel passé : « comme je t'aurais aimée ! ». Le passé de l'indicatif, le passé à l'indicatif est mensonge : « Car je ne l'aimais pas alors et en tout ce que je vous ai dit, j'ai menti. »

Mais qu'est-ce que le mensonge ici, sinon le temps lui-même, le temps en tant que dissension dans le langage, corrosion de la présence et de la permanence du sens ?

O cloches! vous sonnerez donc aussi sur ma mort, et une minute
après pour un baptême; vous êtes donc une dérision comme le reste
et un *mensonge* (XXIII, p. 247).
Si je vous disais que j'ai aimé d'autres femmes, je *mentirais*. Je l'ai
cru cependant (XV, p. 239).

« Je mentirais »; « je *vous* ai menti ». Il va de soi que le « mensonge »
du « je » au « vous » n'est pas un mensonge simple, *n'est pas psychologique.* « J'ai menti » veut dire : « j'ai cru »; j'ai cru au sens et au
langage, comme si le temps — la mort — n'y passait pas, comme si
la langue n'était pas une rupture fondamentale d'avec elle-même.
Le « mensonge », c'est donc *la non-intégrité du thème, qui constitue
précisément la rhétorique :* la non-coïncidence du thème avec lui-même,
du mot avec lui-même; l'arbitraire du signe, le déplacement indéfini
des signifiants et, donc, la *non-intégrité des signifiés.*

Le « mensonge » constituant ainsi nécessairement, linguistiquement
(et non pas psychologiquement), la base même du rapport auteur-
lecteur, ce rapport aussi est rhétorique : rapport non pas de transparence (des signifiés) et de présence (des énoncés), mais d'interprétation,
de déplacement, de mutation. « Je vous ai menti », car ma pensée, ni
mon passé ne *se* savent pas : ma mémoire aussi me *ment*, car elle aussi
fonctionne *rhétoriquement*, et non *thématiquement*.

« Mentir », c'est donc précisément écrire le texte même des *Mémoires
d'un fou :* écrire une folie qui n'a pas de mémoire; découvrir, en son-
dant la folie du passé, à quel point je me suis déjà oublié; recommencer dès lors — et sempiternellement — les Mémoires de mon propre
oubli.

Mai 1974.

MODERNITÉ DU LIEU COMMUN

ÉCRIRE, SE TAIRE

> Il est trop facile de dire ce que paraît être un lieu commun. Mais ce qu'il est, en réalité, qui pourra le dire?
>
> Léon Bloy, *Exégèse des lieux communs.*

Il pourrait sembler paradoxal de parler d'une modernité du lieu commun. Quoi de plus opposé à l'idée de modernité que la répétition mécanique d'une formule toute faite, d'un langage stéréotypé? La modernité ne consiste-t-elle pas dans la nouveauté, c'est-à-dire dans une tentative de rompre avec les clichés du passé et d'échapper, autant que possible, à la mémoire culturelle? Le lieu commun n'est-il pas la clôture même de cette mémoire dans ses pires automatismes, le sillon, à l'intérieur du langage, d'un déjà-lu, déjà-vu, déjà-dit? Comment alors la modernité peut-elle être associée avec la reproduction de ce *déjà*?

Il pourrait sembler encore plus paradoxal d'attribuer la modernité du lieu commun à Flaubert. Écrire n'était-il pas pour Flaubert, plus que pour tout autre, faire profession de rupture avec le lieu commun? Flaubert n'a-t-il pas composé *le Dictionnaire des idées reçues* — « Apologie de la canaillerie humaine sur toutes ses faces » — afin justement que, « une fois qu'on l'aura lu, on n'osât plus parler de peur de dire naturellement une des phrases qui s'y trouvent »[1]? C'est dans une ambition semblable, dans une pareille visée d'un utopique *silence*, que Léon Bloy établira, quelques dizaines d'années après

---

1. Lettre à Louise Colet, 17 décembre 1952, in *Préface à la vie d'écrivain, op. cit.*, p. 96-97.

Flaubert, vers le tournant du siècle, son *Exégèse des lieux communs :*

> De quoi s'agit-il, en effet, sinon d'arracher la langue aux imbéciles,
> aux redoutables et définitifs idiots de ce siècle [...]?
> Obtenir enfin le mutisme du Bourgeois, quel rêve [1]!

Écrire — afin qu' « on n'osât plus parler »: établir le répertoire même
des poncifs pour qu'*on* se taise : de par la répugnance même que lui
inspirait le cliché, Flaubert a désigné celui-ci comme le lieu privilégié d'où se pose une question décisive : celle des rapports de l'écriture et du silence.

Mais cette question devait entraîner, à partir de Flaubert et jusque
dans la conscience moderne, un renversement de perspective par
rapport au cliché lui-même. Car, si Flaubert voulait avant tout
astreindre son lecteur, et s'astreindre, au silence du cliché, *faire
silence au lieu commun*, la question se posait de savoir dans quelle
mesure et à quel prix un tel silence était possible. C'est pour se
mesurer avec cette question que Flaubert a écrit : il n'a *parlé* que
pour apprendre si *se taire* était possible. Une semblable préoccupation,
chez Beckett, régit et fait parler le narrateur de l'*Innommable :* « En
somme : vais-je pouvoir parler de moi, de cet endroit [...]? vais-je
jamais pouvoir me taire? y a-t-il un rapport entre ces deux questions?
On aime les enjeux. En voilà plusieurs, peut-être un seul [2]. » C'est
à partir d'une telle question et d'une telle exigence que Flaubert
devait comprendre qu'il *fallait* se taire précisément *parce que* se taire
n'était pas possible; mais aussi que le silence, loin d'être la négation
de la parole, traversait celle-ci de part en part, et que le lieu commun,
plus que tout autre, en était profondément habité. Rejoindre dès lors
le lieu commun en sa modernité, c'était découvrir ce qui, du cliché,
était cependant imprévisible : comprendre que le déjà-vu n'était pas
encore *vu*, que le déjà-lu, *en tant que tel*, n'était pas encore lu; comprendre que la tâche de l'écrivain était donc de chercher à *lire*, à
retrouver et à rejoindre — *dans* le langage — ce *lieu*, singulièrement
commun, de son propre anonymat.

FOLIE, ORIGINALITÉ, MODERNITÉ

Une telle découverte, qui tient en une véritable révolution, s'esquisse,
me semble-t-il, à travers le texte de *Novembre* : texte décisif qui mar-

1. *Exégèse des lieux communs*, Paris, Gallimard, coll. « Idées », 1968, p. 33-34.
2. *L'Innommable*, Paris, 10/18, 1972, p. 23.

que un tournant non seulement pour l'écriture flaubertienne mais pour l'impact que Flaubert a laissé sur la conscience littéraire et critique. Il va de soi qu'une telle découverte ne peut être pleinement consciente ni pleinement clairvoyante : ce n'est pas un phénomène de pensée mais un événement d'écriture. Ce n'est donc qu'après coup que Flaubert pourra mesurer l'importance de *Novembre*, qu'il refusa cependant, sa vie durant, de publier. Le 2 décembre 1846, quatre ans après l'avoir terminé, il écrira à Louise Colet : « Si tu as bien écouté *Novembre*, tu as dû deviner mille choses *indisables* qui expliquent peut-être ce que je suis. Mais cet âge-là est passé, cette œuvre a été la clôture de ma jeunesse. Ce qui m'en reste est peu de chose, mais tient ferme [1]. »

Pour comprendre *Novembre* (1842), il faut donc commencer par le situer à ce point de jointure, dans le texte flaubertien, qui devait marquer, au dire même de l'auteur, l'ouverture à une maturité : l'inscription d'un virage, par où l'écriture, après coup, s'est trouvée transformée, réorientée. *Novembre* se comprendrait mieux en rapport avec ce qui précède, notamment les *Mémoires d'un fou* (1838), qu'il reprend, à quatre ans d'intervalle. La fable, *grosso modo*, est la même, celle d'une initiation amoureuse qui débouche sur la frustration d'une vie dont l'axe est la seule mémoire, l'amertume d'un souvenir sans lendemain. Du point de vue thématique, les *Mémoires d'un fou* préfigurent l'œuvre entière de Flaubert : le premier texte a tout dit. Pourquoi donc le reprendre? Pourquoi ré-écrire la même histoire [2]? Il faudra tâcher de voir en quoi la reprise *modifie* le texte, et comment la répétition interprète — et transforme — ce qu'elle copie; comment la copie déconstruit le modèle : car *Novembre*, c'est, avant tout, une relecture des *Mémoires d'un fou*.

Or, rappelons-le : métaphore d'originalité, la « folie » dans les *Mémoires d'un fou* se donne pour l'autre du cliché, la transgression des lieux communs de la société. Elle constitue, curieusement, une sorte de garantie, tout à la fois de poéticité et de modernité. La « folie » est donc littéralement « originale » dans les deux sens du terme, tels que le *Robert* les définit : 1) « Qui paraît ne dériver de rien d'antérieur, qui ne ressemble à rien d'autre, est unique »; 2) « Par ext. — Marqué de caractères nouveaux et singuliers au point de

---

1. Lettre du 2 décembre 1846, in *Préface à la vie d'écrivain, op. cit,* p. 44.
2. Cette question paraît d'autant plus pertinente que *Novembre* la formule explicitement : « A quoi bon écrire ceci? Pourquoi continuer, *de la même voix* dolente, *le même récit* funèbre? » in Flaubert, *Œuvres complètes, op. cit.,* t. I, p. 253. Sauf indication contraire, toutes les références aux œuvres de Flaubert renvoient à cette édition (Éd. du Seuil, coll. « L'Intégrale »).

paraître bizarre, peu normal ». « Car le vent du siècle est à la folie, dira Baudelaire, le baromètre de la raison moderne marque tempête [1] ». La tâche de la « folie » dans les *Mémoires d'un fou*, c'est de faire souffler le vent du siècle sur les pages du livre. « Tous ces échos inconnus à la somptueuse dignité des littératures classiques avaient pour moi un *parfum de nouveauté*, un attrait qui m'attirait sans cesse vers cette poésie géante, qui vous donne le vertige et vous fait tomber dans le gouffre sans fond de l'infini [2]. »

Mais ce « parfum de nouveauté » qu'ignorent les textes classiques est justement véhiculé par la lecture :

> J'allais à l'écart, avec un livre de vers, un roman, de la poésie [...].
> Je me rappelle avec quelle volupté je dévorais alors les pages de Byron et de *Werther;* avec quels transports je lus *Hamlet, Roméo,* et les ouvrages les plus brûlants de notre époque, toutes ces œuvres enfin qui fondent l'âme en délices et la brûlent d'enthousiasme.
> Je me nourris donc de cette poésie âpre du Nord, qui retentit si bien comme les vagues de la mer, dans les œuvres de Byron. Souvent j'en retenais, à la première lecture, des fragments entiers, et je me les répétais moi-même, comme une chanson qui vous a charmé et dont la mélodie vous poursuit toujours (v, p. 233).

Mal de la modernité, axiome d'originalité, la « folie » fonctionne, ainsi, en même temps, comme une marque de genre (journal intime, « mémoires », ou « confessions », poésie lyrique, subjectiviste), c'est-à-dire comme référence à un certain espace de lecture, comme un *signal de littérarité* : or, ce fonctionnement n'est devenu possible que parce que la « folie » s'est, à son tour, *instituée* en lieu commun, poncif, *cliché* du romantisme; marque d'originalité, mais *marque* avant tout, c'est-à-dire signe conventionnel, se signalant à la reconnaissance de par son caractère répétitif et sa capacité d'itération. L'ambition de la « folie » romantique, qui subvertit tout code pour dire précisément ce qui jamais ne se laissera coder, se heurte donc à la tentative paradoxale du romantisme de coder jusqu'au refus du code, d'instituer donc la « folie » elle-même en code, voulu ou prétendu secret, voire individuel.

A l'instar de tant de textes du romantisme [3] qui répercutent la

---

1. « Théophile Gautier », in *L'Art romantique* (éd. H. Lemaître), Paris, Garnier, 1962, p. 673.
2. *Mémoires d'un fou, op. cit.*, t. I, p. 234 (je souligne).
3. Cf. par exemple, Gautier, *Albertus* (1832), Musset, *Fantasio* (1834), *Les Confessions d'un enfant du siècle* (1836), etc.

vogue du wertherisme et du byronisme par une lecture naïve et mystifiée, les *Mémoires d'un fou* inscrivent donc une contradiction, dont ils n'ont pas conscience : le sujet emploie le code — de la « folie » — pour signifier la subversion de tout code; le narrateur se place, rhétoriquement, dans le cliché, pour affirmer, thématiquement, son refus de tout cliché. L'intention de signifier la différence est en elle-même un lieu commun, une marque de ressemblance. Ainsi, les *Mémoires d'un fou*, et la tradition entière — dans cette littérature d'époque — du lieu commun de la « folie », fonctionnent exactement comme, dans l'histoire de Poe, la lettre détournée, volée : le lieu commun du « fou », du « je » qui se voudrait propriétaire ou titulaire de la folie, pourrait équivaloir littéralement au *vol* de ladite lettre, mais en même temps, ce lieu commun recèle aussi le *point inaperçu de l'évidence :* c'est l'évidence de son cliché même qui demeure cachée, qui ne tire pas à conséquence, permettant le fonctionnement du romantisme en tant que mythe d'unicité et illusion d'originalité. « Lettre volée », le lieu commun de la « folie » incarne de la sorte le paradoxe de *l'impensé du romantisme :* d'une rhétorique qui souffre moins de l'ineffable que d'un défaut de réflexion critique sur le langage, et d'une fondamentale *méconnaissance du lieu commun en tant que tel*.

FOLIE ET LIEU COMMUN

Ainsi, et typiquement, l'enjeu de la folie dans les *Mémoires d'un fou* est double, et contradictoire : de par le signifié, la métaphore du « fou » désigne un lieu d'unicité, d'altérité; mais de par le signifiant, elle désigne au contraire un lieu d'itération et de conformité. La « folie » marque donc le lieu béant, au sein même du langage du texte, par où le signifiant divorce du signifié, et l'énonciation s'écarte de l'énoncé.

Ce renversement du texte par lui-même, cette contradiction qui le régit, est le point aveugle des *Mémoires d'un fou*, à partir duquel le texte fonctionne. Mais *Novembre*, tout en copiant la rhétorique de la « folie », perçoit confusément l'aveuglement qui la sous-tend, et *donne à lire* ses propres décalages, ses propres paradoxes. L'exigence d'originalité se juxtapose, par contiguïté métonymique et narrative, aux descriptions des joies de la lecture, de sorte que le souhait de l'exclusivité de l'expression surgit presque littéralement de la répétition toute mécanique de la récitation :

[...] *des pages* où d'autres restaient froids me transportaient [...], je m'en ravageais l'esprit à plaisir, *je me les récitais* au bord de la mer [...].

Malheur [...] à qui ne *sait par cœur des strophes* amoureuses *pour se les répéter* au clair de lune! Il est beau [...] d'avoir les passions à leur expression la plus haute, d'aimer les amours que le génie a rendus immortels.

Dès lors, [...] *je tâchais de découvrir* [...] *des mots que les autres hommes n'entendaient point*, et j'ouvrais l'oreille pour écouter la révélation de leur harmonie; je composais avec les nuages et le soleil des tableaux énormes, *que nul langage n'eût pu rendre*, et, dans les actions humaines également, j'y percevais tout à coup des rapports et des antithèses dont la précision lumineuse m'éblouissait moi-même (p. 251; je souligne).

Mais l'inédit se dit trop dit : la spontanéité, se relisant, se découvre stéréotypée :

Oui, il m'a semblé autrefois que j'avais du génie, [...] le style coulait sous ma plume comme le sang dans mes veines; au moindre froissement du beau, une mélodie pure montait en moi, [...] j'avais dans la tête des drames tout faits [...] l'humanité résonnait en moi avec tous ses échos [...]. J'en étais ébranlé, ébloui; mais quand je retrouvais chez d'autres les pensées et jusqu'aux formes mêmes que j'avais conçues, je tombais, sans transition, dans un découragement sans fond; *je m'étais cru leur égal et je n'étais plus que leur copiste!* Je passais alors de l'enivrement du génie au sentiment désolant de la médiocrité, avec toute la rage des *rois détrônés* et tous les supplices de la honte (p. 254-255; je souligne).

Dans son rapport à la lettre volée, la place du roi ne pouvait être autre que celle du regard qui ne voit rien, celle-là même de l'aveuglement : c'est pourquoi, sorti de son aveuglement, apercevant la lettre volée, le roi se trouve nécessairement détrôné. Dès *Novembre*, Flaubert entrevoit, lui, que sa vocation d'écrivain, que *la* vocation d'écrivain, est condamnée à être celle de Bouvard et de Pécuchet : une vocation de copiste.

Si donc *Novembre* reprend bien la rhétorique de la « folie », c'est pour, cette fois, la renverser, la mettre en question : au lieu de faire parler le cliché de la « folie », *Novembre* rend parlante *la folie même du cliché*. Le « *réalisme* » de Flaubert s'esquisse, à partir d'ici, moins comme une simple attention à ce qui est *banal*, que comme un éclairage de *l'impensé de ce qui va de soi* : du vol constitutif des lettres. Flaubert, dès lors, est un regard qui scrute l'aveuglement des évidences, qui sonde tout à la fois l'obscurité — et l'efficacité — des lieux communs.

C'est ainsi que, dans *Novembre*, la rhétorique de la « folie » se dépossède du titre, en tant qu'autorité de sens, mot de signification par excellence. *Novembre*, en effet, a comme *sous-titre* l'ironie propre à la connaissance de la méconnaissance qui titre les *Mémoires d'un fou* : soit, *Fragments de style quelconque*. Le lieu commun enfin se reconnaît, nomme son absence de nom, sous-titre son absence de titres. « Style quelconque » — n'est-ce pas précisément l'envers de la « folie »? — et qui dit bien que la « folie » n'est pas, dans le langage, un lieu originaire de subjectivité, lieu exclusif des autres, mais, au contraire, que le langage toujours, déjà, est lieu de l'autre : lieu commun. Ainsi, la rhétorique de la singularité faiblit et sa fréquence décroît. Les 26 occurrences de « folie » sur 18 pages, dans les *Mémoires d'un fou*, se sont ramenées à 10 occurrences seulement sur 29 pages dans *Novembre* (même édition); c'est dire qu'au lieu de 4 à 5 occurrences toutes les 3 pages (en moyenne) l'on ne trouve plus qu'une occurrence unique toutes les 3 pages. Mais, plus encore que cette diminution de fréquence de la « folie », ce qui importe, dans le changement d'accent que manifeste *Novembre*, c'est l'explicitation de l'arbitraire du signe, de sa conventionnalité toute rhétorique et linguistique :

> Quelle est donc cette douleur inquiète, dont on est fier comme du génie et que l'on cache comme un amour? [...] Rhapsodies poétiques, souvenirs de mauvaises lectures, hyperboles de rhétorique, que toutes ces grandes douleurs sans nom (p. 252).

La « folie » ne se donne plus pour le dehors de tout langage, mais, au contraire, pour le dedans de l'artifice même de la rhétorique. Et si le cliché de la folie se reproduit encore dans les « fragments de style quelconque », le « fou » en tant que qualité et qualification du « je », le « fou » en tant que substantivation de l'adjectif qualificatif, a disparu. Ce n'est plus « un fou » qui « a écrit ces pages », mais, dit *Novembre*, en mesurant toute la distance critique qui le sépare de son langage, « un homme qui [...] faisait grand abus d'épithètes » (p. 275).

Que le langage ne peut sortir de soi pour dire son origine; que l'arbitraire du signe ne se laisse pas précéder par une essence de sens; que la forme rhétorique, conventionnelle est fondamentalement inaugurale — voilà ce que Flaubert apprend et nous apprend en écrivant *Novembre*. Mais en même temps que se disloquent les concepts d'originalité, de spontanéité et d'authenticité, hérités du romantisme, surgit, dans les « fragments de style quelconque », une attitude nouvelle face au langage conventionnel et aux contraintes du lieu commun et de la rhétorique. Car si, dans le cliché, le contenu est préconçu et stéréotypé, le contenu, du coup, importe moins que l'action formelle et la structure du signifiant; l'énoncé importe moins que *le fonctionnement*, l'*effet* de l'énonciation. L'ordre structural prime, dès lors, et l'emporte sur l'ordre sémantique, qu'il modifie, déplace, prédétermine. Travaillant dans le cliché et à partir de lui, l'écriture se détermine, et s'appréhende, non plus comme une précipitation aveugle vers la signification, un rapport naïf et précritique au signifié, mais comme une relation complexe, critique, au signifiant.

LA MISE EN ITALIQUE

Le signifiant fonctionne, dès lors, non plus comme référence au signifié, mais comme une *référence au code*. Cette référence, toutefois, a pour effet un court-circuit du code : car le code n'est efficace que lorsqu'il passe — en tant que tel — inaperçu, lorsqu'il a l'air de ne transmettre que l'information de la nature, de n'être qu'un passage direct et non médiatisé du signifiant au signifié. Expliciter le code, c'est justement et paradoxalement en subvertir l'autorité, en rompre l'illusion de naturalité. Le lieu commun sera, dès lors, repris par l'écriture non plus comme signe ou sens, mais comme signal : signal du code.

Signal d'abord typographique, puisque le lieu commun se cite, se met entre guillemets, ou bien en italique.

> Certains mots me bouleversaient, celui de *femme*, de *maîtresse* surtout [...] Quant à une *maîtresse*, c'était pour moi un être satanique, dont la magie du nom seul me jetait en de longues extases : c'était pour leurs maîtresses que les rois ruinaient et gagnaient des provinces; pour elles, on tissait un tapis de l'Inde, on tournait l'or, on remuait le monde; une maîtresse a des esclaves [...] (p. 249; italique de Flaubert).

> Quand il fallut choisir un état, il hésita entre mille répugnances. [...] Et puis, sont-ce là des « états »? *Il faut s'établir, avoir une position dans le monde, on s'ennuie à rester oisif, il faut se rendre utile, l'homme est né pour travailler :* maximes difficiles à comprendre et qu'on avait soin de souvent lui répéter (p. 273-274; italique de Flaubert).

La mise entre guillemets, la mise en italique : cette signalisation typographique et métalinguistique qu'écrit *Novembre*, ce balisage du lieu commun dans le langage du texte sera, comme on le sait, un trait typique et récurrent dans l'œuvre de Flaubert.

Mais l'essentiel de la révolution de Flaubert n'est pas dans cette trouvaille technique. Car le cliché transcende, en fait, dans les *Fragments de style quelconque*, non seulement les bords typographiques de l'italique, mais les limites mêmes du discours, pour pénétrer dans l'ordre du récit et de l'histoire. Alors que les *Mémoires d'un fou* faisaient, dans un discours cliché, un récit d'originalité, *Novembre*, paradoxalement, inversement, est un discours qui n'a d'originalité que par le récit d'apprentissage même du cliché. L'énoncé, en d'autres termes, narre l'apprentissage de l'énonciation : le récit raconte comment le « style quelconque » *s'apprend*, et s'appréhende en tant que tel; comment le « style quelconque » — sujet de l'écriture — informe le procès de l'écriture et, en même temps, le narrateur — donc le procès de narration — de sa perte de titres, sur et dans la langue.

L'histoire, l'intrigue même de *Novembre* est déclenchée, en fait, par l'intoxication de lieux communs. A l'origine des événements, le récit discerne la répétition de quatre mots : « maîtresse », « femme », « adultère », « amour »[1].

> La vie humaine roulait, pour moi, sur deux ou trois idées, sur deux ou trois mots (p. 251).

Deux ou trois mots auxquels le narrateur voudrait donner le poids et la valeur des événements; deux ou trois mots, paradigmes discursifs, répétitifs, qu'il cherche à transformer en énoncés uniques, voire en syntagmes événementiels et narratifs. Ainsi, l'histoire de l'initiation à la passion est elle-même initiée — par les clichés. Les événements

1. Cf. : «J'avais tant lu chez les poètes le mot amour, et si souvent je me le redisais pour me charmer de sa douceur, qu'à chaque étoile qui brillait dans un ciel bleu, par une nuit douce, qu'à chaque murmure du flot sur la rive, [...] je me disais : " J'aime! oh! j'aime! " » (p. 250).

« Il y eut [...] pour moi un mot qui sembla beau entre les mots humains : adultère. [...] Une magie singulière l'embaume; toutes les histoires qu'on raconte, tous les livres qu'on lit, tous les gestes qu'on fait le disent et le commentent éternellement [...] » (p. 257).

« Certains mots me bouleversaient, celui de *femme*, de *maîtresse* surtout; je cherchais l'explication du premier dans les livres, dans les gravures [...]. Le jour enfin que je devinais tout, [...] je sentis un mouvement d'orgueil à me dire que j'étais un homme, un être organisé pour avoir un jour une femme à moi : le mot de la vie m'était connu » (p. 249).

Or, « le mot de la vie » — italisé, comme il se doit — n'est-ce pas le lieu commun par excellence? La vie humaine, comme la littérature, est de la sorte soumise aux restrictions conventionnelles et aux contraintes inaugurales — et arbitraires — des signifiants.

surgissent par la parole : leur déroulement causal remonte aux mots et à l'usage itératif des lieux communs.

Cela suppose que les clichés puissent déchiffrer, *interpréter* les plus profonds désirs du narrateur; et que, de par cette interprétation, l'histoire puisse être faite, dictée par des clichés. L'histoire ici, dans ce récit; mais peut-être bien aussi, structurellement, l'histoire en général, qui ne serait pas tant une série causale et temporelle de *faits*, qu'une chaîne toute discursive, un enchaînement d'*interprétations* et d'interprétations d'interprétations. « Il y a plus affaire, disait Montaigne, à interpréter les interprétations qu'à interpréter les choses. » Ce que le cliché entame donc dans *Novembre*, c'est le statut même du récit, de l'événement en général, de l'événementialité en tant que singularité originaire du fait.

PROSTITUTION ET LIEU COMMUN

Ainsi s'explique aussi le rôle de la *prostituée* en tant qu'amante-initiatrice, alors que les *Mémoires d'un fou* marquaient la femme aimée, la femme « inaugurant » l'amour, plutôt comme : interdite, inaccessible, et, bien entendu, irremplaçable. Le corps de la prostituée marque au contraire le lieu d'accès aux remplacements et aux substitutions :

> Combien j'en ai vu arriver ici [...] les uns, au sortir d'un bal, pour résumer sur une seule femme toutes celles qu'ils venaient de quitter; les autres, après un mariage, exaltés à l'idée de l'innocence; et puis de jeunes gens, pour toucher à loisir leurs maîtresses à qui ils n'osent parler, fermant les yeux et la voyant ainsi dans leur cœur; des maris pour se refaire jeunes et savourer les plaisirs communs de leur bon temps; des prêtres poussés par le démon et ne voulant pas d'une femme, mais d'une courtisane, mais du péché incarné [...] (p. 268).

Lieu commun, littéralement et physiquement, de l'illusion et du désir, le corps de la prostituée accueille les vœux imaginaires de ses amants, de la même façon que le cliché — corps du langage, matière des mots — accueille et interprète le désir de sens du narrateur. Étendue sur « le grabat commun où la foule passe » (p. 267), la « fille publique » (p. 263) remplit exactement la fonction que Baudelaire assignera au lieu commun : « lieu de rencontre de la foule, le rendez-vous public de l'éloquence [1] ».

1. Baudelaire, « Madame Bovary », in *Curiosités esthétiques, l'Art romantique, op. cit.*, p. 644.

> Bientôt on me connut, ce fut à qui m'aurait, mes amants faisaient mille folies pour me plaire, tous les soirs je lisais les billets doux de la journée, pour y trouver l'expression nouvelle de quelque cœur autrement moulé que les autres et fait pour moi. Mais tous se ressemblaient, je savais d'avance la fin de leurs phrases et la manière dont ils allaient tomber à genoux (p. 266-267).

Lieu de rencontre de la foule, rendez-vous public de l'éloquence, la courtisane — médium des illusions — est un témoin tout à la fois du corps même du langage en tant que véhicule de la pulsion charnelle, et du désir en tant que chair des mots, matière et corps même de la rhétorique. L'expérience, le témoignage de la prostituée est celui-là même du désir, en tant que lieu commun de la parole dévaluée.

L'épreuve initiatique devient, pour le narrateur, une initiation à la répétition des lieux communs, et à l'usure de la matière du signe. Mais cette usure elle-même est faite de l'illusion d'un acte inaugural, d'un événement *premier* et, comme tel, sans pareil :

> Quand je lui eus bien dit que je n'avais jamais eu de maîtresse, que j'en avais cherché partout, que j'en avais rêvé longtemps et qu'enfin elle était *la première* qui eût accepté mes caresses, elle se rapprocha de moi avec étonnement comme si j'étais une illusion qu'elle voulût saisir : « ... Ah! comme je t'aimerais si tu voulais!... »
> C'étaient les *premières paroles d'amour* que j'entendisse de ma vie. *Parties n'importe d'où*, notre cœur les reçoit avec un tressaillement bien heureux (p. 262; je souligne).

Au rendez-vous public de l'éloquence, pris dans le piège du langage dévalué, le désir, bien que surgi du lieu commun, « parti n'importe d'où », se marque pourtant comme virginal, *premier*, sans précédent. La courtisane revend ainsi, comme elle le dit elle-même, une illusoire virginité : « Je suis accourue ici, comme si j'avais eu encore une virginité à vendre ». Mais si la courtisane — par la puissance même d'illusion que véhicule la langue — est vierge encore, le narrateur — par cette puissance même — ne l'est plus :

> A cet âge-là j'étais encore vierge et n'avais point aimé (p. 257).

> A cette époque où j'étais vierge, je prenais plaisir à contempler les prostituées, je passais dans les rues qu'elles habitent, je hantais les lieux où elles se promènent (p. 252).

> Il me semble quelquefois que j'ai duré pendant des siècles, et que mon être renferme les débris de mille existences passées (p. 248).

> [...] je me sentis vieux et plein d'expérience sur mille choses inéprouvées (p. 252).

On ne demeure pas, dans la langue, intact. Le paradoxe de cette histoire d'initiation, de ce récit de perte de la virginité du narrateur, c'est qu'il apprend au narrateur qu'il perd précisément ce qu'il n'avait jamais eu : la virginité. Dans le langage, *on ne peut être vierge*, on ne l'a jamais été, puisqu'on habite le lieu commun.

Mais, d'autre part, *on est toujours vierge* : le jeune homme est voué et condamné à la virginité, si l'alternative à la virginité, la perte de celle-ci, est l'instauration d'une « possession » ou d'une « propriété » quelconque. On n'a jamais été vierge, parce qu'on est entamé — dès sa naissance — par le langage, parce qu'on a toujours déjà entretenu un long concubinage avec une langue antérieure; mais on demeure toujours vierge parce qu'on ne peut jamais *posséder* sa langue en propre; dans la langue, on est toujours *dépossédé*. C'est ainsi que la virginité du narrateur ne se perd pas mais au contraire, revient, s'avère répétitive et récurrente :

> C'était surtout aux approches du printemps [...] que je me sentais le cœur pris du besoin d'aimer [...]. Chaque année encore, pendant quelques heures, je me retrouve ainsi une virginité qui me pousse avec les bourgeons; mais les joies ne refleurissent pas avec les roses (p. 257).

Ce qui n'a jamais eu lieu ne cesse en même temps de se répéter.

> On a en vain usé, dira de même la courtisane, chaque place de mon corps, par toutes les voluptés dont se régalent les hommes, je suis restée comme j'étais à dix ans, vierge, si une vierge est celle qui [...] n'a pas connu le plaisir et qui le rêve sans cesse, qui se fait des fantômes charmants et qui les voit dans ses songes... Je suis vierge! Cela te fait rire? mais n'en ai-je pas les vagues pressentiments, les ardentes langueurs? J'en ai tout, sauf la virginité elle-même (p. 268)[1].

Ce n'est donc pas un pur hasard si la prostituée s'appelle Marie, doublant ainsi la Vierge, que les fantasmes érotiques du narrateur évoquent ailleurs[2]. Marie : celle qui a tout de la virginité, sauf la virginité elle-même; celle dont l'essence est donc le manque d'essence,

---

1. Cf. la conclusion du narrateur, p. 268 : « Sans nous connaître, elle dans sa prostitution et moi dans ma chasteté, nous avions suivi le même chemin, aboutissant au même gouffre. »

2. Cf. p. 257 : « J'aimai tout, jusqu'aux rochers durs où j'appuyais les mains [...] et je songeai alors combien il était doux de chanter le soir, à genoux, des cantiques aux pieds d'une madone qui brille aux candélabres, et d'aimer la Vierge Marie qui apparaît aux marins, dans un coin du ciel, tenant le doux Enfant Jésus dans ses bras. »

et qui ne peut avoir d'identité ni de nom propre : car Marie n'est pas le vrai nom de la courtisane.

> « ... Dis-moi ton nom, hein! ton nom. »
> A mon tour je voulus savoir le sien.
> « Marie, répondit-elle, mais j'en avais un autre, ce n'est pas comme cela qu'on m'appelait chez nous » (p. 260).

La prostitution devient, ainsi, le symbole de l'impropriété du lieu commun, qui engloutit toute possession et toute propriété, qui n'a donc ni sens propre ni nom propre, et qui ne peut avoir, comme nom, que la figure de la virginité elle-même en tant que constitutivement substitutive, figurative. Axée sur le non-propre, l'initiation au *lieu commun* ne peut que déboucher sur un *non-lieu*, et transformer l'acte initial du remplacement en illusion d'irremplaçable, et l'illusion d'irremplaçable en une chaîne de remplacements et de commutations de *lieux* :

> [...] c'était elle que je poursuivais partout; dans le lit des autres, je rêvais à ses caresses (p. 270).

LIEUX DU RÉCIT : RETOURS AU LIEU

La commutation des lieux ne peut que découvrir, toutefois, que le voyage n'est pas possible : parti du lieu commun, on se retrouve nécessairement, à l'arrivée, toujours au lieu commun; arriver, ce ne peut être qu'arriver là d'où l'on est parti.

> Mais, *revenant toujours au point d'où j'étais parti*, je tournais dans un cercle infranchissable, je m'y heurtais en vain la tête, désireux d'être plus au large (p. 257).

La logique même du récit s'avère rigoureusement *topique*. Le lieu commun devient un nœud topologique que l'on explore comme un espace labyrinthique. *Novembre*, en effet, trace le schéma du labyrinthe, tel que Michel Serres l'a défini : « Je ne me perds dans un labyrinthe que pour la raison toute simple que je me retrouve indéfiniment au même point. Je suis égaré parce que je reviens toujours ici [...]; tous les chemins autres y sont mêmes [1]. »

1. « Le messager », in *Bulletin de la Société française de philosophie*, séance du 25 novembre 1967, p. 37.

Le narrateur voyage ainsi de lieu commun en lieu commun : tous les endroits par où passe le récit sont en effet, littéralement, des lieux communs, des lieux d'usure, marqués par l'autre.
— Le lit de la prostituée :

> Regarde au chevet de mon lit toutes ces lignes entre-croisées sur l'acajou, ce sont les marques d'ongle de tous ceux qui s'y sont débattus, de tous ceux dont les têtes ont frotté là (p. 268).

— La chambre, à Paris, de l'étudiant en droit :

> Il alla se loger dans une chambre garnie, où les meubles avaient été achetés par d'autres, usés par d'autres que lui : il lui sembla habiter dans des ruines (p. 274).

Mais si, au labyrinthe du lieu commun, le narrateur doit voyager, se déplacer, se perdre pour se retrouver au même point, s'égarer pour regagner les mêmes lieux, c'est pour apprendre que, sans exception, *tout* lieu est lieu commun; que même les lieux les plus privés, les plus secrets, les plus intimes — pour soi, en soi — sont en réalité domaine de l'autre.

C'est là, précisément, ce que le narrateur découvre lors de son deuxième voyage à X..., voyage qui fait écho, vers la clôture du livre, à un premier voyage à X... dont le récit avait fait cas tout au début. Aux deux extrémités du texte, au commencement et à la fin, l'histoire est donc marquée par cette structure répétitive et symétrique, *deux* voyages *au même lieu* — lieu sans nom, dont la référence importe peu : X... Aux dernières pages du livre, le narrateur repart de Paris, comme il était parti jadis de son village natal, pour revoir X..., y retrouver un souvenir de sa jeunesse, un coin de rêve à lui, son coin privé :

> Un souvenir de jeunesse lui repassa par l'esprit, il pensa à X..., ce village où il avait été un jour à pied [...] : il voulut le revoir [...]. Vers dix heures du matin, il descendit à Y... et de là fit la route à pied jusqu'à X...; [...] Il remarqua que les poteaux qui indiquent le chemin avaient été renversés [...] Il se dépêchait, il avait hâte d'arriver [...].
>
> [...] Il y avait un petit endroit dans la gorge d'un rocher, où souvent il avait été s'asseoir [...], il s'y installait tout seul, le dos par terre, pour regarder le bleu du ciel entre les murs blancs des rochers à pic; c'était là qu'il voyait la voile des vaisseaux s'enfoncer sous l'horizon, et que le soleil, pour lui, avait été plus chaud que partout ailleurs sur le reste de la terre.

Il y retourna, il le retrouva : mais d'autres en avaient pris possession, car, en fouillant le sol, machinalement, avec son pied, il fit trouvaille d'un cul de bouteille et d'un couteau. Des gens avaient fait une partie, sans doute, on était venu là avec des dames, on y avait déjeuné, on avait ri, on avait fait des plaisanteries. « Oh mon Dieu, se dit-il, est-ce qu'il n'y a pas sur la terre des lieux que nous avons assez aimés, où nous avons assez vécu pour qu'ils nous appartiennent jusqu'à la mort, et que d'autres que nous-mêmes n'y mettent jamais les yeux! » (p. 275-276).

Si le narrateur parcourt les mêmes sentiers, refait les mêmes chemins, voyage et se déplace pour arriver aux mêmes lieux, c'est pour apprendre non seulement que tous les lieux sont lieux communs, mais également que les mêmes lieux, les lieux communs, ne sont *mêmes*, mais *autres :* le lieu commun est sans commune mesure avec lui-même. Ainsi, le retour ne s'approprie pas un espace d'identité à soi, mais, au contraire, produit une différence : le lieu commun ne se ressemble pas. Le narrateur découvre que la différence tant recherchée jadis dans la « folie » se trouve en fait non pas dans le sujet, mais dans la langue : en tant que lieu de l'autre. La différence, ironiquement et paradoxalement, réside au cœur du lieu commun : dans la répétition du signifiant. Par sa répétition même, l'espace du lieu commun perd son *orientabilité*, son sens, déborde ou bien renverse sa *signalisation* (« il remarqua que les poteaux qui indiquent le chemin avaient été renversés »), sa consistance unique et directrice : il se décentre.

Rappelons-nous qu'au départ le lieu commun se présentait, dans l'imagination du narrateur, précisément comme centre, et comme passion de l'écriture du centre :

> Ces passions que j'aurais voulu avoir, je les étudiais dans les livres. La vie humaine roulait, pour moi, sur deux ou trois idées, [...] *autour desquelles tout le reste tournait* comme des satellites autour de leur astre (p. 251).

Ce que le récit — l'apprentissage du lieu commun — opère donc dans l'espace du lieu commun, c'est un décentrement de l'écriture du centre. L'*événement*, dès lors, c'est le *retour du lieu* ou le *retour au lieu* en tant que différence, écart, *distance produite au sein du lieu :* le déplacement du même lieu au même lieu en tant que ce qui abolit l'identité à soi du lieu. Tel était, déjà, le statut du premier déplacement à X..., qui comportait un voyage double, un aller et un retour :

> Je suis sorti et je m'en suis allé à X [...].
> Alors tout me sembla beau sur la terre [...];

205

> Je revins le soir chez nous, je repassai par les mêmes chemins, je
> revis sur le sable la trace de mes pieds et dans l'herbe la place où je
> m'étais couché; il me sembla que j'avais rêvé. Il y a des jours où l'on
> a vécu deux existences, la seconde déjà n'est plus que le souvenir
> de la première, et je m'arrêtais souvent dans mon chemin devant
> un buisson, devant un arbre, au coin d'une route, *comme si là*, le
> matin, *il s'était passé quelque événement* de ma vie (p. 256-257).

Entre l'aller et le retour, le point fort, « l'événement », n'est que le surgissement du lieu en tant qu'altérité à soi. L'instance même du récit
rejoint, dès lors, de par son mode de fonctionnement, celle du discours,
dans son itération des lieux communs. Car le statut de l'événement
n'est pas la singularité unique du fait, mais, au contraire, sa récurrence itérative. L'événement est ce qui, arrivé, arrive (au moins)
deux fois mais ce qui, arrivé deux fois, n'a pas lieu, ou n'a lieu que
sur le mode du « comme si ». Le statut de l'événement, comme le
statut même du cliché, est celui de la distance à soi d'une lecture double : tout à la fois *vu* et *déjà-vu*, l'événement n'est que la disjonction
de l'un à l'autre, le lieu clivé entre le vu et le déjà-vu.

> Il entra dans un cabaret, où quelquefois il avait été boire de la bière,
> il demanda un cigare, il ne put s'empêcher de dire à la bonne femme
> qui le servait : « Je suis déjà venu ici. » Elle lui répondit : « Ah!
> mais, ce n'est pas la belle saison, m'sieu, c'est pas la belle saison »,
> et elle lui rendit de la monnaie (p. 276).

« Je suis déjà venu ici » : distance, suspens de ce *déjà*, non-lieu *d'ici*.
Déjà, ici : déjà venu et non encore parti; en arrière et en avance sur
l'arrivée. Ici, au lieu commun, au *même* lieu, au lieu *autre;* ici, c'est
donc le point de l'indéterminé qui conditionne l'errance, le centre vide
où tout, se retrouvant, se perd. « Je suis déjà venu ici »; phrase simple
à fonction purement phatique, à peine sensée pour l'interlocutrice,
et qui résume pourtant — par un cliché, comme il se doit — toute
l'ironie de cette histoire d'apprentissage du lieu commun. Mais la
réplique de la serveuse, « Ah! [...] ce n'est pas la belle saison, m'sieu »,
répond, de son côté, par un deuxième cliché, au titre même du texte,
Novembre, en invoquant sans le savoir, dans cette image d'automne
(saison, disait le narrateur, du souvenir), sous la figure poncif du
cycle des saisons, la temporalité répétitive et circulaire du lieu commun : une temporalité sans origine, tout à la fois changeante et récurrente, jamais coïncidente avec elle-même, toujours en déplacement, en
hiatus, toujours déjà et non encore venue.

Pris dans cette temporalité de la répétition, le lieu commun n'a ni départ ni fin. La fin, dans un *récit* qui est lui-même *discours* du lieu commun, ne peut être qu'artifice de rhétorique. On lit ainsi, aux dernières pages du livre :

> Le manuscrit s'arrête ici, mais j'en ai connu l'auteur, et si quelqu'un, ayant passé, pour arriver jusqu'à cette page, à travers toutes les métaphores, hyperboles et autres figures qui remplissent les précédentes, désire y trouver une fin, qu'il continue; nous allons la lui donner (p. 272).

La fin préfabriquée ne peut que se construire arbitrairement, comme une réponse à un désir de lire lui-même conditionné par des structures clichés, comme un écho à des attentes conventionnelles et stéréotypées.

Virant du « je » au « il », le texte nous racontera dès lors un événement qui n'avait pas eu lieu dans les *Mémoires d'un fou* : la mort du narrateur. La mort — seul événement qui n'arrivera qu'une fois — pourra-t-elle, dans ce récit, échapper à la répétition? Le narrateur pourtant l'a dit explicitement : la mort elle-même est lieu commun; le lieu commun par excellence.

> Un jour, à Paris, je me suis arrêté longtemps sur le Pont-Neuf : c'était l'hiver, la Seine [...] était verdâtre; j'ai songé à tous ceux qui venaient là pour en finir. Combien de gens avaient passé à la place où je me tenais alors, courant la tête levée à leurs amours ou à leurs affaires, et qui y étaient revenus un jour, marchant à petits pas, palpitant à l'approche de mourir! Ils se sont approchés du parapet, ils ont monté dessus, ils ont sauté. Oh! que de misères ont fini là, que de bonheurs y ont commencé! Quel tombeau froid et humide! Comme il s'élargit pour tous! comme il y en a dedans! Ils sont là tous, au fond, roulant lentement avec leurs faces crispées et leurs membres bleus; chacun des flots glacés les emporte dans leur sommeil et les traîne doucement à la mer (p. 255-256).

Mourir, c'est donc rejoindre définitivement le lieu commun : rejoindre l'Autre. Mais dans la mort du narrateur, telle que la narre *Novembre*, le lieu commun *est doublement* rejoint :

> Enfin, au mois de décembre dernier, il mourut, mais lentement, petit à petit, par la seule force de la pensée, sans qu'aucun organe fût

malade, *comme on meurt de tristesse* — ce qui paraîtra difficile aux gens qui ont beaucoup souffert, mais ce qu'il faut bien tolérer dans un roman, par amour du merveilleux (p. 276).

Bien sûr, dira-t-on, on ne meurt d'amour ou de tristesse que figurativement, dans des clichés littérairement codés, conventionnels. Mais là réside précisément toute l'ironie du texte. Car quelle peut être cette étrange mort par la seule pensée, sinon précisément une mort par le cliché? Une mort, pourrait-on dire, entre guillemets? Une mort toute romanesque, toute romantique, mais avant tout, toute *linguistique*, suivant littéralement la trace même du cliché dans le langage. Ironiquement prise à la lettre, l'hyperbole cliché ne se littéralise (« il mourut ») que pour allégoriser (« comme ») l'arbitraire qu'occulte l'automatisme linguistique (« on meurt de tristesse »), pour y expliciter le saut logique entre le signe et le sens, entre le rhétorique (« comme on meurt de tristesse ») et le sémantique (« il mourut ») : il mourut *comme* — on (ne) meurt (pas) de tristesse. « Comme on meurt de tristesse » équivalant à « comme on meurt dans la littérature »[1], c'est le roman entier qui, à son terme, devenant figure-cliché de lui-même, se réfléchit et s'ironise.

Figure cliché d'elle-même, la mort du narrateur n'est pas, dès lors, un simple accident syntagmatique, mais une nécessité paradigmatique. La mort, c'est celle, toute symbolique, de l'émetteur, en tant qu'inscrite dans la structure même de la marque (itérative et stéréotypée); la mort inéluctable du sujet au lieu commun. C'est la disparition, du même coup, de l'auteur en tant qu'autorité, maîtrise du sens, en tant que source ou origine de l'écriture. *Mourir*, donc, *de tristesse*, c'est très exactement ainsi, *mourir dans le langage* pour naître, justement, à l'écriture; mourir sans fin et répéter, ainsi, infiniment et indéfiniment, par l'écriture et par la vie même du cliché, sa propre mort.

---

1. Cf. la suggestive ressemblance de cette façon de mourir à la mort du héros du livre par excellence, Don Quichotte :

> « Se tournant alors vers Sancho, il [Don Quichotte] ajouta : " Pardonnemoi, ami, l'occasion que je t'ai donnée de paraître aussi fou que moi, en te faisant tomber dans l'erreur où j'étais moi-même, à savoir qu'il y eut et qu'il y a des chevaliers errants en ce monde.
> — Hélas! Hélas! répondit Sancho en sanglotant, ne mourez pas, mon bon seigneur, mais suivez mon conseil et vivez encore bien des années; car la plus grande *folie* que puisse faire un homme en cette vie, c'est de *se laisser mourir tout bonnement sans que personne le tue, ni sous d'autres coups que ceux de la tristesse* " ». (*Don Quichotte*, Paris, Garnier-Flammarion, 1948, vol. II, trad. fr. par L. Viarot, p. 502; je souligne.)

La mort, en d'autres termes, est le procès tout linguistique par quoi le « je », dans le récit, devient un « il »; procès par quoi le « je » se met lui-même en italique et s'assigne — au niveau de l'autre — le statut d'une pure instance grammaticale: anticipant ainsi l'effort des textes modernes pour se dessaisir de leur pouvoir de dire « je ». Tel, par exemple, chez Beckett, l'effort du narrateur hallucinant de *l'Innommable* et ses passages du « je » au « il :

> Ce que je dis, ce que je dirai peut-être, à ce sujet, à mon sujet, au sujet de ma demeure, est déjà dit, puisque, étant ici depuis toujours, j'y suis encore [1].

> J'ai à parler, n'ayant rien à dire, rien que les paroles des autres (p. 39).

> Je. Qui ça? (p. 73).

> Il sait que ce sont des mots, il ne sait pas si ce sont les siens [...]. Oui, je sais que ce sont des mots, il fut un temps où je l'ignorais [...]. Je ne dirais plus moi, [...] c'est trop bête. Je mettrai à la place, chaque fois que je l'entendrai, la troisième personne, si j'y pense. Si ça les amuse. Ça ne changera rien. Il n'y a que moi, moi qui n'y suis pas, là où je suis (p. 100).

> Inutile de chicaner, d'ici là, sur les pronoms et autres parties du boniment. Peu importe le sujet, il n'y en a pas (p. 109).

> [...] on finit par ne plus savoir, une voix qui ne s'arrête jamais, d'où elle vient (p. 121).

Le « il », destituant le « je » en tant que signifié, devient ce que Maurice Blanchot appelle le « neutre », une voix spectrale, fantomatique, qui ne saurait être centrale, qui, au contraire, empêche le texte d'avoir un centre : « Le " il ", écrit Blanchot, ne prend pas simplement la place occupée traditionnellement par un sujet, il modifie, fragmentation mobile, ce qu'on entend par place : lieu fixe, unique ou déterminé par son emplacement [...] Le " il " narratif [...] marque ainsi l'intrusion de l'autre — entendu au neutre — dans son étrangeté irréductible, dans sa perversité retorse. L'autre parle. Mais quand l'autre parle, personne ne parle, car l'autre [...] n'est plutôt ni l'un ni l'autre [...]. La voix narrative tient de là son aphonie [2]. »

1. *L'Innommable, op. cit.*, p. 20.
2. *L'Entretien infini*, Paris, Gallimard, 1969, p. 563-565.

C'est bien vers l'aphonie de l'œuvre flaubertienne ultérieure [1] que va *Novembre*, par son passage du « je » au « il » : le « il », pronom de l'autre, de la non-personne, est introduit ici explicitement comme la figure même du silence : silence de l'émotion et de la signification.

> Il faut que les sentiments aient peu de mots à leur service, sans cela le livre se fût achevé à la première personne. Sans doute que notre homme n'aura plus rien trouvé à dire; il se trouve un point où l'on n'écrit plus et où l'on pense davantage; c'est à ce point qu'il s'arrêta, tant pis pour le lecteur! [...]
> [...] il jugea convenable de ne plus se plaindre, preuve peut-être qu'il commença réellement à souffrir. Ni dans sa conversation, ni dans ses lettres, ni dans les papiers que j'ai fouillés après sa mort, et où ceci se trouvait, je n'ai saisi rien qui dévoilât l'état de son âme, à partir de l'époque où il cessa d'écrire ses confessions (p. 272-273).

Aux antipodes du « je », porteur du cri, le « il », une sorte de blanc au sein du texte, n'est plus que possibilité d'arrêt, de court-circuit.

Dès lors, une esthétique de la réserve, de la litote amortira l'emphase première et l'hyperbole de l'affectivité. Mais la litote sera toujours, dans l'œuvre flaubertienne, une hyperbole même du silence, et le silence, envers du cri.

Court-circuitée par le silence du « il », la voix du texte perd son autorité : le récit lui-même devient aléatoire, hypothétique, offrant au lecteur, en anticipation — encore — de tant de textes modernes, l'alternative de deux versions, dont l'une affirmative, et l'autre négative :

> [...] Les orgues de Barbarie qu'il entendait jouer sous sa fenêtre lui arrachaient l'âme, [...] il disait que ces boîtes-là étaient pleines de larmes. *Ou plutôt* il ne disait rien [...] (p. 274).

Il disait, ou bien plutôt, il ne disait rien : on songe, là encore, à Beckett : « Comment faire, [...] comment procéder? Par pure aporie ou bien par affirmations et négations infirmées au fur et à mesure, ou tôt ou tard [...]. Les oui et non, c'est autre chose, ils me reviendront à mesure que je progresserai [2]... »

C'est perte d'autorité du texte, l'incertitude dont le silence du « il » est responsable, est ouverture à une lecture multiple, ouverture à l'interprétation : « Il pleurait — était-ce de froid ou de tristesse? »

---

1. Cf. G. Genette, « Silences de Flaubert », in *Figures*, Paris, Éd. du Seuil, 1966, t. I, p. 223-243.
2. *L'Innommable*, op. cit., p. 5-6.

(p. 276). L'incertitude, le choix offert ici à la lecture, est significatif : il marque la place du « il » comme lieu de confusion, précisément, entre l'objet et le sujet; le froid et la tristesse.

HISTOIRE/DISCOURS : L'ITALIQUE GÉNÉRALISÉ

Confusion voulue, exigence de non-alternativité, *déconstruction*, précisément, de *la structure même de l'opposition* entre l'objet et le sujet, entre le Même et l'Autre, entre l'intériorité et l'extériorité, entre le moi et la socialité; déconstruction, par le virage du « je » au « il », de la structure même de l'alternative entre les deux niveaux de sens du texte, l'histoire et le discours. Car si le « il », comme dit Blanchot, est « l'événement inéclairé de ce qui a lieu quand on raconte [...], la cohérence impersonnelle d'une histoire [1] », le « je » est, d'autre part, le détenteur même du discours. Mais justement, ce que le texte instaure, c'est, non la distinction, mais au contraire l'équivalence toute parodique des deux niveaux : l'*histoire*, ici, d'apprentissage du lieu commun, n'est en réalité qu'une fable du *discours*. Et, si le récit, par la répétition de l'événement, du lieu, démystifie le dire — en tant que lieu commun, le dire, de son côté, ne laisse pas de désenchanter l'histoire, fait éclater l'instance et le statut même du récit. Histoire et dire, récit et discours sont donc ici, mutuellement, renvois de l'un à l'autre, chacun subvertissant l'autorité de l'autre. S'il est donc vrai que le récit, ici, pratique une sorte de mise entre guillemets du dire du romantisme, de ses *topoï*, il n'en est pas moins vrai que le discours, en tant que force d'occultation même du cliché, fait éclater d'avance le réalisme du récit, sa prétention de transparence, de transitivité et d'objectivité. Si le récit démystifie, décentre le discours du sujet, il ne peut être, à son tour, de par l'équivalence du « il » au « je », que référence à l'éclatement même du sujet : une référence, en d'autres termes, à l'instance de l'énonciation et du discours précisément dans son clivage, dans son défaut d'autorité. En effaçant ainsi la distinction sécurisante entre l'histoire et le discours, Flaubert s'interroge tout à la fois sur les limites de l'ordre narratif, et sur les mystifications de l'ordre discursif. Ce que *Novembre* nous raconte, c'est justement, que raconter n'est pas si simple ni si naturel, que raconter ne peut aller de soi : l'histoire est convention, l'histoire aussi est un discours, une rhétorique, sujette aux mystifications, aux leurres des lieux communs. Cela explique pourquoi Flaubert, qui a donné le coup de pouce

1. *L'Entretien infini*, *op. cit.*, p. 558.

au réalisme, a tant voulu, lui-même, s'en démarquer. Car il voyait trop bien — même si ce fut inconsciemment — dans l'idéal de *mimésis* le leurre de l'idéologie bourgeoise cherchant à se sécuriser par l'appropriation d'une pseudo-objectivité, d'une pseudo-transitivité, comme si les actes, les événements, étaient clos, définis, substantivés, intelligibles, comme s'il était possible de s'approprier le sens des mots et leur pouvoir référentiel, comme si la représentation du sens pouvait bien assurer une intelligibilité de la consommation du sens, comme si la signification des lieux communs pouvait être cernée, délimitée, fixée une fois pour toutes.

Non, pour Flaubert, le seul réel indiscutable, c'est la part de l'illusion que véhicule la langue, c'est la puissance toute linguistique de l'illusion référentielle. Illusion référentielle commune, d'ailleurs, au réalisme et au romantisme : l'un croit à la représentation de la société, et l'autre à celle de la subjectivité. Or, pour Flaubert, cette double illusion de représentation revient au même, à la structure même de la marque dans le langage. Si, en se déplaçant du « je » au « il », Flaubert efface sa signature, se met entre guillemets et met entre guillemets le romantisme, son réalisme — sa reconnaissance de la valeur sociale et institutionnelle de la parole — ne consiste que dans le geste même de la mise entre guillemets totale et généralisée, qui implique la mise en italique de la notion même de réalité.

La découverte qu'ébauche *Novembre*, c'est justement d'avoir compris et fait comprendre, du lieu commun, non pas la position circonstancielle de citation, mais la structure même de citationnalité : la perte constitutive de l'origine et du contexte, qui fonde tout signe. Le coup de force du texte n'est pas, ainsi, la mise entre guillemets d'un énoncé précis, mais bien plutôt la mise en italique, si l'on peut dire, de l'énoncé en tant que tel, du sens en tant que tel.

Ni romantique ni réaliste, ni « je » ni « il », ni discursif ni narratif, Flaubert déroute les signes, les envoie à la dérive de leur espace de jeu, espace sans centre et sans vérité, espace, précisément, de l'interférence, de l'entre-deux. Par l'incohérence même de son style, par le déplacement obvie et explicite de ses instances élocutoires, par l'interférence et l'inter-communication de ses hétérogènes registres, *Novembre* est un texte moderne; et peut-être plus moderne que *l'Éducation sentimentale*.

Novembre, après coup, devient une sorte de commentaire d'une écriture à venir : commentaire du déplacement qui, sous le signe de Flaubert, s'opérera dans le langage. Plus que tout autre, Flaubert a bien compris que le nouveau, c'est justement le répété, compris en son principe même de répétition, principe d'itération et à la fois d'altérité. Flaubert a donc compris, en d'autres termes, que la modernité, par excellence, est lieu de l'autre : lieu d'aveuglement et d'incompréhension.

Mais la question de la modernité même de Flaubert devient, du coup, question naïve, piégée. Car si moderne est le texte qui, par l'itération du stéréotype, rejoint la différence, le texte qui se décentre et se déconstruit pour différer de lui-même, qu'avons-nous fait, en déclarant *Novembre* texte moderne, sinon l'avoir institué tout au contraire en illusion d'identité? d'identité qui *nous* ressemble? Après tout, ceux que nous croyons nous ressembler, que nous appelons modernes, sont peut-être ceux dont nous avons perdu la différence, et la modernité. Juger Flaubert moderne, c'est dire peut-être, simplement, que Flaubert nous a *séduits* par son langage; que Flaubert nous a conduits à croire que nous lui ressemblons, qu'il nous ressemble, que nous nous rencontrons au lieu commun :

> *J'étais donc ce que vous êtes tous*, un certain homme qui vit, qui dort, qui mange, qui boit, qui pleure, qui rit, bien renfermé en lui-même, et retrouvant en lui, partout où il se transporte, les mêmes ruines d'espérances sitôt abattues qu'élevées, la même poussière des choses broyées, *les mêmes sentiers mille fois parcourus*, les mêmes profondeurs inexplorées, épouvantables et ennuyeuses (p. 252).

« J'étais donc ce que vous êtes tous. » Mais nous savons déjà, et par Flaubert précisément, qu'un lieu commun — serait-ce celui de la lecture — n'est pas le même que nous pensons, mais autre. Flaubert, dès lors, est *notre* lieu commun. Et *sa* modernité n'est autre, sans doute, que, précisément, cette sorte de retard que nous avons, toujours, sur nous-mêmes.

Novembre 1974.

QUATRIÈME PARTIE

FOLIE ET PSYCHANALYSE

Ici, je serai toujours entre la toise
du savant et le vertige du fou.

Balzac, *Théorie de la démarche.*

Jacques Lacan

Folie et théorie

LA MÉPRISE ET SA CHANCE

LE SENS ET LE SAVOIR

« La vérité que poursuit la science, écrit Georges Bataille, n'est vraie qu'à la condition d'être dépourvue de sens, et rien n'a de sens qu'à la condition d'être fiction [1]. » Cette proposition pourrait définir à la fois l'enseignement et la difficulté de la psychanalyse, en tant que pratique, et *science*, de la fiction du sujet. « Qu'est-ce qu'une vérité, sinon une plainte? » dit Lacan. Or, « ce n'est pas le *sens* de la plainte qui nous importe, mais ce qu'on pourrait trouver au-delà comme définissable du réel. » Le « réel » n'est rien d'autre ici que ce qui ne dépend pas de l'idée que le sujet s'en fait : « ce à quoi, que j'y pense, n'importe pas [2] ». Et Lacan d'affirmer : « Il n'y a de vérité que mathématisée, c'est-à-dire *écrite* »; la vérité, en d'autres termes, « n'est suspensible comme vérité qu'à des axiomes : il n'y a de vérité que de ce qui n'a aucun sens [3] ».

La psychanalyse aspire-t-elle dès lors à la vérité, ou au sens? Quel est le sens *de* la psychanalyse? Cette question, dont l'urgence est devenue évidente dans le champ théorique actuel (mais on sait — par la psychanalyse — que l'évidence est précisément la chose du monde la moins *vue*), cette question du *sens* de la psychanalyse, à laquelle on ne peut aujourd'hui échapper, est une contradiction dans les termes, puisque le « sens » est toujours une fiction, et que c'est précisément la psychanalyse qui nous l'a appris. Mais la contradiction, on le sait,

---

1. G. Bataille, « L'apprenti sorcier », in *Œuvres complètes, op. cit.*, t. I, p. 526.
2. Séminaire du 23-4-1974 (inédit).
3. Séminaire du 11-2-1973 (inédit).

est le mode par excellence du fonctionnement de l'inconscient, et par conséquent, aussi, de la logique de la psychanalyse. Compter avec la psychanalyse, c'est compter avec la contradiction, avec son déséquilibre, sans le réduire à la spéculaire illusion d'une symétrie ou d'une synthèse dialectique. Si donc l'illusion spéculaire, l' « imaginaire », pour employer le terme lacanien, est lui-même un principe constitutif du *sens*, étant justement « ce qui *arrête* le déchiffrage du *symbolique* » qui, lui, ne véhicule un réel que d'être « toujours chiffré », « l'imaginaire est une dit-mension aussi importante que les autres [1] ». C'est que, à l'intérieur de la langue, le « sème » est habité par le corps : il supplée au fait que rien d'autre ne conduirait le corps vers l'Autre. Il n'y a pas de rapport *naturel* : il n'y a de rapport avec l'Autre que par « l'intermédiaire de ce qui *fait sens* dans la langue [2] ». Il faut donc non pas résoudre la contradiction, mais s'y résoudre : articuler la question du *sens* de la psychanalyse à partir de sa propre contradiction : envisager cette contradiction non comme un fait contingent, mais comme condition de possibilité même de la question de la psychanalyse : de la psychanalyse *comme question*. Ce que la psychanalyse introduit ainsi dans le champ théorique, ce n'est rien de moins que la nécessité d'un nouveau type d'articulation de sa propre question : son urgence subversive, son enjeu culturel sont ceux de la recherche, désormais irréversible, d'un nouveau statut du discours.

Si la psychanalyse, par ce qu'elle a de plus radical, subvertit le statut même du sens, tout en se condamnant à se remettre elle-même en question et à subvertir son propre sens, c'est parce que, comme le dit Lacan, « le sens *se sait* [3] » : le sens est ce qui est par excellence présent à soi, c'est donc la forme du savoir — savoir de soi — de la conscience. Or, si la découverte freudienne de l'inconscient « fait sens » (on voit là le problème, encore du sens, que le langage ne peut éliminer, problème d'appréhension par la conscience de l'inconscient qui s'y dérobe), ce « ça » qui parle livre un *langage* qui *sait*, mais sans qu'aucun sujet puisse assumer un tel savoir, ou puisse savoir qu'il sait. Il ne s'agit nullement, précise Lacan, du mythe du « non-savoir » où une avant-garde superficielle a cru trouver son compte : car non seulement il ne *suffit* pas de ne pas savoir; mais de ne pas savoir ne nous est pas *donné*. Ce dont il s'agit, c'est d'un savoir tout au contraire indestructible, mais d'un *savoir qui ne supporte pas que l'on sache qu'on sait* [4], et qui, par conséquent, n'est pas porté par le *sens*, qui,

---

1. Séminaire du 13-11-1973 (inédit).
2. Séminaire du 11-6-1974 (inédit).
3. Séminaire du 23-4-1974 (inédit).
4. Séminaire du 19-2-1974 (inédit).

lui, *se sait.* Sur ce savoir inconscient le sujet ne peut donc avoir de prise que par l'intermédiaire de la *méprise* — les effets de non-sens que sa parole enregistre : rêves, lapsus, mots d'esprit.

« Une question soudain se lève [...] : le savoir qui ne se livre qu'à la méprise du sujet, quel peut bien être le sujet à le savoir avant [1] ? » Le « sujet supposé savoir », mythe fondamental de la culture occidentale, de l'Université et du discours philosophique, ce ne peut être que « Dieu lui-même » : un reflet dans lequel se mire le « savoir » de la conscience, fantôme de puissance produit par les sortilèges narcissiques et agrandissants du miroir. « Le Dieu des philosophes, le voici débusqué de sa latence dans toute théorie. *Theoria*, serait-ce la place au monde de la théo-logie [2] ? » Le « sujet supposé savoir » vit dans le leurre et dans le fantasme. Subvertissant ce sujet, la psychanalyse radicalise une théorie de la non-transparence, une théorie, en somme, de ce que Baudelaire a appelé « le malentendu universel », et Proust, « cette perpétuelle erreur qu'on appelle, précisément, la vie ». Mais dans cette théorie, la position de la psychanalyse elle-même est problématique et relève encore de la contradiction qui régit son discours : car, comment faire la *théorie* de la méprise essentielle au sujet de la théorie? Et comment, dans l'erreur universelle, échapper soi-même à l'erreur? A quelle sorte d'écoute, ou d'entente, peut en appeler une théorie du *mal-entendu* radical? Lacan est pleinement conscient de cette position intenable dans laquelle pourtant il se tient et à laquelle il tient avec l'intensité d'un effort et d'un désir sans pareils : « Retenez au moins ce dont vous témoigne ce texte que j'ai jeté à votre adresse : c'est que mon entreprise ne dépasse pas l'acte où elle est prise, et que donc elle n'a de chance que de sa méprise [3]. » C'est dans cette position théorique intenable que réside, me semble-t-il, l'originalité bouleversante du discours lacanien. Je voudrais donc ici tenter une (trop) brève méditation sur la méprise, et sur sa chance.

GRAMMAIRE ET RHÉTORIQUE

La méprise, c'est, bien entendu, pour Lacan, « la tromperie de l'inconscient » qui, dans la langue, « se dénonce de la surcharge rhétorique dont Freud le montre argumenter [4] » : le symptôme fonctionne comme une métaphore, le désir, comme une métonymie, et les méca-

1. « La méprise du sujet supposé savoir », in *Scilicet*, n° 1, p. 38.
2. *Ibid.*, p. 39.
3. *Ibid.*, p. 41.
4. *Ibid.*, p. 32.

nismes narcissiques de défense et de résistance utilisent toutes sortes de « tropes » et de « figures de style » — périphrases, ellipses, dénégations, digressions, ironies, litotes, etc. [1]. Une théorie de la méprise sera donc une théorie de la *rhétorique* de l'inconscient : « C'est à partir des manifestations de l'inconscient, dont je m'occupe comme analyste, que je suis venu à développer une théorie des effets du signifiant où je retrouve la rhétorique [2]. » Ce projet de rhétorique est secondé chez Lacan par un projet de *grammaire :* « Telles sont les conditions de structure qui déterminent — *comme grammaire* — l'ordre des empiétements constituants du signifiant [3]. » L'accomplissement de ce double projet devrait donc établir une *grammaire de la rhétorique.*

La cohérence d'un tel projet peut paraître d'une logique évidente. Cependant, pour un logicien comme Charles Sanders Peirce, par exemple, cette logique qui assimile rhétorique et grammaire ne va pas de soi : Peirce distingue en effet la « rhétorique pure » de ce qu'il appelle la « pure grammaire ». La « rhétorique pure », c'est le célèbre procès d'engendrement d'un signe par un autre, procès de renvoi de signe à signe, dans lequel le sens à son tour ne sera qu'un autre signe et ne pourra être atteint que par l'intervention d'un *troisième* élément, que Peirce appelle l'*interprétant;* alors que la « pure grammaire » postule, selon Peirce, la possibilité d'une relation binaire, continue (sans nécessité d'intervention d'un troisième élément) entre signe et sens. En général, nous pensons à la grammaire comme à un système par excellence logique en tant que tel, identique à soi, universel et génératif, c'est-à-dire inscrivant la possibilité d'une infinité de combinaisons et de transformations à partir d'un *modèle unique*, sans l'intervention d'un autre modèle qui renverse ou subvertisse le premier [4]. Il n'en est pas de même pour la rhétorique, dont la *discontinuité* subvertit, ou tout au moins contredit, la *continuité* (logique) du modèle grammatical. La rhétorique a toujours, pour emprunter hors contexte une expression lacanienne, cette « *dimension incongrue* à quoi le psychanalyste n'a pas encore tout à fait renoncé, dans le sentiment justifié que son conformisme n'a de prix qu'à partir d'elle [5] ».

1. « L'instance de la lettre dans l'inconscient », in *Écrits, op. cit.*, p. 505.
2. « La métaphore du sujet », in *Écrits, op. cit.*, p. 889.
3. « L'instance... », art. cité, p. 502 (je souligne).
4. Nous puisons cette réflexion, de même que la distinction épistémologique entre rhétorique et grammaire, dans le remarquable article de Paul de Man, « Semiology and Rhetoric », publié dans la revue américaine *Diacritics*, n° 3, automne 1973.
5. « L'instance... », art. cité, p. 449 (je souligne).

Mais alors, s'il y a incongruence entre le modèle grammatical du continu et celui, rhétorique, du discontinu, comment comprendre l'ensemble du projet lacanien, d'établir une *grammaire* de la *rhétorique*? Il semblerait que le programme scientifique de Lacan soit de réduire, de l'inconscient, les mystifications rhétoriques à la rigueur de la grammaire. L'inconscient comme pratique et la psychanalyse comme science se modèleraient dès lors sur deux épistémologies différentes, et se sépareraient l'une de l'autre de la manière même dont la grammaire se distingue de la rhétorique. « Si le symptôme est une métaphore, ce n'est pas une métaphore que de le dire », affirme Lacan [1]. « Grammaticaliser » la rhétorique, ce serait donc la formaliser, en abstraire un concept, énoncer une théorie de la rhétorique dans une langue telle que l'opération rhétorique elle-même en soit éliminée : faire coïncider parfaitement l'énoncé et l'énonciation à propos, mais aussi à l'encontre, de la rhétorique elle-même, qui, elle, est, justement, « la loi par quoi l'énonciation ne se réduira jamais à l'énoncé d'aucun discours [2] ». L'homme poursuit son rêve, dira ailleurs Lacan, « et pour cela, il lui arrive de désirer de ne pas rêver [3] ». C'est ainsi qu'il arrive à Lacan de rêver de cesser de rêver : « Si rien de ce qui s'articule dans le sommeil n'est admis à l'analyse que de son récit, n'est-ce pas supposer que la structure du récit ne succombe pas au sommeil [4] ? » Il s'agit donc pour Lacan de s'arracher au sommeil, pour le dire, s'arracher aux mécanismes de l'inconscient pour pouvoir enfin *dire l'inconscient lui-même*.

Ce projet, est-il possible? Lacan est, bien sûr, le premier à savoir et à affirmer que, de l'inconscient, on ne « sort » pas; on ne peut donc dire l'inconscient lui-même, c'est-à-dire décoller absolument de son mode fondamental de leurre pour énoncer sans se leurrer la loi absolue du leurre : « Nous ne savons même pas si l'inconscient a un être propre, et [...] c'est de ne pouvoir dire *c'est ça* qu'on l'a appelé du nom de ça. En fait, l'inconscient *c'est pas ça*, ou bien *c'est ça, mais à la gomme* [5]. » Conséquence logique que Lacan formule également en disant « qu'il n'y a pas de métalangage, plus aphoristiquement, qu'il n'y a pas d'Autre de l'Autre [6] ». Cependant, qu'est-ce qu'une *grammaire* (une grammaire formalisée) sinon, littéralement, le métalangage par excellence? La grammaire est donc — et Lacan le sait — (encore)

---

1. « L'instance... », art. cité, p. 528.
2. « La métaphore... », art. cité, p. 889.
3. Séminaire du 12-3-1974 (inédit).
4. « De la psychanalyse dans ses rapports avec la réalité », in *Scilicet*, nº 1, p. 56.
5. « La méprise du sujet supposé savoir », art. cité, p. 35.
6. « Subversion du sujet et dialectique du désir », *Écrits, op. cit.*, p. 313.

un désir impossible : désir d'établir *la* norme, une règle de *correction :* désir d'échapper donc, précisément, à la *méprise* de l'entreprise, d'être, pour une fois, *non-dupe*. Mais qui sait mieux que Lacan que « les non-dupes errent [1] »? L'écriture lacanienne articule ainsi le tourment de la logique. Et la chance du discours lacanien, ce qui lui donne sa chance et ce qui en fait la nôtre, c'est l'étincelle que produit, dans la langue, ce double désir contradictoire : un désir de grammaire doublé d'un désir de rhétorique. C'est par cette contradiction que le discours lacanien rejoint, précisément, le *réel :* le réel, c'est-à-dire l'*impossible*.

UN RIEN D'ENTHOUSIASME

Ce désir contradictoire, le discours lacanien l'éprouve à la fois comme complication et comme simplification : complication ironique, infiniment sophistiquée, d'une théorie de la méprise qui n'excepte — en toute conscience — ni son auteur ni ses destinataires; simplification pathétique de ce qu'on pourrait appeler le sens de l'échec qui traverse ce discours [2], et qui trouve, d'autre part, sa contrepartie dans l'intensité de l'affirmation et dans l'urgence de l'enthousiasme. « Ce qui nous est permis d'originalité, dit Lacan, se limite au rogaton que nous en avons adopté d'enthousiasme [...] de ce que Freud l'ait une fois dénommé [3]. » L'urgence de l'enthousiasme a pour fonction d'arracher l'affirmation à l'incertitude, au doute de sa propre contradiction et de sa propre complication. Elle manifeste donc, dans la logique, la fonction du désir [4], cette « fonction de la hâte [5] » nécessaire pour produire une affirmation dans une logique plurielle. L'urgence passée, l'enthousiasme inévitablement retombe dans le sens de l'échec, reconnaît la naïveté et l'aveuglement de son propre vertige. Lacan fait alors le bilan — à l'intérieur de son désir et de sa visée de *grammaire* — de sa propre *rhétorique* inconsciente. « Un rien d'enthousiasme est dans un écrit la trace à laisser la plus sûre pour qu'il date, au sens regrettable. » C'est ainsi que Lacan introduit son célèbre discours de Rome, « Fonction et champ de la parole et du langage en psychana-

1. Titre du séminaire de Lacan en 1973-1974.
2. Cf. « La psychanalyse : raison d'un échec », in *Scilicet*, n⁰ 1, p. 42-50.
3. « Introduction de *Scilicet* », *Scilicet*, n⁰ 1, p. 5-6.
4. Cf. l'insistance de Lacan sur « le désir de l'analyste » : *le Séminaire*, livre XI, *les Quatre Concepts fondamentaux de la psychanalyse*, Paris, Éd. du Seuil, 1973, p. 145.
5. Cf. « Le temps logique et l'assertion de certitude anticipée », in *Écrits, op. cit.*, p. 197-211.

lyse » : « Nous voulons parler du sujet mis en question par ce discours, quand le remettre en place ici du point où nous ne lui avons pas fait défaut pour notre part, est seulement faire justice au point où il nous donne rendez-vous [1]. » Le mouvement du texte lacanien obéit ainsi au principe bachelardien : « Commençons par admirer. On verra ensuite s'il faudra, par la critique, par la réduction, organiser notre déception [2]. »

« Un rien d'enthousiasme » est ainsi la trace la plus sûre à laisser dans un écrit pour qu'il date. Mais qu'est-ce que c'est que « dater »? Lorsqu'il s'agit de Lacan, « dater », c'est d'abord *faire date*, c'est-à-dire apporter au discours culturel une articulation nouvelle : « un renouvellement de l'alliance avec la découverte de Freud [3] ». Mais puisque cette novation, ce « renouvellement de l'alliance » se rallie, précisément, à une structure de fuite, consiste en l'articulation linguistique de la structure même par laquelle la vérité se barre et s'échappe, la modernité ne peut s'installer que dans la dimension de la perte. La modernité, c'est ce qui se perd : ce qu'on ne peut que perdre dans et par le mouvement même de l'enthousiasme de l'avoir découvert. L'enthousiasme devient, dès lors, le cachet de la « chance manquée », ce mouvement unique par lequel nous venons à la rencontre de ce dont nous nous éloignons. « S'il est vrai que la psychanalyse repose sur un conflit fondamental, sur un drame initial et radical quant à tout ce qu'on peut mettre sous la rubrique du psychique, la novation à laquelle j'ai fait allusion [...] ne prétend pas être une position d'exhaustion par rapport à l'inconscient, puisqu'elle est, elle-même, intervention dans le conflit [...] Cela indique que la cause de l'inconscient [...] doit être conçue comme une cause perdue. Et c'est la seule chance de la gagner [4]. »

Cette dimension radicale de la perte, c'est donc, là encore, la perte de la sécurité du métalangage, la perte d'une « position d'exhaustion » qui serait celle-là même d'une *grammaire :* c'est la dimension —incontournable — de la *rhétorique*, de son « mode d'achoppement », par lequel le discours découvre qu'il ne peut que participer à la rhétoricité pour la dire rhétoriquement encore, qu'il ne peut énoncer, à défaut d'une grammaire, qu'une *rhétorique de la rhétorique :* « Achoppement, défaillance, fêlure. Dans une phrase prononcée, écrite, quelque chose vient à trébucher [...] Là, quelque chose d'autre demande à se réaliser — qui apparaît comme intentionnel, certes, mais d'*une étrange tem-*

---

1. « Du sujet enfin en question », *ibid.*, p. 229.
2. G. Bachelard, *La Poétique de l'espace*, Paris, PUF, 1958, p. 197-198.
3. *Le Séminaire*, livre XI, *op. cit.*, p. 117.
4. *Ibid.*, p. 116-117.

poralité [1]. » Cette « étrange temporalité », c'est le défaut de présent, la non-présence à soi du mode de la « défaillance » rhétorique. C'est dans ce sens aussi que la rhétorique du désir et de l'enthousiasme ne peut que *dater :* car elle n'est pas contemporaine à son propre énoncé. « Il n'est pas de présent, écrit Mallarmé, non — un présent n'existe pas [...] Mal informé celui qui s'écrierait son propre contemporain [2]. »

Dire que l'enthousiasme « date », c'est donc dire qu'il a tracé un à-venir qui, précisément, le dé-passe : que le texte en a recueilli à la fois plus et moins qu'il n'en attendait; que l'urgence — émotive et logique — a inscrit dans le langage un point de fuite, une écriture *auto-transgressive;* c'est dire que le texte a organisé — comme il se doit — la déception, a déçu son propre enthousiasme, a subverti son fantasme, récusé l'autorité même de sa propre rhétorique.

L'enthousiasme c'est, à n'en pas douter, ce qui passe; ce n'est donc *rien;* rien d'autre, en tout cas, que ce qui nous passe. « Ici s'inscrit cette *Spaltung* dernière par où le sujet s'articule au Logos, et sur quoi Freud commençant d'écrire, nous donnait à la pointe ultime d'une œuvre aux dimensions de l'être, la solution de l'analyse " infinie ", quand sa mort y mit le mot *Rien* [3]. »

> Rien, cette écume, vierge vers
> A ne désigner que la coupe [4].

« Un rien d'enthousiasme » n'a en effet de chance qu'à aboutir, précisément, au *rien* de l'enthousiasme. N'est-ce pas là tout à la fois, la méprise — et la chance — essentielles au *transfert?* « Dans ce virage où le sujet voit chavirer l'assurance qu'il prenait de ce fantasme où se constitue pour chacun sa fenêtre sur le réel, ce qui s'aperçoit, c'est que la prise du désir n'est *rien* que celle d'un désêtre [5]. » Dans le « transfert d'intensité [6] » inhérent à la répétition du désir, constitutif

---

1. *Le Séminaire*, livre XI, *op. cit.*, p. 27.
2. Mallarmé, « L'action restreinte », in *Œuvres complètes, op. cit.*, p. 372.
3. « La direction de la cure », in *Écrits, op. cit.*, p. 642.
4. Mallarmé, « Salut », in *Œuvres complètes, op. cit.*, p. 27.
5. « Le psychanalyste de l'école », in *Scilicet*, n° 1, p. 25 (je souligne).
6. Cf. Freud, *L'Interprétation des rêves, op. cit.*, chap. VII, p. 478, 480 : « ... il faut bien comprendre l'importance du désir inconscient [...] la psychologie des névrosés [...] nous apprend que la représentation inconsciente ne peut, en tant que telle, pénétrer dans le préconscient et qu'elle ne peut agir dans ce domaine que si elle s'allie à quelque représentation sans importance qui s'y trouvait déjà, à laquelle elle *transfère son intensité* et qui lui sert de couverture. C'est là le phénomène du transfert [...]. Ainsi donc les restes diurnes [...] non seulement empruntent à l'inconscient [...] la force pulsionnelle dont dispose le désir refoulé, mais encore offrent à l'inconscient quelque chose : le point où il faut s'attacher pour réaliser le transfert. »

de la cure psychanalytique, mais aussi de « cette erreur qu'on appelle, précisément, la vie », ce qui cherche à se réaliser c'est quelque chose, pourrait-on dire, comme une opération métaphorique, un désir de métaphore. Mais ce qui s'accomplit à chaque fois, c'est l'échec de l'analogie spéculaire, l'échec de la métaphore à atteindre et à nommer son sens propre. « Si le psychanalyste ne peut répondre à la demande, c'est seulement parce qu'y répondre est forcément la décevoir, puisque ce qui y est demandé, est en tout cas Autre-Chose, et que *c'est justement ce qu'il faut arriver à savoir* [1]. » Si dans l'opération transférentielle le psychanalyste tient, précisément, la place du *rien* de l'enthousiasme, celle de l' « objet petit a » qui matérialise, du désir, le désêtre, l'aboutissement du transfert, la nomination du Rien, apprend au sujet que la métaphore aveugle de sa destinée est dépourvue de sens propre, puisqu'elle ne peut parvenir à nommer qu'une métonymie (l'objet *a*). C'est dire que le psychanalyste, en jouant le rôle du non-propre (que l'analysant se leurre à lire comme un nom propre), tient la place — radicalement autre — du rhétorique par excellence, et que la tâche de la cure est donc d'arriver à déconstruire l'illusion grammaticale du « propre » pour réconcilier le sujet à sa propre rhétorique.

LE STATUT DE L'ENSEIGNEMENT : UNE ÉTHIQUE DE L'INCONSCIENT

Si le transfert est « la mise en acte de la réalité de l'inconscient [2] », il est évident qu'il excède et déborde les limites strictement professionnelles de la psychanalyse, qu'il existe à peu près partout où s'exercent les effets du langage, où se pratiquent, de façon poursuivie, des expériences de parole et d'interlocution; et notamment dans l'enseignement. La situation transférentielle exemplaire de l'enseignement, c'est celle qu'évoque *Le Banquet* de Platon : « Où est mieux dit que ne l'y fait Alcibiade, que les embûches d'amour du transfert n'ont de fin que d'obtenir ce dont il pense que Socrate est le contenant ingrat? Mais qui sait mieux que Socrate qu'il ne détient que la signification qu'il engendre à retenir ce rien [3]? » Le « Maître » de l'enseignement — illusion du « sujet supposé savoir » — tient, lui aussi, dans le réel, la place radicalement autre du *rien* de l'enthousiasme. Or, loin de récuser cette incidence transférentielle, l'enseignement devrait l'assumer : « On a reproché à mon séminaire de jouer, par rapport à mon

1. « La psychanalyse : raison d'un échec », art. cité., p. 44 (je souligne).
2. *Le Séminaire*, livre XI, *op. cit.*, p. 159.
3. « Le psychanalyste de l'école », art. cité, p. 22.

audience, une fonction considérée [...] périlleuse, d'intervenir dans le transfert. Or, loin que je la récuse, cette incidence me paraît en effet radicale, pour être constitutive de ce renouvellement de l'alliance avec la découverte de Freud [1]. » Ce que Lacan propose donc ici, c'est l'exemple d'une praxis formative par laquelle il essaie de se mesurer avec cette autre tâche que Freud disait impossible, parmi les trois tâches dont l'action est fondée sur le mirage qui régit leur fonction : psychanalyser, gouverner, éduquer. Mais là encore, l'impossible devient pour Lacan, précisément, un impératif du Réel; et l'on sait que pour Lacan, le statut de l'inconscient n'est pas ontique, mais *éthique* : « Le statut de l'inconscient, que je vous indique si fragile sur le plan ontique, est éthique. Freud dans sa soif de vérité dit — *Quoi qu'il en soit, il faut y aller* [2]. » Ce que Lacan pratique donc, dans un effort d'enseignement dont l'intensité relève à la fois du pathos d'une « vocation » et de l'acuité d'une prise de conscience, de la « cruauté » (comme dirait Artaud) d'une lucidité et d'une rigueur intellectuelle, toutes deux tendues à « cette pointe de l'existence qu'est le pari [3] », c'est, en même temps que la recherche d'un nouveau statut du discours, celle d'un nouveau type, d'un nouveau statut de l'enseignement.

Il me semble qu'à travers ce pari, ce pari qui nous engage tous, se mesure, dans un acte encore sans mesure, l'insolite du geste lacanien, de confronter, si l'on peut dire, la psychanalyse à sa propre folie, de la pousser — en prenant tous les risques — aux limites de ses conséquences logiques.

« Ce que la psychanalyse nous enseigne, comment l'enseigner ? » se demande donc Lacan. Question qu'il articule non pour les techniciens de la cure, mais pour « les tenants de disciplines très diverses » [4]. Quel peut bien être cet enseignement qui assumerait en toute conscience son incidence transférentielle, c'est-à-dire qui assumerait à la fois la méprise — et sa chance? Ce serait, tout d'abord, un enseignement qui romprait avec le jeu de miroir du « sujet supposé savoir », qui romprait avec la fausse entente narcissique de la relation duelle; ce serait un enseignement fondé sur une « altérité plus ferme »[5], où le « Maître » assumerait et articulerait la radicale *non-maîtrise* qu'implique l'inconscient, assumerait et expliciterait son « rang [6] »

---

1. *Le Séminaire*, livre XI, *op. cit.*, p. 116.
2. *Ibid.*, p. 34.
3. « La psychanalyse : raison d'un échec », art. cité, p. 48.
4. « La psychanalyse et son enseignement », *Écrits, op. cit.*, p. 439, 440.
5. *Ibid.*, p. 441.
6. Cf., à propos de l'analyste : « Cette place de personne, comme le nom *personne* l'indique, — une place de rang à tenir, de semblant : il s'agit de tenir le rôle de l'analyste » (Séminaire du 9-4-1974, inédit).

(sa position, sa place) du Rien de l'enthousiasme, pour subvertir le fantasme et *transformer le leurre en question*[1]. Ce serait donc un enseignement éminemment ironique, c'est-à-dire, encore et toujours, radicalement *rhétorique* (stratégique) : un enseignement, dit Lacan (en parlant de Saussure, mais c'est aussi bien ce que démontre son propre exemple), « un enseignement digne de ce nom, c'est-à-dire *qu'on ne peut arrêter que sur son propre mouvement*[2] ». Ce sera donc un enseignement, non de transparence mais d'obstacle, un enseignement *de* et *par* la « méprise », l'achoppement et la distorsion textuelle : « Tout retour à Freud qui donne matière à un enseignement digne de ce nom, ne se produira que par la voie par où la vérité [...] se manifeste dans les révolutions de la culture. Cette voie est la seule formation que nous puissions prétendre à transmettre à ceux qui nous suivent. Elle s'appelle : un style[3]. »

Mais qu'est-ce qu'un style?

LE SAVOIR SUPPOSÉ SUJET : LA GOUTTE D'ENCRE

Un « style » c'est, bien entendu, quelque chose qui se passe dans le langage; c'est un événement — ou un avènement — textuel, c'est-à-dire une écriture. L'écriture de Lacan incorpore, elle aussi, la méprise, et sa chance. Elle parcourt, du désir, la difficulté des voies obstruées. Elle écrit donc, comme dit Mallarmé, « noir sur blanc » (en prenant l'expression à la lettre), c'est-à-dire en obscurcissant avec l'encrier même de l'inconscient, en ne produisant une *lumière* qu'à force de projeter quelque part des *ombres*.

> Écrire —
> L'encrier, cristal comme une conscience, avec sa goutte, au fond, de ténèbres [...] écarte la lampe[4].

L'écriture de Lacan, se rapprochant tant de celle de Mallarmé, assume en effet son irréductible part *littéraire*, c'est-à-dire la part d'un aveuglement *informant* des instants fulgurants de savoir et de clairvoyance. La chance de la méprise réside dans le renversement — renversement textuel — du « sujet supposé savoir » : « Je propose, dit Lacan, comme formule de l'écrit, *le savoir supposé sujet*[5]. » Le savoir,

1. Cf., à propos du « transfert », *Écrits, op. cit.*, p. 452.
2. *Ibid.*, p. 497.
3. « La psychanalyse et son enseignement », art. cité, p. 458.
4. Mallarmé, « L'action restreinte », art. cité, p. 370.
5. Séminaire du 9-4-1974 (inédit).

c'est le savoir de la connexion des signifiants, savoir qui échappe au sujet, mais aussi, qui le constitue en tant que celui qui justement *sait*, au moyen de la langue, *s'échapper* : « Un sujet ne suppose rien, il est supposé. Supposé, enseignons-nous, par le signifiant qui le représente pour un autre signifiant [1]. » Si l'écriture lacanienne s'arrête avec tant d'insistance et d' « instance » sur l'opacité de la lettre, sur la *matérialité* du signifiant et de ses sur-prises anagrammatiques, sur le jeu éperdu du mot d'esprit, c'est pour tâcher de « rejoindre la méprise en son lieu [2] », en ce lieu de langage où, précisément, se situe l'écriture : là où *nous sommes joués*. C'est ainsi qu'il faut comprendre l' « anorthographie » lacanienne : « l'écrit comme pas-à-lire » est « une demande à interpréter » [3]; interpréter, c'est-à-dire trébucher sur l'*arbitraire* du signe pour en apprendre, précisément, qu'il n'y a pas de hasard; trébucher sur l'arbitraire du signe pour en apprendre à interpréter, justement, le *non-arbitraire* de la connexion des signifiants. Non-arbitraire de l'arbitraire en quoi consiste le savoir des poètes, mais aussi le besoin de poétiser inhérent à l'écriture lacanienne. « Et comme l'a fait remarquer depuis longtemps Platon, il n'est pas du tout forcé, il est même préférable que le poète ne sache pas ce qu'il fait. C'est ce qui donne à ce qu'il fait une valeur primordiale. Et c'est en quoi il n'y a vraiment qu'à courber la tête [...] Interpréter l'art, c'est ce que Freud a toujours [...] répudié; ce qu'on appelle " psychanalyse de l'art " est encore plus à écarter que la fameuse " psychologie de l'art " qui est une notion délirante. De l'art, nous avons à prendre de la graine; à prendre de la graine pour autre chose [4]. »

Lacan, en effet, « n'interprète » pas la poésie. il « en prend de la graine », l'incorpore, l'écrit — et la cite. Et une des raisons qui rendent son texte si difficile d'accès, c'est qu'il est (comme lui-même le dit de Freud) « une encyclopédie des arts et des muses », un « fil tissé d'allusions et de citations, de calembours et d'équivoques » [5]. Mais il faut comprendre ce statut difficile, incompréhensible, « écrit comme pas-à-lire » de la citation dans la texte de Lacan. Lacan peut citer — Heidegger par exemple — tout en prenant ses distances d'avec sa doctrine philosophique : « Quand je parle de Heidegger ou plutôt quand je le traduis, je m'efforce de laisser à la parole qu'il profère sa signifiance souveraine [6]. » *Signifiance souveraine* veut dire que la citation, dans

---

1. « Le psychanalyste de l'école », art. cité, p. 19.
2. « De la psychanalyse dans ses rapports avec la réalité », art. cité, p. 56.
3. *Le Séminaire*, livre XI, *op. cit.*, p. 252.
4. Séminaire du 9-4-1974 (inédit).
5. « L'instance... », art. cité, p. 521.
6. *Ibid.*, p. 528.

le corps du texte, demeure un corps étranger; qu'elle fonctionne non comme *sens* (qui « se sait ») mais comme *signifiant* qui est toujours déplacé, toujours importé d'un autre texte, d'une autre scène. La citation s'articule donc au texte — à la manière du signifiant — par la béance d'un déplacement non-articulé : la connexion des signifiants, l'*articulation* des différentes références citées, est ce qui, par définition ne peut jamais être *thématisé*, présent à soi dans le texte.

C'est pourtant ce que le discours philosophique refuse de comprendre, ou refuse d'accepter, dans le discours lacanien. Les philosophes reprochent à Lacan, précisément, ce statut — inédit — de la citation dans son texte. La « signifiance souveraine » que Lacan voudrait laisser, par exemple, à la parole de Heidegger leur apparaît comme un non-sérieux, comme une « légèreté » philosophique :

> On dira que c'est évidemment une manière de ne pas *lire* cette parole, d'éviter ou de refuser de la lire [...] On pourra également dire qu'il y a là quelque légèreté (ou trop d'habileté) à passer ainsi de manière fulgurante d'un plan à l'autre, et à résoudre « miraculeusement » toute la difficulté de la signifiance dans une évocation [1].

En rencontrant, dans le champ théorique, l'écriture en effet « fulgurante » de Lacan, le discours philosophique, à sa façon spécifique, ne peut qu'*en manquer la rencontre* (mais il est bien évident que toutes les rencontres sont manquées : la différence, là encore, est de « style »); en manquer la rencontre, c'est-à-dire concrétiser un certain type de « méprise », et produire, dans une analyse philosophiquement remarquable, la « signifiance souveraine » de ce qu'on pourrait appeler *le malentendu de la rigueur* : une méconnaissance radicale du statut lacanien de la citation et, par conséquent, le refus de l'ellipse, ou de l' « inarticulation »; le refus du discours lacanien en tant que discours du *texte*, « écrit comme pas-à-lire », discours dont le sens refuse de se mirer et de s'épuiser dans un savoir-de-soi, discours dont, précisément, le propre de l'*articulation* est de véhiculer, de faire jouer et de dire un *maximum possible d'inarticulation*.

« NE VOIS-TU PAS QUE JE BRÛLE? » OU LACAN ET LA PHILOSOPHIE

Dans une lecture critique de l' « écrit » lacanien intitulé « L'instance de la lettre dans l'inconscient », dans lequel Lacan « transfère »

1. J.-L. Nancy et Ph. Lacoue-Labarthe, *Le Titre de la lettre, Une lecture de Lacan*, Paris, Galilée, 1973, p. 136-137.

la découverte freudienne sur Saussure, des philosophes peuvent ainsi écrire : « Il s'agit donc d'articuler ensemble linguistique et psychanalyse [...] Or c'est précisément ce qui manque [...] l'articulation manque[1]. » Chose curieuse, au lieu du « manque » on retrouve, dans le texte de Lacan, une singulière métaphore que les auteurs relèvent :

> Mais ne sentons-nous pas depuis un moment que d'avoir suivi les chemins de la lettre pour rejoindre la vérité freudienne, nous brûlons, son feu prenant de partout[2].

Et les philosophes de commenter : « Mais ce que ce feu brûle et dévaste ici, ce n'est rien d'autre, finalement, que l'articulation elle-même. Au lieu où devrait se produire l'ajointement systématique de Saussure et de Freud, ça brûle, et de telle sorte que de cette constitution de la science de la lettre, nous risquons de n'avoir plus à déchiffrer que la cendre[3]. »

Ce que la philosophie ne peut ainsi accepter, c'est un discours qui *brûle les étapes*. Le discours philosophique se définit de la sorte par une exigence d'exhaustion de l'articulation : de l'articulation *articulée*, donc thématisée. C'est dire que, même en suivant — comme la philosophie le fait aujourd'hui — des chemins de plus en plus tortueux, qui épuisent toutes les déviations et tous les détours possibles et qui « ne mènent nulle part », le discours philosophique, malgré ses dénégations, se construit encore, fondamentalement, sur une exigence linéaire de déviation contrôlée et de développement ininterrompu, et sur une croyance constitutive en la continuité (et en l'exhaustivité) du Chemin. Le paradoxe et la contradiction de la philosophie aujourd'hui, c'est qu'elle essaie précisément de dire, par des chemins *continus*, la radicalité de la *discontinuité*. La position de Lacan paraît être symétriquement opposée : s'il semble que Lacan désirerait énoncer la *continuité* d'une logique et d'une mathématique de l'inconscient, il est sûr en tout cas qu'il s'y emploie par des chemins *discontinus*. Ces deux positions respectives, symétriquement mais aussi, contradictoirement contradictoires et dissymétriques, sont symptomatiques à la fois de la difficulté et de l'ambiguïté de l'enjeu culturel moderne, celui, justement, de la recherche d'un nouveau statut du discours.

Si la psychanalyse et la philosophie se trouvent donc toutes deux, aujourd'hui, aux prises avec la nécessité dramatique, avec l'urgence

1. J.-L. Nancy et Ph. Lacoue-Labarthe, *op. cit.*, p. 84-85.
2. « L'instance... », art, cité, p. 509; cité par J.-L. Nancy et Ph. Lacoue-Labarthe, *op. cit.*, p. 83.
3. J.-L. Nancy et Ph. Lacoue-Labarthe, *op. cit.*, p. 86.

inéluctable de rompre avec le « Sens », de « sortir » radicalement de l'épistémologie de la présence et de la conscience, elles se trouvent également toutes deux aux prises avec la difficulté (avec l'impossibilité?) de placer leur discours à la hauteur de leurs découvertes et de leurs programmes, de se mesurer avec l'exigence immesurable, avec la radicalité inouïe de la révolution freudienne.

Rimbaud :

> — L'esprit est autorité, il veut que je sois en Occident. Il faudrait le faire taire pour conclure comme je voulais [1].

A la fois le discours lacanien et le discours philosophique (« postphénoménologique ») ont donc produit aujourd'hui des « horribles travailleurs [2] » qui déclarent refuser, de part et d'autre, le concept et le « savoir » qu'il implique. Ce refus, cependant, s'articule de deux façons différentes : poétiquement, chez Lacan; discursivement, chez les philosophes. Or, entre philosophes et poètes, ce sont paradoxalement les derniers qui sont peut-être les moins naïfs. Car si les philosophes aujourd'hui croient savoir qu'ils ne savent pas, les poètes, eux, savent qu'ils savent, mais ne savent pas quoi.

A la déconstruction discursive, philosophique, répond, chez Lacan, une déconstruction textuelle, rhétorique et anagrammatique. Or, nous avons vu que le désir (impossible) de Lacan est d'établir — rhétoriquement — une *grammaire* de la *rhétorique*. On pourrait, inversement, définir le discours philosophique comme un projet d'épuiser les ressources de la grammaire, et d'élaborer ainsi — *grammaticalement* — une *rhétoricité* radicale : une rhétorique de la rhétorique.

C'est ainsi que, tout en reprochant au discours lacanien, précisément, son moment de « dénégation » de la « rhétoricité » radicale [3], ce moment de son texte où Lacan semble vouloir « arrêter » et « fixer » le rhétorique et le métaphorique (dans son insistance sur le verbe *être* : « Si le symptôme *est* une métaphore, ce n'est pas une métaphore que de le dire »), la lecture philosophique ne relève à son tour dans le texte lacanien la métaphore (en l'occurrence, celle du feu : ce « feu » de la vérité freudienne qui nous brûle, « prenant de partout ») que pour précisément la fixer et l'arrêter : l'interroger, en d'autres termes, non sur sa « rhétoricité », son *fonctionnement* rhétorique, textuel, dans l'écriture lacanienne, mais sur son *sens*, son sens propre. La métaphore est donc vite arrêtée, et la « clôture » décidée : « *Il*

---

1. Rimbaud, « L'impossible », in *Œuvres, op. cit.*, p. 326.
2. Rimbaud, lettre dite « du Voyant », in *Œuvres, op. cit.*, p. 346.
3. J.-L. Nancy et Ph. Lacoue-Labarthe, *op. cit.*, p. 149.

est bien connu que la Révélation s'inscrit en lettres de feu. Ou du moins que ce qui se révèle est feu [1]. »

De l'aveu même des auteurs, on ne peut apprendre de la métaphore du « feu » que « ce qui est bien connu ». Et s'il est bien connu, aujourd'hui, qu'en effet « Dieu est mort », il n'est pas moins connu que le discours philosophique « post-nietzschéen » n'en a pas pour autant fini de le *tuer*, de tuer son fantôme. Ainsi, dans le texte de Lacan, la lecture philosophique a vite fait d'atteindre le feu, pour l'éteindre. Le risque d'incendie écarté, le chemin (désormais) philosophique sera poursuivi avec l'application et la sécurité d'une « lenteur [2] », c'est-à-dire sans brûler les étapes.

Pour résoudre l'énigme du feu, Freud, lui, procède autrement, justement à propos du rêve fantastique de l'incendie qui brûle un cadavre. « Voici un rêve », nous dit Freud, mais on pourrait le dire en réplique à toute lecture philosophique, « voici un rêve qui ne pose aucun problème d'interprétation, dont le sens est immédiatement accessible, et cependant nous remarquons qu'il garde encore ce caractère essentiel qui sépare nettement les rêves de la pensée éveillée et exige une explication. Ce n'est qu'une fois le travail d'interprétation déblayé que nous pouvons voir combien notre étude [...] est restée incomplète [...] Tous les chemins que nous avons jusqu'ici empruntés nous ont conduit à des solutions claires et satisfaisantes, nous allons maintenant vers l'obscurité. Il nous est impossible d'*expliquer* le rêve [...], car *expliquer signifie ramener à ce qui est déjà connu* [3]. » Rappelons brièvement le contenu et les circonstances du rêve en question, car le feu qui y brûle nous permettra de mieux interroger l'impact de la métaphore du feu sur la découverte freudienne, et sa *rhétoricité* dans le texte lacanien. Un vieillard a été chargé de la veillée mortuaire d'un enfant qui, après une longue maladie, vient de mourir; le père, qui s'est assoupi, à force de fatigue, dans une chambre voisine, « rêve que l'*enfant est près de son lit, lui prend le bras, et murmure d'un ton de reproche : " Ne vois-tu donc pas que je brûle ?"* Il [le père] s'éveille, aperçoit une vive lumière provenant de la chambre mortuaire, s'y précipite, trouve le vieillard assoupi, le linceul et un bras du petit cadavre ont été brûlés par un cierge qui est tombé dessus [4]. » Freud, à propos de ce rêve, analyse justement la question du réveil, et les rapports dynamiques entre le sommeil et la veille. C'est de ce singulier exemple qu'il déduit que, si le rêve, provoqué par la perception ensom-

---

1. J.-L. Nancy et Ph. Lacoue-Labarthe, *op. cit*, p. 86 (je souligne).
2. *Ibid.*, p. 96.
3. Freud, *L'Interprétation des rêves, op. cit.*, chap. VII, p. 435 (je souligne).
4. *Ibid.*, p. 439 (Freud souligne).

meillée de la lumière de l'incendie réel, prolonge néanmoins le sommeil à l'encontre de l'urgence du réveil, c'est qu'il a pour fonction, non seulement de réaliser le désir du père de prolonger la vie de l'enfant, mais aussi de combler un besoin du corps, d'intégrer la réalité au songe pour réaliser un *désir de dormir*. Stimulé par l'énigme du rêve, Freud, dans son génie, a su donc poser — comme toujours — une question inédite, radicale : *qu'est-ce qui réveille?* et du même coup : qu'est-ce qui *empêche de se réveiller?* Lacan, à sa manière, déplace quelque peu la question freudienne, la radicalise autrement en se demandant : « Où est-elle, *la réalité*, dans cet accident [1]? » Question que je traduirai ainsi : la réalité du désir qui nous régit et qui nous écrit, est-elle de l'ordre du « feu » du sommeil, ou de celui du réveil? Où se trouve, précisément, le *feu* dans cette aventure onirique? Le feu, est-ce celui qui brûle le vivant dans son sommeil, ou celui qui, dans une chambre voisine, métonymique, se répète pour brûler un cadavre, pour continuer fatalement, fantastiquement, à consumer le corps même d'un amour mort? La rhétoricité du « feu » lacanien, mais aussi la « brûlure » rhétorique de tout texte, se passe justement à ce niveau de rencontre manquée, de rencontre *non articulée*, mais dynamiquement métonymique, entre le sommeil et la veille. On ne peut ici que citer Lacan, pour laisser à son écriture sa signifiance souveraine : « Où est-elle, la réalité, dans cet accident? — sinon qu'il se répète quelque chose, en somme plus fatal, *au moyen* de la réalité — d'une réalité où celui qui était chargé de veiller près du corps, reste encore endormi, même d'ailleurs quand le père survient après s'être réveillé. Ainsi la rencontre, toujours manquée, est passée entre le rêve et le réveil, entre celui qui dort toujours et dont nous ne saurons pas le rêve, et celui qui n'a rêvé que pour ne pas se réveiller. [...] C'est dans le rêve seulement que peut se faire cette rencontre vraiment unique [...], rencontre immémorable — puisque personne ne peut dire ce que c'est que la mort d'un enfant — sinon le père en tant que père — c'est-à-dire nul être conscient. Car la véritable formule de l'athéisme n'est pas que *Dieu est mort* — même en fondant l'origine de la fonction du père sur son meurtre, Freud protège le père — la véritable formule de l'athéisme, c'est que *Dieu est inconscient* [2]. »

On le voit, la question qu'articule Lacan n'est pas celle du philosophique, « quel est le *sens* (im) *propre* du feu? », mais une question que, pour ma part, j'appellerai *littéraire*, la question du textuel, du *rhétorique* par excellence, « où est le feu qui nous brûle? » Mais

---

1. *Le Séminaire*, livre XI, *op. cit.*, p. 57.
2. *Ibid*, p. 58.

aussi bien cette question est celle-là même de l'indécidable, puisque
le feu est dans les *deux* pièces, à la fois dans la veille et dans le sommeil,
se déplaçant dans une brûlure dynamiquement métonymique, et que
le feu ne « prend de partout » que parce que l'*on ne sait pas où il est*.
« Dans ce monde tout entier assoupi, seule la voix s'est fait entendre
— *Père, ne vois-tu pas, je brûle*. Cette phrase elle-même est un brandon
— à elle seule, elle porte le feu là où elle tombe — et on ne voit pas
ce qui brûle, car la flamme nous aveugle sur le fait que le feu porte sur
l'*unterlekgt*, sur l'*untertragen*, sur le réel [1]. »

L'écriture de Lacan nous ébranle, précisément, parce qu'elle est
consumée par un « feu » qui n'est pas *localisable* par un discours du
Sens. Lire Lacan, c'est se soumettre à un véritable Pèse-Nerfs, s'expo-
ser à un aveuglement qui *nous travaille* et *nous pense*, sans même que,
nécessairement, nous en épuisions la compréhension. C'est dire que le
texte, dont la singulière articulation véhicule en effet un maximum
possible d'inarticulation, pense au-dessus de ses moyens, et nous
pense au-dessus des nôtres.

> Appuyer, selon la page, au blanc, qui l'inaugure son ingénuité, à
> soi, oublieuse même du titre qui parlerait trop haut ; et quand s'aligna,
> dans une brisure, la moindre, disséminée, le hasard vaincu mot par
> mot, indéfectiblement le blanc revient, tout à l'heure gratuit, certain
> maintenant, pour conclure que rien au-delà et authentiquer le silence [2].

Lacan a effectué dans le champ théorique actuel une très subtile
et très complexe opération transférentielle — dans tous les sens du
terme. C'est dire sans doute qu'il est le *Rien* de notre enthousiasme ;
mais aussi bien, qu'il détient dans notre histoire culturelle « le privilège de l'Autre » : qu'il a fait à la psychanalyse et au champ théorique, culturel, justement, « le don de ce qu'il n'a pas ; soit ce qu'on
appelle son amour [3] ».

Juin 1974.

1. *Le Séminaire*, livre XI, *op. cit.*, p. 58.
2. Mallarmé, « Le mystère dans les lettres », in *Œuvres*, *op. cit.*, p. 387.
3. *Écrits*, *op. cit.*, p. 691.

Henry James

Folie et interprétation

PIÈGE POUR LA PSYCHANALYSE :
LE TOUR DE VIS DE LA LECTURE

Quel rapport peut-il exister entre le geste de tourner une vis et la littérature? Quel rapport peut-il exister entre le geste de tourner une vis et la psychanalyse? Existe-t-il un rapport entre ces deux questions? A supposer qu'il existe, ce rapport pourrait-il définir le statut de la littérature? Voici d'étranges interrogations, que la présente étude se propose d'explorer et d'articuler à propos du texte de Henry James intitulé : *le Tour de vis*[1].

UN ÉTRANGE EFFET DE LECTURE

> *I didn't describe to you the purpose of it [...] at all. I described to you [...] the* effect *of it — which is a very different thing.*
>
> H. James, *The Sacred Fount.*

> *The mental features discoursed of as the analytical are, in themselves, but little susceptible of analysis. We appreciate them only in their effects.*
>
> E. A. Poe, *The Murders in the Rue Morgue.*

L'histoire du *Tour de vis* est connue : une jeune femme, répondant à une offre d'emploi annoncée dans un journal, rencontre un « parfait

1. Titre original : *The Turn of the Screw.* Traduction française officielle : *le Tour d'écrou*, Paris, Stock, 1968 (trad. fr. par M. Le Corbeiller). Les références ici à cette édition française du texte de James seront désormais signalées par l'abréviation *Stock.* Je maintiendrai cependant une traduction modifiée du titre même

gentleman », un « célibataire à la fleur de l'âge », qui lui confie la charge de sa nièce Flora et de son neveu Miles, deux petits enfants orphelins vivant à la campagne dans la maison isolée d'une propriété qui lui appartient. La jeune femme accepte de devenir la gouvernante de ces deux enfants, mais sous la stricte condition exigée par l'employeur — « le Maître » — qu'elle assume à leur égard une « suprême autorité », c'est-à-dire qu'elle résolve elle-même tous problèmes les concernant, sans nullement le déranger lui-même en lui adressant des questions ou en prenant contact avec lui. Cette condition d'emblée acceptée ne tarde pourtant pas à devenir pesante et troublante pour la gouvernante (qui est également la narratrice), surtout lorsqu'une lettre arrive qui l'informe, sans en donner les raisons, que le garçon, Miles, vient d'être expulsé de l'école : cette mesure punitive inexpliquée rend suspecte, mystérieuse, ambiguë, l'apparente innocence de l'enfant. D'autre part, la gouvernante découvre que la maison est hantée : à plusieurs reprises, elle se trouve en présence d'étranges apparitions ressemblant à un homme et à une femme qu'elle finit, à l'aide des renseignements fournis par la femme de charge, Mrs. Grose, sur l'histoire passée de cette maison, par identifier comme les fantômes de deux domestiques, Peter Quint et Miss Jessel, actuellement décédés mais précédemment employés par le Maître au service de cette maison même, et dont la louche intimité avait, paraît-il, « corrompu » les enfants. La gouvernante croit comprendre que les fantômes reviennent pour s'entretenir avec les enfants, pour posséder leurs âmes et les corrompre radicalement. Il s'agit donc pour elle d'une lutte à mener pour *sauver* les enfants des fantômes, farouche lutte morale contre le « mal » dont les procédés consistent à surprendre les enfants en flagrant délit de vision fantômale et, dès lors, à les forcer à avouer cette vision, avouer leur connaissance des fantômes et donc leur complicité avec eux. L'aveu total devrait de la sorte exorciser les enfants. Or, les résultats de cette lutte métaphysique sont néfastes : Flora, la petite fille, surprise par la gouvernante en présence de l'apparition de Miss Jessel, dénie cependant sa vision de celle-ci et tombe gravement malade à la suite de la véhémente accusation de la gouvernante, qu'elle prend dès lors en haine; Miles, le petit garçon, en revanche, ayant apparemment « avoué », prononcé — sous pression de la gouvernante — le nom

---

du texte, que je traduis : *le Tour de vis*. La nuance importe, pour plusieurs raisons qui s'éclaireront ultérieurement au cours de mon analyse; la plus importante étant que le titre renvoie précisément à l'expression littérale « donner un tour de vis à », qui elle-même figure deux fois dans le texte.

de Peter Quint face au fantôme de celui-ci, meurt du même coup dans les bras de la gouvernante alors même qu'elle l'étreint pour célébrer sa victoire morale. C'est sur cette étreinte passionnée du cadavre, tragiquement et pathétiquement ironique, que la nouvelle se clôt.

Si la littérature pouvait se définir par son impact comme *effet* de lecture, *le Tour de vis* se ferait remarquer comme un des textes les plus efficaces qui aient été écrits de tout temps, à juger tout au moins par le nombre et la véhémence des échos qu'il a suscités, des effets de lecture qu'il a donc produits, de la littérature critique à laquelle il a donné lieu. Henry James s'est trouvé lui-même débordé par l'exceptionnelle portée de l'effet de lecture suscité par son texte, dont il n'a pu mesurer qu'après coup la puissance générative; il le note dix ans après la première parution du *Tour de vis* dans la préface de 1908 ajoutée à l'édition new-yorkaise :

> *Indeed if the artistic value of such an experiment be measured by the intellectual echoes it may again, long after, set in motion, the case would make in favour of this little firm fantasy—which I seem to see draw behind it today a train of associations. I ought doubtless to blush for thus confessing them so numerous that I can but pick among them for reference* [1].

> [Si en effet la valeur artistique d'une telle expérience pouvait se mesurer par les échos intellectuels qu'elle peut mettre encore en marche longtemps après, le cas se déciderait en faveur de cette solide petite fantaisie — qu'il me semble aujourd'hui voir traîner derrière elle un cortège d'associations. Je devrais sans doute rougir en les confessant ainsi si nombreuses que je n'ai que l'embarras du choix pour en citer une.]

Peu de textes littéraires, en effet, ont suscité et « traîné derrière eux » autant d' « associations », d'interprétations, de polémiques et de passions, autant d'énergie analytique et de violence exégétique. En témoigne, en guise d'exemple, la violence des premières réactions de lecture extraites des journaux de l'époque : « L'histoire elle-même est nettement répugnante », écrit le journal *The Outlook* [2]. Et *The Independent* surenchérit :

1. The New York Preface, The Norton Critical Edition of *The Turn of the Screw* (éd. Robert Kimbrough), New York, Norton, 1966. Je me référerai par la suite à cette édition critique par la simple abréviation *Norton*. Sauf indication contraire, ou renvoi à une édition française, la version française donnée entre crochets est ma propre traduction.
2. *The Outlook*, LX, 29 octobre 1898, p. 537; *Norton*, p. 172 (je traduis). En règle générale, toutes les citations des journaux ou des critiques de langue anglaise sont ici traduites en français par moi-même.

Le *Tour de vis* est l'histoire la plus irrémédiablement dépravée que nous ayons jamais lue dans toute littérature ancienne ou moderne. Comment Mr. James, ou n'importe quel homme ou femme, a pu choisir de faire une telle étude de l'infernale débauche humaine — car il ne s'agit de rien d'autre — est inexplicable. [...] L'étude, tout en exhibant le génie de Mr. James sous une puissante lumière, affecte le lecteur par un dégoût inexprimable. Après une lecture attentive de cette horrible histoire on a le sentiment d'avoir soi-même aidé à infliger un outrage à la plus sainte et à la plus douce fontaine d'innocence humaine, d'avoir contribué soi-même, ne serait-ce qu'en y assistant de façon impuissante, à débaucher la nature confiante et pure des enfants. L'imagination humaine ne peut aller plus loin dans l'infamie, l'art littéraire ne saurait être manipulé avec un raffinement plus subtil de souillure spirituelle [1].

La publication du *Tour de vis* est ainsi accueillie par une véhémente protestation critique. Les premiers lecteurs crient au scandale. Mais, comme en témoigne ce dernier extrait, ce qui, du scandale du texte, est perçu comme le plus scandaleux, c'est le fait que le scandale *nous touche*, qu'il ne nous laisse pas intacts : de ce texte, il n'y a pas de lecture innocente. Le scandale, en d'autres termes, n'est pas simplement *dans* le texte, mais dans notre rapport à lui, dans l'*effet de lecture* par lequel il nous marque : le scandale n'est pas simplement dans *ce dont* le texte *parle*, mais dans ce qui le rend *parlant*.

Il est intéressant de noter qu'une deuxième vague de protestations et de réactions scandalisées, semblable à celle qu'avait provoquée la première publication du texte, sera à nouveau provoquée trois décades plus tard, à propos de la publication d'un article critique proposant du *Tour de vis* une interprétation dite « freudienne ». En 1934, Edmund Wilson suggère, pour la première fois de façon explicite, que *le Tour de vis* n'est pas, en réalité, une histoire de fantômes mais une histoire de folie : les fantômes n'ont pas d'existence objective, ce sont les produits imaginaires du cerveau malade de la gouvernante, des projections hallucinées, symptomatiques de sa frustration et de ses désirs sexuels refoulés. Cet article fera l'effet d'une bombe. Si, du jour au lendemain, il rend son auteur célèbre en suscitant autant d'intérêt que la nouvelle elle-même, il va en même temps provoquer un véritable *assaut* de critiques, de réfutations indignées, d'objections appuyées par des preuves textuelles. C'est autour de cette exégèse psychanalytique et du long débat qu'elle provoque que se cristalliseront désormais tout à la fois les passions et les raisonnements

1. *The Independent*, LI, 5 janvier 1899, p. 73; *Norton*, p. 175.

critiques concernant *le Tour de vis*. Pour ou contre Wilson, affirmant ou déniant la réalité objective des fantômes, la critique se divise en deux camps, en deux catégories d'exégèse : l'exégèse psychanalytique, qui voit en la gouvernante une malade leurrée par ses propres fantasmes, et destructrice pour son entourage; et l'exégèse à caractère métaphysique, religieux ou éthique, qui croit la gouvernante saine d'esprit et voit en elle une figure éminemment morale, engagée dans une opération de sauvetage et dans une lutte surnaturelle contre les forces du mal. Ainsi, comme le note pertinemment, avec une pointe d'ironie, John Silver, « si les fantômes du *Tour de vis* ne sont pas réels, la dispute à leur propos l'est certainement [1] ».

Serait-il possible de dire que la réalité du débat, du persévérant désaccord critique, est plus significative pour la portée du texte que la réalité des fantômes? Le débat critique pourrait-il lui-même être interprété comme *effet de fantôme?* Plus que le fond du désaccord, c'est son *style* qui me paraît instructif : car, en examinant de près la formulation de la controverse, on y retrouve, de façon surprenante et sans que s'y mêle l'intention des auteurs, une spectaculaire résurgence de tous les motifs lexicaux du texte. Je vais en souligner quelques-uns, en citant de brefs extraits de quelques essais polémiques :

— Le motif du danger à parer :

> Le *danger* dans la méthode critique psychanalytique réside dans son apparente plausibilité (N. B. Fagin) [2].

— Le motif d'une force violente s'accaparant d'un objet pour lui infliger un outrage, une agression injurieuse :

> La lecture freudienne du *Tour de vis* [...] *fait violence* non seulement au récit mais aussi à la préface (R. Heilman) [3].

— Le motif de l'attaque et de la défense, de la confrontation, de la lutte : un examen critique de la théorie de Wilson se propose de

---

1. « A Note on the Freudian Reading of *The Turn of the Screw* », in *A Casebook on Henry James's « The Turn of the Screw »*, (éd. Gerald Willen), New York, Thomas Y. Crowell Company, 1969, 2ᵉ éd. p. 239. Cette collection d'articles critiques sera par la suite désignée par l'abréviation *Casebook*.
2. « Another Reading of *The Turn of the Screw* », in *Casebook*, p. 154 (je souligne). Je prendrai par la suite la liberté de souligner les textes cités sans l'indiquer à chaque fois; un astérisque signalera les italiques de l'auteur.
3. « The Freudian Reading of *The Turn of the Screw* », in *Modern Language Notes*, vol. LXII, nᵒ 7, novembre 1947, p. 433. Cet essai sera désigné par la suite par l'abréviation « Heilman, FR, *MLN* ».

l'*attaquer* point par point. (O. Evans) [1].

— Le motif de la victoire finale, de la défaite de l'ennemi :

Voilà, pour une fois, un endroit où je trouve Freud en totale *défaite*.
(K. A. Porter) [2].

Ainsi, un vocabulaire de lutte, d'agression et de danger se répète sur la scène du débat critique et marque les élans de la controverse d'une façon qui rappelle l'esprit de combat du roman. Mais d'autres motifs du texte, plus singuliers, resurgissent dans le style même de la dispute : le motif de folie ou de pathologie, de l'erreur névrotique ou du leurre hystérique. C'est ainsi que Robert Heilman taxe Wilson d'aveuglement « hystérique », ce qui expliquerait ses erreurs de lecture. Pourquoi Wilson ne voit-il pas que James, en disant dans la préface qu'il a donné à la gouvernante « de l'autorité », ne se réfère qu'à son autorité rhétorique, narrative, celle de son *point de vue*, et non pas, comme Wilson se hâte à l'interpréter de façon erronée, à « l'autorité anglaise implacable, qui [...] permet [à la gouvernante] d'imposer à ses inférieurs même des buts totalement erronnés »? La raison de ce malentendu, explique Heilman, est qu' « ici encore le mot *autorité* a déclenché, chez un libéral étourdi, un spasme émotif provoquant une espèce d'*aveuglement hystérique* » (Heilman, FR, *MLN*, p. 434). La lecture de Wilson est, donc, contestée comme une lecture *hystérique*, symptomatique elle-même d'une névrose. Il est intéressant qu'elle soit contestée, à ce titre, par le critique même qui *exclut l'hypothèse de névrose* du récit, et pour qui la pathologie ne peut expliquer le texte : « On pourrait probablement affirmer sans risque que l'interprétation freudienne de l'histoire, dont le représentant le plus connu est Edmund Wilson, ne jouit plus d'une vaste acceptation critique. [...] Nous ne pouvons rendre compte du mal en traitant la gouvernante comme pathologique [3]... » Or, la folie ou la « pathologie » (évoquée également par la gouvernante) paraissent plus insistantes qu'on ne croit, puisque, exclues du texte, elles sont rejetées sur son exégète, et se retrouvent donc, ironiquement, inéliminables du commentaire critique, qu'il soit celui des « freudiens » *ou* celui des « métaphysiciens ».

Un autre motif du texte qui, subrepticement, resurgit dans le discours de la controverse, c'est, curieusement, celui du *salut*. Insistant

1. « James's Air of Evil : *The Turn of the Screw* », in *Casebook*, p. 202.
2. « James : *The Turn of the Screw* — A Radio Symposium », in *Casebook*, p. 167.
3. R. Heilman, « *The Turn of the Screw* as Poem », in *Casebook*, p. 175.

Salut

sur le fait que le sens véritable du *Tour de vis* consiste en un drame de salut, c'est-à-dire en une opération de sauvetage des enfants vis-à-vis de l'influence des fantômes, Robert Heilman écrit :

> *Le Tour de vis* pourrait apparaître comme une œuvre trop mince pour avoir suscité tout ce débat. Mais il y a quelque chose à dire en faveur du débat. D'abord, il signale le danger d'une facile application de formules doctrinaires là où elles n'ont rien à faire et donc entraînent soit l'ignorance, soit la grosse distorsion, des matériels. Mais plus immédiatement : *le Tour de vis* mérite d'être *sauvé*
>
> (Heilman, FR, *MLN*, p. 443).

L'opération de sauvetage, le drame du salut esquissé par le texte se répète de la sorte sur la scène critique. Mais de quoi faut-il « sauver » le texte? De sa réduction, explique Heilman, à un « banal document clinique ». Mais écoutons de près, ici encore, les termes mêmes par lesquels se formule l'objection, qui associe les abus de l'exégèse psychanalytique aux abus plus généraux de la démarche scientifique :

> Une fois de plus, nous nous trouvons engagés dans le conflit familier entre la vérité scientifique et celle de l'imagination. Cela ne veut nulle-ment dire qu'une vérité scientifique n'est pas capable de corroborer, de servir et même d'illuminer une vérité d'imagination; cela veut dire, cependant, que la *prépossession scientifique* peut sérieusement entra-ver l'intuition imaginative (Heilman, FR, *MLN*, p. 444).

En reprenant et en soulignant le terme de « prépossession », un autre critique acquiesce : « Nous devons accorder, je crois, que les critiques freudiens de la fable sont *fortement prépossédés* », écrit à son tour Mark Spilka[1]. Or, qu'est-ce qu'un critique « pré-possédé », sinon un critique dont l'esprit est d'avance dans la possession de quelque démon, un critique qui, comme les enfants de James, serait donc, lui aussi, *possédé?* possédé du fantôme de Freud? Il est clair en tout cas que l'urgence de l'opération du « sauvetage » du texte dans une cri-tique comme celle de Heilman ressemble aux opérations exorcisantes de la gouvernante vis-à-vis de ses petits possédés, et que la confron-tation critique constitue elle aussi une sorte de combat contre quelque effet de fantôme soulevé par la psychanalyse. La scène du débat critique se trouve être une répétition de la scène dramatisée par le texte. La lecture critique, en d'autres termes, ne fait pas qu'élucider le texte, elle le répète, c'est-à-dire, *y participe sans le savoir.* Par sa propre lecture, le texte, peut-on dire, « passe à l'acte », *se dramatise.*

1. « Turning the Freudian Screw : How Not to Do It », in *Norton*, p. 249-250.

Voici un étrange effet de lecture : de quelque façon que s'y prenne le lecteur, il ne peut qu'être pris dans le texte, c'est-à-dire l'accomplir en le répétant. C'est peut-être là le fameux piège si subtil et si sophistiqué qu'Henry James dit, dans sa préface, avoir tendu au lecteur :

> *It is an excursion into chaos while remaining, like Blue-Beard and Cinderella, but an anecdote—though an anecdote amplified and highly emphasized and returning upon itself; as, for that matter, Cinderella and Blue-Beard return. I need scarcely add after this that it is a piece of ingenuity pure and simple, of cold artistic calculation, an amusette to catch those not easily caught (the « fun » of the capture of the merely witless being ever but small), the jaded, the disillusioned, the fastidious* (Norton, p. 120).

> [C'est une excursion en plein chaos mais qui n'en demeure pas moins, comme Barbe-Bleue et Cendrillon, une simple anecdote — une anecdote toutefois elle-même hautement amplifiée, mise en relief et retournant sur elle-même; comme d'ailleurs Cendrillon et Barbe-bleue retournent. J'ai à peine besoin d'ajouter après cela que c'est un pur et simple tour d'ingéniosité, une « amusette » pour attraper ceux qui ne sont pas faciles à attraper (le plaisir de capturer ceux qui ne sont qu'inintelligents étant trop minces), les blasés, les désillusionnés, les difficiles.]

Il nous appartiendra de revenir sur cet intrigant propos de préfacier pour tâcher de comprendre l'énigmatique distinction qu'y fait James entre les lecteurs naïfs et les lecteurs ingénieux, et pour examiner de quelle façon le retour sur soi du texte est piégé — bien que de façon différente — pour les uns comme pour les autres. Je voulais jusqu'ici simplement suggérer, en la rendant évidente, la puissance piégeante de l'effet de lecture suscité par ce texte. Je voudrais à présent entreprendre une étude du texte qui tâcherait, en même temps, de tenir compte de cet effet de lecture : une lecture du texte qui s'articulerait sur une lecture de sa lecture. Cette lecture à double étage, qui devrait aussi retourner sur elle-même, se préoccuperait des questions suivantes : qu'est-ce qu'un effet de lecture? De façon générale, qu'est-ce qu'une lecture? Que dit le texte sur sa propre lecture? Qu'est-ce qu'une « lecture freudienne » (ce qu'elle est et ce qu'elle n'est pas)? Qu'est-ce qui du texte *invite*, sollicite une exégèse psychanalytique, et qu'est-ce qui du texte y *résiste*, s'y refuse? De quelle façon la littérature *autorise* la psychanalyse à tenir un discours sur elle, et de quelle façon, l'ayant autorisé, elle *disqualifie* ce discours? Une lecture conjuguée, en d'autres termes, du *Tour de vis* et de son exégèse psychanalytique se donnera comme objet de réflexion, non seulement la façon dont la psychanalyse dit quelque chose sur le texte littéraire, mais aussi la façon dont le texte littéraire dit quelque chose sur la psychanalyse. Nous verrons, à partir de cette double lecture, comment la question peut s'articuler des modalités d'une rencontre, des limites et des conditions du rapport d'intelligence possible entre littérature et psychanalyse : et de ce qu'il en est de leurs entrecroisements.

QU'EST-CE QU'UNE « LECTURE FREUDIENNE » ?

> *The Freudians err in the right direction.*
> Mark Spilka.

Je voudrais commencer ici en souscrivant aux propos de Mark Spilka : « Le sujet qui me préoccupe [...] est la pauvreté d'imagination d'une grande partie de la critique freudienne, sa grossièreté et sa rigidité dans l'application d'intuitions psychologiques valables, sa conception étroite de ses meilleures possibilités [...] » :

> Durant les quatre décades passées les critiques freudiens ont transformé la fable de James en une *cause célèbre*. La fable soutient la « cause » à travers ses ambiguïtés érotiques. Puisqu'elle provoque des terreurs enfantines, et peut-être même en provient, nous pouvons dire que l'approche freudienne doit marcher ici ou nulle part. Pourtant les adversaires accusent les critiques freudiens d'avoir réduit la fable à « un banal document clinique ». Bien qu'ils aient parfaitement raison, ma propre accusation paraît plus pertinente : *ces critiques freudiens n'ont pas été suffisamment freudiens* [1].

Ces remarques subtiles et provocatrices n'ont que le tort de considérer comme résolue et non-problématique la question que, pourtant, elles invitent à ouvrir : *Jusqu'à quel point* peut-on être « freudien »? *A partir de quel point* le devient-on? A partir de quelle limite, ou mesure, une « lecture freudienne » l'est-elle suffisamment? Qu'est-ce qu'il y a de freudien dans une « lecture freudienne », et comment en déterminer la mesure?

Couramment, on caractérise la « lecture freudienne », et on la reconnaît, par l'importance qu'elle accorde au *sexe* : au repérage de sa place centrale, de son rôle déterminant dans le texte. Le problème théorique focal que soulève, de toute évidence, l'exégèse littéraire analytique est donc celui du *statut de la sexualité dans le texte*. C'est ainsi que Wilson explique en effet toute l'histoire du *Tour de vis*

1. « Turning the Freudian Screw... », art. cité, p. 245.

par la frustration sexuelle de la gouvernante amoureuse du maître, et qui, incapable de s'avouer ses propres désirs sexuels, les projette obsessivement, hystériquement, sur les enfants, les perçoit comme extérieurs à elle-même sous la forme hallucinée des fantômes.

> La théorie est, ainsi, que la gouvernante qui raconte l'histoire est un cas névrotique de refoulement sexuel, et que les fantômes ne sont pas des fantômes réels mais des hallucinations de la gouvernante [1].

Pour consolider cette théorie, Wilson insiste sur la valeur nettement érotique des métaphores, et souligne les symboles phalliques :

> Observez, du point de vue freudien, la signification de l'intérêt de la gouvernante pour les pièces de bois de la petite fille, et le fait que l'apparition mâle prend forme tout d'abord sur une tour, et l'apparition femelle sur un lac (*Wilson*, p. 104).

On se souviendra, comme le souligne d'emblée le titre même de l'article de Wilson, que ce qui, du texte, a sollicité l'exégèse analytique, a invité à « observer » le « point de vue freudien », c'est « l'ambiguïté de James ». Le texte, dit Wilson, est ambigu; il fait question, il sollicite une réponse analytique, et ce de trois manières différentes :

1. *Par sa rhétorique* : par la prolifération des symboles et des métaphores érotiques, sans que pourtant l'élément sexuel n'y soit jamais nommé en propre [2];

2. *Par sa thématique* surnaturelle, fantastique, ses événements anormaux, « subversifs et furtifs [3] »;

3. *Par sa structure narrative* elliptiquement incomplète, qui est celle-là même de l'*énigme* [4].

Interrogé par ces trois modes de questionnement du texte : narratif, thématique, rhétorique, le critique « freudien » se voit, dans l'optique

---

1. E. Wilson, « The Ambiguity of Henry James », in *The Triple Thinkers*, Penguin, 1962, p. 102. Cet essai sera désigné par la suite par l'abréviation *Wilson*.

2. Cf. par exemple *Wilson*, p. 126 : « Le sexe apparaît dans son œuvre, il devient même une sorte d'obsession », mais nous en sommes séparés par des « écrans épais ».

3. *Wilson*, p. 112. Cf. p. 126 : « Les gens qui entourent l'observateur tendent à assumer les valeurs diaboliques des spectres du *Tour de vis*, et ces valeurs diaboliques sont presque invariablement liées à des rapports sexuels qui sont toujours dissimulés et que nous sommes forcés de deviner. »

4. Cf. *Wilson*, p. 108 : « Lorsqu'on a saisi le fil directeur, l'indice du sens du *Tour de vis*, on s'étonne d'avoir jamais pu le manquer. Or, on l'a manqué pour une bonne raison, car James ne livre la chose nulle part de façon non-équivoque : presque tout du début à la fin peut être lu également dans un sens comme dans l'autre. »

wilsonienne, sommé de répondre. A la question narrative, à la structure elliptique et incomplète de l'énigme, il répond en la complétant, en indiquant « le mot de l'énigme », la solution du mystère, dans le désir inconscient de la gouvernante pour le maître; à la question thématique de l'étrangeté fantastique, il répond par un diagnostic : il s'agit de symptômes anormaux d'une frustration sexuelle, d'un refoulement pathologique; à la question rhétorique de l'ambiguïté symbolique, il répond en explicitant le sens propre des métaphores phalliques.

Référée au « point de vue freudien », la sexualité, valorisée comme repère et fondement de l'interprétation, reçoit donc ici le statut d'une *réponse* à la *question du texte*. Logiquement et ontologiquement, la réponse (sexuelle) préexiste à la question (textuelle). La question se formule (rhétoriquement, thématiquement, narrativement) du seul fait que la réponse est cachée. La question elle-même n'est en réalité qu'une réponse dissimulée, une cachette de la réponse. Le rôle du critique est ainsi de sortir la réponse de sa cachette, de répondre, non pas tant au texte, que du texte : répondre pour lui, à sa place; remplacer la question textuelle par la réponse analytique.

Vis-à-vis d'une telle opération, deux questions peuvent, et doivent, se poser : 1) « James » (ou le texte jamesien) autorise-t-il cette façon de répondre *de lui*? 2) « Freud » (ou le texte freudien) autorise-t-il cette façon de répondre *par lui*?

La question de la possibilité de répondre du texte, de même que celle du statut de la réponse comme telle, est en fait soulevée par le texte lui-même dès son ouverture, lorsque Douglas, ayant promis de raconter son histoire terrifiante, laisse entendre qu'il s'agit d'une histoire d'amour, que lui avait confiée l'héroïne (la gouvernante) :

> Mrs. Griffin, *however, expressed the need for a little more light.* "Who was it she was in love with?"
> "The story will tell", *I took upon myself to reply.*
> [...]
> "The story *won't* tell", *said Douglas; "not in any literal, vulgar way"* (Norton, prologue, p. 3; James souligne).
>
> [Mme Griffin [...] exprima le besoin d'avoir un peu plus de lumière. « De qui était-elle amoureuse? »
> « L'histoire le dira », pris-je sur moi de répondre.
> [...]
> « L'histoire ne le dira *pas* », reprit Douglas; « pas d'une façon littérale et vulgaire » (Stock, I, p. 126; trad. modifiée).]

En prenant sur lui de répondre, en explicitant justement de qui la gouvernante était amoureuse, en donnant le mot de l'énigme dans le désir refoulé de la gouvernante pour le Maître, que fait ainsi Edmund Wilson? Que fait l'exégète « freudien », sinon, précisément, ce que le *texte* nous indique d'emblée comme *cela même qu'il ne fera pas* : « L'histoire ne le dira pas; pas d'une façon littérale et vulgaire. » Ces lignes du texte ne comportent-elles pas un commentaire jamesien sur l'exégèse wilsonienne? Un commentaire suggérant que le tort d'une telle exégèse est d'être, non pas même nécessairement incorrecte ou fausse, mais *vulgaire*.

Or, qu'est-ce que la vulgarité? Et comment, dans cette problématique jamesienne, définir dès lors, d'une lecture (qu'elle soit freudienne ou autre), non pas simplement la justesse, mais le *tact*? En quoi consiste la « vulgarité » de l'exégèse wilsonienne? A l'égard de qui, ou de quoi, peut-on dire que cette exégèse manque de tact?

« C'est la difficulté elle-même qui protège contre la vulgarité », écrivait James à H. G. Wells (*Norton*, p. 111). Et dans la préface à l'édition new-yorkaise du *Tour de vis*, il explique davantage la nature de cette difficulté, de cette question qui sous-tendait son effort d'écriture :

> *Portentous evil—how was I to save that, as an intention on the part of my demon spirits, from the drop, the* comparative vulgarity, *inevitably attending, throughout the whole range of possible brief illustration, the offered example, the imputed vice, the cited act, the limited deplorable presentable instance?* (*Norton*, p. 122).

> [Un mal prodigieusement menaçant, obscurément monstrueux — comment devais-je sauver cela, comme une intention de la part de mes esprits démoniaques, de la chute, de *la vulgarité relative*, qui inévitablement accompagne l'exemple donné, le vice imputé, l'acte cité, le cas limité déplorable et présentable?]

Ce qui est vulgaire, c'est l' « exemple donné », le « vice *imputé* », explicité : l'illustration spécifique en tant qu'elle est univoque et immédiatement référentielle. *Le vulgaire, c'est le littéral*, en tant qu'il est non-ambigu : « L'histoire ne le dira pas; pas d'une façon *littérale* et *vulgaire*. » Le littéral est vulgaire parce qu'il arrête le mouvement du sens et son procès infini de substitution métaphorique. Est donc vulgaire ce qui manque la dimension symbolique, c'est-à-dire ce qui, du symbole, manque la fuite, ce qui, du sens, exclut la perte, ce qui tend à éliminer, du sein même du langage, le *silence*. La vulgarité que James voudrait avant tout éviter, c'est un langage sans reste et sans fuite, amputé de sa réserve silencieuse, de sa possibilité de silence : un langage qui n'a pas pouvoir de se taire.

Or, si la vulgarité est ainsi une réduction de la rhétorique, une élimination de l'ambiguïté du texte, n'est-ce pas précisément vers ce but que tend l'analyse de Wilson, lorsqu'elle conçoit le rôle même de la démarche exégétique dans une *littéralisation* (c'est-à-dire, en termes jamesiens, dans une *vulgarisation*) de la sexualité dans le texte? Si Wilson, en effet, est conscient de la question rhétorique indécidable du texte :

> la question fondamentale se présente et semble demeurer sans réponse : que devons-nous penser du protagoniste? (*Wilson*, p. 112).

il ne dégage cette question que pour précisément la *réduire*, surmonter l'ambiguïté, en fournissant justement une réponse dont la littéralité grossière est en réalité rudimentaire. « Que devons-nous penser du protagoniste? » C'est le type même, suggère Wilson, de

> la *vieille fille frustrée*, la célibataire anglo-saxonne; et nous nous rappelons dans l'œuvre de James des *cas sans équivoque* de femmes qui se trompent et trompent les autres sur les origines de leurs buts et de leurs émotions. [...]
> L'univers de James est plein de ces femmes. Elles ne sont pas toujours affectivement perverties. Quelquefois elles sont apathiques [...]
> Ou bien elles ont grande envie d'affection, ces femmes, mais elles sont trop inhibées ou trop passives pour l'obtenir pour elles-mêmes
> (*Wilson*, p. 110-111).

Littéraliser de la sorte la sexualité dans le texte, est-ce cela que le « point de vue freudien » en réalité sollicite et cautionne? Cette littéralisation vulgarisante qui est infirmée, comme on vient de le voir, par James, est-elle confirmée par Freud? Si pour James le *littéral* est *vulgaire*, peut-on dire que dans une optique freudienne le *sexuel* est comme tel *littéral?* Pour répondre à cette question, je voudrais citer quelques fragments d'un texte peu connu de Freud, publié en 1910 sous le titre « Psychanalyse " sauvage " » :

> Une dame d'un certain âge [...] est venue me voir, il y a quelques jours, pour une consultation, se plaignant de souffrir de crises d'angoisse. [...] La cause précipitante du déclenchement de ces crises avait été son divorce d'avec son dernier mari; mais son angoisse, d'après ce qu'elle disait, s'était considérablement intensifiée depuis qu'elle avait consulté un jeune médecin dans la banlieue où elle résidait, car ce dernier l'avait informée que son angoisse provenait d'une absence de satisfaction sexuelle. Il disait qu'elle ne pouvait supporter l'interruption des rapports avec son mari, et par conséquent qu'elle n'avait

que trois moyens pour recouvrer sa santé — elle devait retourner à son mari, ou bien prendre un amant, ou bien obtenir par elle-même sa propre satisfaction. Dès lors elle fut convaincue qu'elle était une malade incurable. [...]

Elle est venue me voir toutefois, le médecin lui ayant dit que c'était là une découverte dont j'étais responsable, et qu'elle n'avait qu'à me le demander, et je lui confirmerais que ce qu'il disait n'était rien d'autre que la stricte vérité. Je ne m'attarderai pas sur la situation gênante dans laquelle cette visite m'a placé, mais je considérerai plutôt la conduite du praticien qui m'a envoyé cette dame [...], rattachant mes remarques sur la psychanalyse « sauvage » à cet incident [1].

Il est tentant de faire remarquer l'analogie suggestive entre la situation quasi comique esquissée par Freud et le traitement soi-disant « freudien » de la gouvernante par Wilson. Dans les deux cas, la référence freudienne est aussi brutalement littérale, réduisant aussi sommairement et crûment l'explication analytique à l' « absence de satisfaction sexuelle ». Voici donc, sur ce point, les commentaires de Freud, qui commence par rappeler, comme James, qu'une interprétation est valable non simplement en fonction de sa vérité, mais aussi de son *tact :*

Chacun relèvera aussitôt la critique que si un médecin juge nécessaire de discuter de la question de la sexualité [...] il doit le faire avec tact [...] (*Standard*, p. 222).

Mais le tact n'est pas simplement une nécessité pratique de l'intervention analytique; son importance et ses implications sont également théoriques, puisqu'il marque, par une certaine retenue du discours interprétatif, une marge d'erreur possible, une position incertaine par rapport à la vérité :

A part tout cela, il est toujours possible de tirer une fausse conclusion, et *personne n'est jamais en position de découvrir toute la vérité.* La psychanalyse se pourvoit de règles techniques bien définies dans le but de remplacer l'indéfinissable « tact médical » qui est considéré comme un don spécial (*Standard*, p. 226).

L'analyse du « psychanalyste sauvage » manquait donc le tact nécessaire; mais ce n'est pas tout.

1. Je traduis, d'après la traduction anglaise de James Strachey : « ' Wild ' Psychoanalysis », in *The Standard Edition of the Complete Psychological Works of Sigmund Freud,* vol. XI, 1910, p. 221-222. Cette édition des écrits de Freud sera par la suite indiquée par l'abréviation *Standard.*

Qui plus est, le médecin en question ignorait, ou bien avait mal compris, nombre de *théories scientifiques* [Freud souligne] de la psychanalyse, et montrait de la sorte combien superficielle était sa compréhension de leur nature et de leurs buts.
[...] Le conseil du médecin à la dame montre clairement dans quel sens il comprend l'*expression* « *vie sexuelle* » — *dans le sens populaire*, à savoir, celui d'après lequel les besoins sexuels ne signifient rien d'autre que le besoin du coït. Or, *dans la psychanalyse le concept de ce qui est sexuel comprend bien davantage; il s'étend au-delà et aussi en deçà du sens populaire.*
[...]
L'absence mentale de satisfaction et toutes ses conséquences peut exister là où les rapports sexuels normaux ne manquent pas [...]
En soulignant exclusivement le facteur somatique dans la sexualité, ce jeune médecin simplifie sans doute le problème considérablement
(*Standard*, p. 222-223).

La sexualité, dit donc Freud, n'a pas à être comprise dans son sens littéral, populaire : dans son extension analytique, elle s'étend à la fois *au-delà* et *en deçà* du sens littéral. Le rapport du sexuel analytique à l'acte sexuel n'est pas un simple rapport d'adéquation littérale, mais bien au contraire un rapport, si l'on peut dire, d'*inadéquation* : la sexualité psychanalytique, nous dit Freud, est à la fois *plus* et *moins* que l'acte sexuel littéral. Or, qu'est-ce qu'une extension de sens qui n'est pas simplement en plus, mais aussi en moins que le sens littéral? C'est dans ce paradoxe apparent que réside, dans la conception freudienne, la complication inhérente à la sexualité humaine. Mais il ne s'agit plus tant du sens *du* sexuel, que d'un complexe *rapport* du sexuel au sens; rapport qui n'est pas simplement un écart vis-à-vis du sens littéral, mais une problématisation de la littéralité comme telle.

Mais la littéralisation simplifiante de la « psychanalyse sauvage » comporte également une autre erreur, dont Freud élabore la critique.

Un second malentendu, tout aussi grossier, se profile derrière le conseil du médecin.
Il est vrai que la psychanalyse indique l'absence de satisfaction comme cause des désordres nerveux. Mais ne dit-elle pas bien plus que cela? Son enseignement doit-il être escamoté comme trop compliqué quand elle déclare que les symptômes nerveux proviennent d'un *conflit entre deux forces* — d'une part, la libido (qui en règle générale est devenue excessive), et d'autre part, un refus de la sexualité, ou un refoulement qui est devenu trop sévère? Lorsqu'on se souvient de ce *second facteur*, qui *n'est en aucune façon secondaire en importance*,

on ne peut jamais croire que la satisfaction sexuelle en elle-même constitue un remède infaillible à la souffrance des névrosés. Bon nombre de ces gens sont en effet [...] en général incapables de satisfaction (*Standard*, p. 223).

Les symptômes nerveux, insiste Freud, proviennent non pas simplement d'une « absence de satisfaction sexuelle » mais d'un *conflit* entre deux forces. Le refoulement est constitutif de la sexualité : le *second* facteur n'est aucunement *secondaire* en importance. Mais le second facteur est, comme tel, la *contradiction* du premier. C'est-à-dire, non seulement le sens littéral — le premier facteur — n'est pas simplement prioritaire ou premier; sa primauté et sa priorité, c'est-à-dire ce qui le constitue précisément comme sens littéral, son *essence de littéralité*, sont comme telle subverties et niées par le sens second qui n'est pas secondaire. La sexualité étant constituée par ces deux facteurs, *son sens est sa propre contradiction : le sens* de la sexualité est *son propre barrage.*

« L'absence de satisfaction », en d'autres termes, n'est pas simplement un accident de la vie sexuelle, mais plutôt un trait essentiel à celle-ci. « Toute formation humaine, dit Lacan après Freud, a pour essence, et non pour accident, de refréner la jouissance [1]. »

C'est là encore un point capital que Wilson en effet méconnaît, mettant, comme il le fait, « l'absence de satisfaction » en rapport d'opposition au « sexe », considérant ce qu'il appelle la « frustration » de la gouvernante (« *the* thwarted *Anglo-Saxon spinster* ») comme un pur accident anormal, relevant de la pathologie. Or, qu'est-ce ici l'anormal, sinon précisément, là encore, ce qui s'écarte du *littéral?* Le sexe littéral (normal) étant un simple fait positif, il est exclu qu'il puisse se nier, manquer à ses propres buts, comporter sa propre négation comme une propriété qui lui est inhérente. En effet, pour Wilson le sexe est « simple », c'est-à-dire entièrement adéquat à lui-même [2]. C'est ainsi que Wilson écrit, à propos de *La Source sacrée*, autre roman obscur de James, pour éclaircir cette obscurité : « Et si le thème caché de *La Source sacrée* était, ici encore, *tout simplement*

---

1. « Discours de clôture des journées sur les psychoses chez l'enfant », in *Recherches*, numéro spécial *Enfance aliénée*, décembre 1968, p. 145-146.
2. Et si cette adéquation ne transparaît pas dans l'œuvre de James, c'est parce que, selon Wilson, James lui non plus, comme la gouvernante, ne connaît pas, du sexe, la simplicité du statut normal, mais seulement l'absence de satisfaction du statut pathologique. Cf. *Wilson*, p. 125 : « Les problèmes de la passion sexuelle commençaient à devenir des sujets d'un intérêt brûlant. Mais il est probable que James, à cette époque, en était venu à reconnaître *son inadéquation* [*unfittedness*] *à les traiter*, et fut trop honnête pour simuler. »

celui du sexe? » (*Wilson*, p. 115). Or, non seulement pour Freud, comme nous venons de le voir, le statut de la sexualité n'est pas simple; mais, constituée de deux facteurs dynamiquement contradictoires, la sexualité est comme telle *ce qui empêche la simplicité*. C'est parce que la sexualité est essentiellement la violence de sa non-simplicité, la violence de sa propre division et de sa propre contradiction, qu'elle s'éprouve comme déchirante et se vit comme menaçante : terrifiante. L'effet de terreur que provoque l'histoire du *Tour de vis* est en réalité lié par le texte, discrètement mais suggestivement, à cet effet de non-simplicité. Douglas, ayant promis de raconter l'histoire, anticipe :

> « *It's quite too horrible.* » [...]
> « *It's beyond everything. Nothing at all that I know touches it.* »
> « *For sheer terror?* » *I remember asking.*
> *He seemed to say* it was not so simple as that; *to be really at a loss how to qualify it* (*Norton*, prologue, p. 1).

> « C'est par trop horrible. » [...]
> « C'est au-delà de tout. Je ne sais rien au monde qui en approche. »
> « Comme effet de terreur? » demandai-je.
> Il sembla vouloir dire que *ce n'était pas si simple que cela*, mais qu'il ne pouvait trouver de mots pour le qualifier.
>
> (*Stock*, I, p. 124; trad. modifiée.)

Si la sexualité n'indique pas la simplicité d'un sens littéral, mais la complexité de facteurs hétérogènes et contradictoires, la pluralité de forces en conflit, si le sens de la sexualité est sa propre division et sa propre contradiction, ce sens ne peut être uni, univoque, mais est nécessairement ambigu. Ce n'est pas la rhétorique qui dissimule et cache la sexualité; la sexualité, *c'est* l'ambiguïté : la coexistence de sens dynamiquement antagonistes. La sexualité, c'est *la division du sens*, et le sens en tant que cette division; c'est un conflit de sens, et *le sens en tant que conflit*.

Or, c'est précisément ce conflit inhérent au sens comme tel, ce conflit qui structure le rapport du sexuel au sens, qui est le *sujet* du *Tour de vis*. « La gouvernante, écrit très pertinemment John Lydenberg, peut indistinctement percevoir les fantômes comme l'essence du mal et, comme Heilman le fait remarquer, elle choisit certainement des mots qui les identifient avec Satan et qui l'identifient, elle, avec le Sauveur. Mais notre point de vue est différent de celui de la gouvernante : nous la voyons comme l'un des combattants, et à mesure que l'histoire progresse, nous devenons de moins en moins certains qui lutte ici avec qui » (*Casebook*, p. 289).

255

Dramatisant dans le texte, à travers le conflit des sens, le sens en tant que conflit, la sexualité n'est cependant pas « le sens du texte », mais, bien au contraire, *ce qui met le sens du texte en échec :* ce qui ne peut qu'engendrer un conflit d'interprétations, c'est-à-dire justement, une discorde critique, telle que l'illustre ici le vif débat polémique. « Si le discours analytique, écrit Lacan, indique que [...] [le] sens est sexuel, ce ne peut être qu'à rendre raison de sa limite. Il n'y a nulle part de dernier mot [...]. Le sens indique la direction vers laquelle il échoue [1]. »

LA SCÈNE DE LA CONTROVERSE :
LE CONFLIT DES INTERPRÉTATIONS.

> Et ma tête surgie
> Solitaire vigie
> Dans les vols triomphaux
> De cette faux
>
> Comme rupture franche
> Plutôt refoule ou tranche
> Les anciens désaccords
> Avec le corps
>
> Mallarmé.

Répétant la scène primitive de la division du sens dans le texte, les critiques ne peuvent épuiser, maîtriser le sens de cette division, mais à leur tour y participer, la ¹dramatiser, l'accomplir. Or, participer à la division, c'est, en même temps, *lutter contre elle :* s'engager dynamiquement à éliminer, avec l'adversaire, l'hétérogénéité du sens, le scandale de la contradiction, de l'équivoque des signes :

> « Presque tout du début à la fin, déclare Wilson, peut être lu dans un sens comme dans un autre. » « Presque tout »! Mais s'il y avait une seule chose, une seule petite chose, qui ne pût pas être lue dans deux sens, qui ne pût être lue que dans un seul sens? Quoi alors? Qu'il est étrange en effet que M. Wilson ne voit pas que n'importe quel fait de ce genre peut être la petite pierre tranchante sur laquelle sa théorie doit éclater (A. J. A. Waldock, *Casebook*, p. 172).

> Les critiques freudiens faussent le sens des indices externes au texte tout aussi vaillamment qu'ils le font pour les indices internes. Le récit comporte, bien sûr, des passages qu'il est possible de lire comme ambigus; mais les passages déterminants sans ambiguïté à partir des-

---

1. *Le Séminaire*, livre XX, *Encore (1972-1973)*, Paris, Éd. du Seuil, 1975, p. 66. Ce séminaire sera dorénavant désigné par l'abréviation *Encore*.

quels le critique peut travailler sont si nombreux, que l'utilisation des passages ambigus comme points de départ ne semble guère être une bonne stratégie critique (R. Heilman, FR, *MLN*, p. 436).

En admettant que le texte a des niveaux de sens variés, il paraîtrait néanmoins peu sage de soutenir qu'ils sont mutuellement contradictoires (A. Jones, *Casebook*, p. 301).

Mais l'effort pour réduire la contradiction participe lui-même de la contradiction : le geste qui affirme le sens comme non-divisé en même temps *exclut* la position antagoniste; l'homogénéité du sens ne s'affirme que par l'expulsion de son hétérogénéité. En essayant d'unifier le sens, de l'établir comme non-ambigu, les critiques ne font que marquer davantage sa division interne, sa duplicité constitutive. La contradiction, d'autant plus tenace, reparaît ironiquement dans les termes mêmes du discours critique qui s'efforce de l'évacuer.

[Mon] interprétation a le mérite d'être *extrêmement inclusive;* cependant je crains bien qu'*elle ne comporte pas de place* pour [...] Mr. Wilson (O. Evans, *Casebook*, p. 211).

Or, affirmer la contradiction tout en la niant, c'est précisément être pris dans le mouvement d'engagement contradictoire du récit lui-même, s'engager dans l'impasse dynamiquement conflictuelle à laquelle se trouve confrontée la narratrice : c'est donc répéter soi-même le procès de l'*acte textuel*, déclenché et mis en mouvement par l'équivoque sexuelle. De toute évidence, la critique ici ne fait qu'*accomplir le texte*, entrer dans le jeu de l'action textuelle. « *Le Tour de vis*, écrit James, était désespérément une action, ou bien ce n'était rien [1]. » De cette action textuelle, les critiques, aussi bien que les personnages, sont les agents, les acteurs. C'est dire que la critique, ici, pour emprunter les concepts austiniens, a une fonction non pas constative, mais performative du texte : du sens pluriel du texte la critique est non pas tant la constatation, que le *passage à l'acte :* elle est elle-même *comprise* par le texte, plutôt qu'elle ne le comprend; c'est le texte qui comprend la critique, qui orchestre, en sa propre lecture, le désaccord critique comme la performance, et l'accomplissement, de son propre déchirement. « L'ironie, comme l'écrit ailleurs Roland Barthes, est alors ce qui est donné immédiatement au critique : non pas de voir la vérité, selon le mot de Kafka, mais de l'être [2]. »
En dramatisant de la sorte, par leur conflictuel désaccord sur la

---

1. Préface de New York, *Norton*, p. 121.
2. *Critique et Vérité*, Paris, Seuil, 1966, p. 75.

vérité du texte, la vérité même du texte comme son propre désaccord, les critiques cependant tiennent *Freud* pour le responsable de leur discorde, pour la cause et la ligne de démarcation de leur division polémique. Les études du *Tour de vis* se divisent tout naturellement, selon leur propre définition, en études qui se disent « freudiennes » et en celles qui se donnent comme « anti-freudiennes ». Si Ezra Pound appelle la nouvelle de James « une affaire freudienne [1] », si Wilson invite les lecteurs à « observer » — comme nous l'avons vu — le « point de vue freudien », si Oscar Cargill célèbre, dans le titre même de la première version de son étude du *Tour de vis*, « Henry James comme un pionnier freudien [2] », Katherine Anne Porter déclare, en revanche, dans un symposium de radio : « Voilà, pour une fois, un endroit où je trouve Freud en totale défaite [3]. » Pour réfuter l'exégèse de Wilson, Robert Heilman publie un essai polémique qu'il intitule, de façon générale, « La lecture freudienne du *Tour de vis* », et qui commence par la phrase suivante : « La lecture freudienne du *Tour de vis* [...] fait violence non seulement au récit mais aussi à la préface » (Heilman, FR, *MLN*, p. 433). En réponse à cette étude polémique et à d'autres, qu'il énumère, dans une note, comme « essais anti-freudiens », John Silver publie une étude qui « se propose de prêter appui à l'exégèse de Mr. Wilson », et qu'il intitule à son tour : « Note sur la lecture freudienne du *Tour de vis* » (*Casebook*, p. 239). Entre « freudiens » et « anti-freudiens », dans le contexte du débat jamesien, le fantôme même de Freud est devenu de la sorte, de façon significative, la marque et le signe de la division. Comme si « Freud » lui-même y était devenu *le nom propre de la discorde*.

Or, cette symétrie polaire qui oppose les « freudiens » aux « anti-freudiens » repose sur un présupposé tout aussi problématique que l'objet du débat lui-même — et tout aussi paradoxal. Alors que les deux camps critiques se croient en spectaculaire désaccord en ce qui concerne le « vrai sens » de *James*, ils manifestent en même temps un spectaculaire accord en ce qui concerne le « vrai sens » de *Freud*, présupposé de part et d'autre connu, univoque et indiscutable, à la différence de celui de James. Or, en réalité, le « vrai Freud » ne nous est pas plus sûrement ni plus immédiatement accessible que ne l'est le « vrai James ». « Freud » lui aussi est un texte, soumis aux incertitudes de l'interprétation. Peut-être ne suffit-il pas de se dire « freu-

---

1. Cité par Harold C. Goddard, dans son essai « A Pre-Freudian Reading of *The Turn of the Screw* », in *Norton*, p. 182.
2. « Henry James as a Freudian Pioneer », in *Casebook*, p. 244.
3. « Here is one place where I find Freud completely defeated » (*Casebook*, p. 167).

dien » pour l'être. De même qu'il pourrait n'être pas suffisant de se dire « anti-freudien » pour pouvoir le devenir réellement. En ce sens, le nom propre de Freud n'est rien moins qu'un nom *propre*, mais plutôt bel et bien un *fantôme*, aussi ambigu que celui de James, dans la mesure où il nous communique non pas une vérité garantie, un savoir référentiel, mais une nécessité d'interpréter. Une « lecture freudienne » n'est donc pas simplement une lecture assurée du savoir de Freud, mais tout d'abord une lecture de Freud, qui doit, comme telle, prendre ses risques, mais ne peut être sûre de quoi que ce soit, ne peut transgresser son statut de lecture nécessairement soumise à l'erreur.

La question n'est donc pas de trancher simplement si la lecture dite « freudienne » est, oui ou non, vraie ou fausse, correcte ou incorrecte. Elle peut être les deux à la fois. Elle est sans doute correcte et, pourtant, elle manque l'essentiel, tombe complètement à côté de la complexité textuelle. La question de la « vérité » d'une lecture devrait dès lors pour le moins être compliquée par une autre question que, depuis Freud en effet, nous avons appris à poser : qu'est-ce que cette « vérité », justement, laisse de côté, ou exclut? Qu'est-ce qu'elle est *faite pour manquer*, qu'est-ce qu'elle a pour fonction de rater? Quel en est, précisément, le *reste?* Puisque la scène critique est tout à la fois répétitive et performative de la scène textuelle, c'est la « fausseté » même des lectures qui fait leur « vérité ». La lecture freudienne est sans doute « vraie », mais pas plus vraie que les positions antagonistes qui la contredisent, fausse donc en croyant les exclure. Ces positions antagonistes, affirmant la contradiction du texte tout en la niant, sont « vraies » dans la mesure même où elles sont « fausses ». Une question dès lors se pose tout à la fois à partir de James comme à partir de Freud : une lecture de l'ambiguïté est-elle, comme telle, possible, sans la réduction de celle-ci dans le procès même de la lecture? L'ambiguïté et l'interprétation sont-elles essentiellement compatibles?

On ne remarque pas assez à quel point l'expression « lecture freudienne » est elle-même une expression ambiguë, pouvant signifier à la fois « freudienne » par *ce qui est lu* (par le contenu dégagé par l'interprétation) ou bien par sa *façon même de lire*. Alors que c'est le premier sens qui domine, presque exclusivement, la conception d'une lecture freudienne dans le contexte américain, en France, la lecture de Freud par Lacan a mis en évidence la deuxième acception possible de la notion de « lecture freudienne », celle qui se référerait plutôt à une démarche de lecture. Pour Lacan, en effet, l'inconscient est non seulement *ce qui est à lire*, mais tout autant, et d'abord, *ce qui lit.*

Freud n'a pu découvrir l'inconscient qu'en lisant dans le discours hystérique son inconscient propre, c'est-à-dire en y lisant ce qui en lui lisait, en lisant ce qui lisait dans ce qui était à lire. Le propre de la découverte freudienne consiste donc, pour Lacan, non pas simplement dans la découverte d'un nouvel énoncé : l'inconscient, mais dans la découverte décisive d'une nouvelle façon de lire :

> Freud [...] s'est intéressé [...] d'abord aux hystériques. [...] Il les avait beaucoup écoutés, et en les écoutant il résultait quelque chose de paradoxal [...], à savoir, une *lecture*. C'est en écoutant les hystériques que Freud *a lu* qu'il y avait un inconscient. C'est-à-dire en somme quelque chose qu'il ne pouvait que construire et qui l'impliquait dans l'affaire; qui l'impliquait dans l'affaire en ceci, qu'il s'apercevait, à son grand étonnement, que lui-même n'était pas sans participer à ce que lui disait l'hystérique, qu'il se sentait par là affecté. Naturellement, tout dans la suite des règles par où il a instauré la psychanalyse comme pratique, tout a consisté pour lui à éviter cette conséquence, à s'arranger pour ne pas en être affecté [1].

Je me propose, en prêtant l'oreille à cet accent lacanien, de relire *le Tour de vis*, pour tâcher d'opposer à la conception conventionnelle d'une « lecture freudienne » une conception de lecture différente, dont l'ouverture frayée par Lacan indique à la fois la nécessité et les possibilités [2]. Une telle conception de lecture cherchera, non pas à capturer le mystère, mais à suivre de près le parcours de sa fuite; non pas à trouver le « mot » de l'énigme, mais à étudier, de celle-ci, la structure; non pas à littéraliser l'ambiguïté des signes, mais à en comprendre la nécessité et le fonctionnement textuel, rhétorique. La question serait donc, non pas de savoir *quel est le sens* de cette histoire, mais plutôt *comment cette histoire signifie*, de quelle façon le sens — quel qu'il soit — s'y inscrit, et y marque sa limite : la direction vers laquelle il échoue.

---

1. Prononcé par Jacques Lacan le 24 novembre 1975 à Yale University (« Kanzer Seminar »).
2. En tentant d'explorer l'ouverture frayée par le travail lacanien, je citerai Lacan non pas tant pour faire valoir des thèses réifiées, que pour faire jouer les silences suggestifs et le mouvement de jeu aporétique que comporte son remarquable langage, dont la portée (la charge d'altérité qui court-circuite le « message ») consiste justement en un travail subversif de toute réification. Par la référence à Lacan, il ne s'agit pas, en d'autres termes, de faire prévaloir mon étude de l'autorité acquise d'un dogme théorique consacré, mais de faire agir, d'explorer, de *tirer les conséquences rhétoriques* (et les sous-entendus théoriques) de la complexité des formules de Lacan, dans leur interaction, justement, avec les formules (les silences) de James.

> Il apparaissait que l'histoire qu'il avait promis de nous lire, pour être bien comprise, demandait réellement quelques mots de prologue.
>
> *Le Tour de vis.*

> La littérature est du langage [...]; mais elle est du langage autour duquel nous avons dessiné un cadre, un cadre indiquant une décision de considérer à travers une prise de conscience toute particulière les ressources que le langage avait depuis toujours possédées.
>
> Stanley E. Fish.

L'histoire proprement dite du *Tour de vis* (celle des fantômes et de la gouvernante) est précédée d'un prologue qui lui est tout à la fois postérieur et extérieur : une sorte de *cadre*, dont la fonction est de situer l'origine du récit.

L'histoire, ou le contenu du récit, s'annonce ainsi comme le *centre* du cadre, le point focal d'un espace narratif qui, de l'extérieur, la désigne et la circonscrit comme son intérieur. S'organisant autour de l'histoire, le cadre narratif du prologue encadre, toutefois, un autre foyer au centre de son espace littéral :

> *The story had held us*, round the fire, *sufficiently breathless* [...] *He began to read to our hushed* little circle [...] *kept it, round the hearth, subject to a common thrill* (*Norton*, prologue, p. 1, 4).

> [L'histoire nous avait tenus, haletants, *autour du feu* [...] Il commença à lire à notre *petit cercle* devenu silencieux [...] le tenant serré *autour du foyer*, dans une même attente d'émotion passionnée
> (*Stock*, i, p. 123, 128; trad. modifiée).]

Puisque, dans le geste même par lequel l'espace narratif du prologue s'organise comme un encadrement de l'histoire, il s'organise également comme un encerclement du feu; puisque le feu, comme l'histoire, se situe au foyer de l'espace discursif et de l'opération d'encadrement, il est permis de se demander si le feu et le contenu de l'histoire ne seraient pas des métaphores l'un de l'autre. Un tel rapport métaphorique peut-il, d'autre part, infléchir, de ses deux termes, la position centrale? Nous laisserons en suspens cette question, à laquelle nous reviendrons plus tard.

Mais le prologue encadre l'histoire aussi bien temporellement que spatialement. S'il est postérieur à l'histoire (au récit de la gouvernante), il relate en même temps un événement antérieur à celui-ci : la rencontre de la gouvernante et du Maître. Si le cadre doit donc déterminer l'*origine* du récit, cette origine s'annonce comme tout à la fois antérieure et postérieure au récit lui-même.

Antérieure à l'histoire, mais postérieurement reproduite et narrée, l'origine du récit est comme telle assignable à l'autorité de la voix narratrice, source du récit et dépositaire du savoir dont celui-ci procède et qu'il est censé dévoiler. Si, en effet, la fonction du prologue est de situer la voix narratrice et son rapport à l'histoire, ce n'est cependant pas *un* narrateur que le préambule introduit, mais *trois* : celui qui dit « je », qui nous parle, n'a pas de rapport direct à l'histoire; celle-ci lui a été racontée par son ami Douglas, qui, à son tour, ne la connaissait que d'en avoir reçu la confidence par la gouvernante, narratrice originale qui en fut aussi l'héroïne. Cette femme, que Douglas avait jadis connue comme gouvernante de sa sœur et secrètement aimée, bien qu'elle fût de dix ans son aînée, lui avait communiqué par écrit ce récit confidentiel lorsqu'elle était sur le point de mourir. Ayant — après quarante ans de silence — raconté l'histoire autour du feu à un cercle d'amis dont le « je » - narrateur était l'auditeur de choix, Douglas, à son tour, lorsque sa propre mort fut en vue, confia le manuscrit à cet ami privilégié qui, introduisant le prologue, va donc devenir lui aussi narrateur et *nous* confier l'histoire à partir de la transcription qu'il a faite, mais « beaucoup plus tard », du récit entendu auprès du feu.

Le récit, de la sorte, ne s'assure que par l'existence d'une pluralité, d'une série de narrateurs qui se relaient entre eux, constituant une *chaîne* narrative. L'origine du récit n'est donc pas assignée à une simple voix narratrice, mais à l'effet en écho, après coup, de voix qui reprennent d'autres voix. Tout se passe comme si le cadre lui-même se reflétait, se mettait en abyme. Or, se multipliant de la sorte en reproduisant le geste narratif, le cadre devient, du même coup, la mise en abyme du récit qu'il contient, le lieu où le récit, d'emblée, s'abîme dans sa propre répétition. Et si le récit *s'origine* dans sa propre répétition, c'est que l'opération de l'encadrement mise en œuvre par le prologue, loin de situer simplement, comme il apparaissait, l'origine du récit, n'en situe, en réalité, que la *perte* : l'infini éloignement. L'origine du récit, c'est précisément l'oubli de son origine : le récit de l'origine du récit ne peut rapporter que la perte de celle-ci. Or, l'oubli de l'origine du récit et le récit même de cet oubli ne caractérisent-ils pas, justement, le récit de la psychanalyse et *la psychanalyse comme récit? Le Tour de vis* pourrait bien être un récit de ce genre. Par les tours de vis du prologue, l'histoire, en effet, s'origine dans la perte de son origine. La préface de New York à son tour le souligne, ajoutée d'ailleurs elle aussi après coup, comme

262

une sorte de prologue au prologue, tâchant de suppléer à l'origine manquante, mais ne faisant à son tour que reproduire, et recommencer, la perte constitutive du commencement comme tel.

The starting point itself—the sense [...] of the circle, one winter afternoon, round the hall-fire of a grave old country house where [...] the talk turned, on I forget what homely pretext, *to apparitions and night-fears, to the marked and sad drop in the general supply [...] The good [...] ghost stories [...] appeared all to have been told [...]. Thus it is, I remember, that amid our lament for a beautiful* lost form, *our distinguished host expressed the wish that he might but have recovered for us one of the scantest of* fragments *of this form at its best.* He had never forgotten the impression made on him as a young man by the withheld glimpse, as it were, of a dreadful matter that had been reported years before, and with as few particulars, to a lady with whom he had youthfully talked. *The story would have been thrilling* could she but have found herself in better possession of it, *dealing as it did with a couple of small children in an out-of-the-way place, to whom the spirits of certain « bad » servants, dead in the employ of the house, were believed to have appeared with the design of « getting hold » of them.* This was all, *but* there had been more, *which my friend's old converser* had lost the thread of [...]. *He himself could give us but this shadow of a shadow—my own appreciation of which, I need scarcely say, was exactly* wrapped up in *that* thinness

(New York Preface, *Norton*, p. 117-118).

[Le point de départ lui-même — le sens [...] du cercle un après-midi d'hiver, autour de la cheminée d'une vieille maison campagnarde où [...] la conversation tourna, *j'oublie à propos de quel prétexte domestique*, au sujet des apparitions et des peurs nocturnes, et à la triste diminution remarquée dans le répertoire général [...]. Il apparaissait que les bonnes histoires de fantômes avaient été déjà toutes racontées [...]. C'était ainsi, me souvient-il, qu'au milieu de notre lamentation sur cette belle *forme perdue* notre hôte exprima le souhait de pouvoir retrouver pour nous ne serait-ce que le *fragment* le plus minime de cette forme dans sa perfection. Il n'avait jamais oublié l'impression qu'en tant que jeune homme il avait subie par la vue refusée, pour ainsi dire, d'une affaire redoutable qui avait été rapportée des années auparavant, avec tout aussi peu de détails, à une dame avec qui il avait parlé dans sa jeunesse. *Si seulement cette dame avait été en meilleure possession de l'histoire*, celle-ci aurait été passionnante, traitant, comme elle le faisait, d'un couple de petits enfants dans un endroit isolé, auxquels les esprits de certains « mauvais » domestiques, morts au service de la maison, étaient censés apparaître avec le dessin de « se saisir » d'eux. Ce fut tout; *il y avait eu plus que cela*, mais l'interlocutrice de mon vieil ami en *avait perdu*

> *le fil* [...]. Lui-même ne pouvait nous donner que *cette ombre d'une*
> *ombre* — dont ma propre appréciation, cela va sans dire, *tenait* tout
> entière *précisément en cette minceur*.]

Il va de soi qu'un tel « cadre » n'est pas un simple décor valorisant,
de l'extérieur, le contenu intérieur de l'histoire, mais bien plutôt une
problématisation du rapport entre dedans et dehors. D'une part,
comme le suggère une remarque d'Alexander Jones, l'extérieur du
cadre élargit l'intérieur du récit, y incluant à la fois le lecteur et celui
qui pourrait passer pour l' « auteur » :

> En se plaçant à l'intérieur des confins de l'histoire en tant que « je »,
> James se présente comme l'un des personnages plutôt que comme un
> auteur omniscient. *Personne n'est laissé à « l'extérieur » de l'histoire,*
> *et le lecteur est invité à sentir que lui-même et James font partie du*
> *cercle autour du feu* (*Casebook*, p. 299).

Personne n'est laissé hors du récit. Mais si le cadre attire, de la sorte,
le dehors au-dedans, il opère également dans le sens inverse : en passant
par la pluralité des voix narratives qui se mettent en abyme, c'est l'*inté-*
rieur même du récit qui devient *extérieur à lui-même*, rapporté par une
voix étrangère qui n'en reproduit que « l'ombre d'une ombre[1] », alié-
nant le récit à lui-même, compromettant son intimité et sa présence à
soi. Le cadre n'est donc pas simplement extérieur au contenu du récit
qu'il valorise comme intérieur, il est une extériorité qui pénètre inti-
mement l'intériorité du récit et la compromet comme telle, il est un
clivage interne qui sépare le contenu du récit de lui-même, le met à
distance de sa propre autorité référentielle. Par rapport au contenu du
récit, le cadre opère donc tout à la fois comme l'inclusion de l'extérieur et l'exclusion de l'intérieur, obscurcissant la démarcation entre
dehors et dedans.

Le cercle autour du feu encercle ainsi non seulement le *contenu* de
l'histoire, mais aussi sa *lecture*. Mais si le *contenu* de l'histoire *était*,
justement, *sa lecture?* Si la lecture — extérieure — était justement le
contenu — intérieur — de l'histoire, tout en étant ce qui rend ce contenu extérieur à lui-même ? En considérant également que cette
non-présence du récit à lui-même, cette extériorité du contenu à lui-
même, peut définir l'inconscient comme tel, on pourrait peut-être
mieux voir l'interdépendance, dans ce texte, du récit et de l'inconscient par le biais même de la lecture. « Dans le discours analytique, il
ne s'agit que de ça : de ce qui se lit », dit Lacan[2]. En effet, la chaîne

1. Cf. la préface de New York, *Norton*, p. 118.
2. *Encore*, p. 29.

narrative des voix qui répètent d'autres voix constitue en même temps une chaîne de *lectures,* qui relisent — et récrivent — d'autres lectures, une chaîne de lecteurs qui, tout à la fois, enregistrent et interprètent l'histoire, en dégagent le sens dans le temps même où ils en subissent l'*effet de lecture* :

> *I asked him if the experience in question had been his own. To this his answer was prompt.*
> « *Oh, thank God, no!* »
> « *And is the record yours? You took the thing down?* »
> « *Nothing but the impression. I took it* here — » *he tapped his heart.*
> « *I've never lost it* » (*Norton,* prologue, p. 2).

> [Je lui demandai si l'expérience en question avait été proprement la sienne. Sa réponse ne se fit pas attendre.
> « Non, grâce à Dieu!
> — Et le récit est-il de vous? Vous avez noté la chose vous-même?
> — Je n'ai noté que mon impression. Je l'ai inscrite là — et il se toucha le cœur. — Je ne l'ai jamais perdue » (*Stock,* i, p. 125).]

Dans une préface à une autre nouvelle, James élabore toute une théorie de cette « impression » ou effet de lecture suscité par un récit, en tant que constituant décisif de la matière même de l'insolite.

> *The safest arena for the play of moving accidents and of mighty mutations and of strange encounters, or whatever odd matters, is the field, as I may call it, rather of their second than of their first exhibition. By which, to avoid obscurity, I mean nothing more cryptic than I feel myself show them best by showing almost exclusively the way they are felt, by recognising as their* main interest *some impression strongly made by them* and intensely received. *We but too probably break down* [...] *when we attempt the prodigy* [...] *in itself; with its* « objective » *side too emphasized the report* [...] *will practically run thin. We want it clear, goodness knows, but we also want it thick, and* we get the thickness in the human consciousness that entertains and records, that amplifies and interprets it. *That indeed, when the question is* [...] *of the* « supernatural », *constitutes the only thickness we do get. Here* prodigies, *when they come straight, come with an effect imperilled; they* keep all their character, *on the other hand,* by looming through some other history—*the indispensable history of somebody's* normal * *relation to something* [1].

1. Préface à la nouvelle *The Altar of the Dead,* in Henry James, *The Art of the Novel, Critical Prefaces* (éd. R. P. Blackmur), New York, Charles Scribner's Sons, 1962, p. 256 (* James souligne). Sauf indication contraire, toutes les citations tirées des préfaces de Henry James renvoient à cette édition, qui sera désormais signalée par l'abréviation *AN.* Les versions françaises des préfaces sont ma propre traduction.

[Pour mettre en scène un véritable jeu d'accidents mouvants et de fortes mutations et d'étranges rencontres, ou de n'importe quel genre d'affaire un peu insolite, l'arène la plus sûre est le champ, si je puis dire, de leur seconde plutôt que de leur première exhibition. Ce par quoi, pour éviter toute obscurité, je n'entends rien de plus cryptique que le fait que j'ai l'impression de pouvoir mieux rendre ces bizarreries en montrant presque exclusivement la façon dont elles sont ressenties, en reconnaissant comme leur *intérêt principal* quelque *impression fortement suscitée par elles* et intensément subie. Notre échec n'est que trop probable [...] lorsque nous tentons le prodige [...] en soi; avec son côté « objectif » trop accentué, le récit [...] perdra pratiquement toute épaisseur. Dieu sait à quel point nous voulons que le récit soit clair, mais nous voulons également qu'il soit dense, et *nous trouvons la densité dans la conscience humaine qui l'entretient et l'enregistre, qui l'amplifie et l'interprète.* Lorsque la question est [...] celle du « surnaturel », c'est même la seule sorte de densité que nous pouvons obtenir. Ici *les prodiges,* lorsqu'ils surviennent sans médiation, risquent de survenir sans effet; ils *gardent,* d'autre part, *toute leur force, en surgissant à travers quelque autre histoire* — l'indispensable histoire du rapport *normal** de quelqu'un à quelque chose.]

« L'intérêt majeur » de l'histoire est donc la « densité » qu'elle acquiert à travers sa propre lecture, à travers « la conscience humaine qui l'enregistre et l'entretient, l'amplifie et l'interprète ». Le sujet même de l'insolite comme récit, sa condition, est dès lors son propre surgissement « à travers quelque autre histoire », sa narration *dans l'autre* et à partir de l'autre. Or, le lecteur est ici cet autre. Le lecteur, c'est-à-dire aussi bien chacun des narrateurs : Douglas par rapport au manuscrit de la gouvernante; « je » par rapport à Douglas. Le lecteur-narrateur est ici cet autre, et son récit (sa lecture) est significatif dans la mesure même où il *interfère* avec l'histoire qu'il raconte. Tout récit est ici une lecture de l'autre; toute lecture est ici un récit dans l'autre, un récit d'interférence signifiante et de signifiance interférente. Or, l'inconscient, lui aussi, est lecteur : « Le sujet de l'inconscient, dit Lacan, vous le supposez savoir lire. Et ça n'est rien d'autre, votre histoire de l'inconscient[1]. » Le récit de l'inconscient ressemble ainsi au récit de James, dans la mesure où ils sont, l'un comme l'autre, *un récit à travers le lecteur.*

C'est ainsi que le narrateur nous présente sa propre transcription, faite plus tard, du manuscrit que Douglas, « avec un *immense effet,* [...] commença à *lire* à notre petit cercle » (*Stock,* prologue, p. 128). Pour Douglas, le rôle d'auteur-narrateur est donc littéralement un

---

1. *Encore,* p. 38.

rôle de lecteur. Et si le je-narrateur retransmet l'histoire, répète cette lecture, c'est sans doute à cause de « l'immense effet » que celle-ci a produit sur lui, et qu'il espère à son tour produire sur ses lecteurs. L'acte même de la narration procède donc ici de la répercussion — quasiment infinie — d'un effet de lecture, d'un effet produit dont l'effet est, précisément, un effet à produire. Le récit est comme tel, dès lors, le témoignage de l'action d'une lecture, et l'incarnation d'une lecture en action. Dans la première remarque que fait Douglas à la première page du prologue, le *titre* même du récit rejaillit comme la marque, ou la description, de son propre effet de lecture :

> *"I quite agree—in regard to Griffin's ghost, or whatever it was—that its appearing first to the little boy, at so tender an age, adds a particular touch. But it's not the first occurrence of its charming kind that I know to have involved a child. If the child gives the* effect *another turn of the screw, what do you say of two children?"*
> *"We say, of course"*, somebody exclaimed, *"that two children give two turns! Also that we want to hear about them"*
> (*Norton*, prologue, p. 1).

[« Je reconnais bien — pour ce qui est du fantôme de Griffin ou pour tout ce que vous voudrez que ce soit — que le fait d'apparaître d'abord à un petit garçon d'un âge si tendre ajoute à l'histoire un trait particulier. Mais ce n'est pas, à ma connaissance, la première fois qu'un exemple de ce genre délicieux s'applique à un enfant. Si l'enfant donne un *tour de vis* de plus à l'*effet* du récit, que direz-vous de deux enfants?
— Nous dirons, bien entendu, s'écria quelqu'un, que deux enfants donnent deux tours... Et que nous voulons savoir ce qui leur est arrivé »
(*Stock*, I, p. 124; trad. modifiée).]

C'est de son effet de lecture que le texte reçoit donc son titre, son nom. Ce titre, ou bien ce nom, ne lui est pourtant pas donné par l'auteur : il est ajouté, après coup, par le troisième narrateur, dernier récepteur de la chaîne narrative des lectures.

> *The next night, by the corner of the hearth* [...], *he opened the faded red cover of a thin old-fashioned gilt-edged album* [...]. *On the first occasion the same lady put another question. "What is your title?"*
> "I haven't one."
> "Oh, I * have!" I said. *But Douglas, without heeding me, had begun to* read *with a fine clearness that was like a rendering to the ear of the beauty of his author's hand* (*Norton*, prologue, p. 6; * James souligne; partout ailleurs, c'est moi qui souligne.)

[Le soir suivant, au coin du feu, il ouvrit un mince album à la couverture d'un rouge fané, aux tranches dorées à l'ancienne mode [...].
A la première occasion la même dame posa une autre question :
« *Quel est votre titre?*
— *Je n'en ai pas.*
— *Oh bien, j'en ai un, moi* », dis-je. Mais Douglas, sans m'entendre, avait commencé de *lire*, avec une articulation nette et pure, qui rendait comme sensible à l'oreille l'élégance de l'écriture de l'auteur.
(*Stock*, I, p. 131)].

Ainsi le titre est littéralement un effet de lecture du texte, puisque le nom du récit lui vient du lecteur, et non de l'auteur. De même qu'il problématise le rapport entre l'extérieur et l'intérieur, le prologue déconstruit donc la distinction entre lecteur et auteur. Ce qu'en Douglas le narrateur admire comme l'image même de « *l'écriture* de *l'auteur* » n'est en fait que la réussite de sa performance de lecteur, qui devient ainsi métaphorique de l'écriture originaire par l'acte de lecture qu'à son tour elle inspire et produit comme son propre effet. Lorsque Douglas, en réponse à la question « quel est votre titre? », rétorque « je n'en ai pas », sa réponse peut en réalité s'entendre de deux façons différentes : il n'a pas de *nom* pour son propre récit; ou bien, il n'a pas de *titre*, de droit de propriété ou d'autorité sur ce texte qui n'est pas le sien, il n'a pas le droit de l'intituler puisqu'il n'est pas titulaire du texte, puisque lui non plus n'en est pas l'auteur, ou n'en est l' « auteur » que dans la mesure même où il en est lecteur.

Encadré de la sorte, le récit a, du coup, perdu non seulement son origine, mais aussi, en même temps, son titre : son auteur et son autorité; son pouvoir de véridiquement se nommer. De même que le « contenu » du récit communique, en quelque sorte, du point de vue de la gouvernante, la perte du Maître de la maison, qui dès lors devient une maison hantée, le cadre-prologue du récit communique la perte du propriétaire du récit. Or, cette insolite condition du récit qui insiste du « dedans » comme du « dehors » n'est pas sans évoquer la condition constitutive du savoir inconscient, qui lui aussi est, précisément, un savoir sans propriétaire, un savoir qu'aucun sujet ne peut assumer, ou s'attribuer, qu'aucune conscience ne peut posséder. « Tout énoncé d'autorité », écrit justement Lacan, à propos du discours inconscient, mais en termes qui résument également les conditions narratives du récit du *Tour de vis*, « tout énoncé d'autorité n'y a d'autre garantie que son énonciation même » [1].

Si le récit a perdu, comme nous venons de le voir, son auteur et

1. *Écrits, op. cit.*, p. 813.

son autorité, son origine et son titre, sans cependant se perdre lui-même, sans qu'il en soit pour autant lui-même effacé ou anéanti, c'est parce que sa transcription écrite est, à plusieurs reprises, *transférée* : transférée d'abord à la veille de la mort de la gouvernante, qui l'envoie à Douglas pour la lui léguer; transférée ensuite à la veille de la mort de Douglas lui-même, qui à son tour adresse le manuscrit au je-narrateur pour le lui léguer. C'est donc la mort qui devient de la sorte fondatrice de la chaîne narrative : en inaugurant le mouvement du déplacement du manuscrit et, par conséquent, le procès de la substitution des narrateurs, la mort apparaît non pas comme une fin, mais, bien au contraire, comme un point de départ : point de départ du *transfert* du récit, c'est-à-dire de sa survivance, de sa capacité de continuer en vertu des passages réitérés qu'il opère de la mort à la vie.

Pour celui qui reçoit et détient le manuscrit du récit, celui-ci constitue, bien au-delà de la mort du destinateur, la survie de sa langue et sa survie dans la langue : un retour du mort dans le texte. Le retour des morts, rappelons-nous, est aussi le sujet — surnaturel — du « contenu » du récit, de l'histoire des fantômes racontée par la gouvernante. Le prologue n'a rien de surnaturel : cependant, le retour des morts, l'existence fantomatique des revenants, y est déjà préfigurée, par le seul itinéraire du manuscrit transféré.

Mais pourquoi le manuscrit du récit est-il ainsi transmis? Douglas en suggère la raison :

> *"Then your manuscript?"* [...]
> *"A woman's. She has been dead these twenty years. She sent me the pages in question before she died."* They were all listening now, and of course there was somebody to be arch, or at any rate to draw the inference. But if he put the inference by without a smile it was also without irritation. *"She was a most charming person, but she was ten years older than I. She was my sister's governess"*, he quietly said. *"She was the most agreeable woman I've ever known in her position; she'd have been worthy of any whatever. It was long ago, and this episode was long before.* [...] *We had, in her off-hours, some strolls and talks in the garden—talks in which she struck me as awfully clever and nice. Oh yes; don't grin:* I liked her extremely and am glad to this day to think she liked me too. If she hadn't she wouldn't have told *me. She had never told anyone"* (*Norton*, prologue, p. 2).
> [« Alors votre manuscrit? [...]
> — C'est une écriture de femme, d'une femme morte depuis vingt ans. Sur le point de mourir, elle m'envoya les pages en question. »
> Nous écoutions tous maintenant et, naturellement, il se trouva quel-

qu'un pour faire le plaisantin, ou, du moins, tirer de ces phrases l'inévitable déduction. Mais si Douglas écarta la déduction sans sourire,
il ne montra non plus aucune irritation.

« C'était une personne délicieuse, mais de dix ans plus âgée que moi.
Elle était la gouvernante de ma sœur, dit-il doucement. Je n'ai jamais
rencontré de femme plus agréable, dans cette situation. Elle aurait
été digne d'en occuper n'importe laquelle. C'était il y a longtemps, et
cet épisode avait eu lieu longtemps auparavant. [...] Je me souviens
de nos tours de jardin et de nos conversations à ses heures de liberté,
conversations où elle m'apparaissait si intelligente et si agréable!
Mais oui, ne ricanez pas. *Elle me plaisait énormément et je suis content,
aujourd'hui encore, de penser que je lui plaisais aussi. Si je ne lui avais
pas plu, elle ne m'aurait pas raconté cette histoire.* Elle ne l'avait
jamais racontée à personne » (*Stock*, I, p. 125-126; trad. modifiée).]

Douglas laisse discrètement entendre que, si le récit a comme tel
survécu au-delà de la mort même de son auteur, c'est à cause de
l'amour qui, autrefois, le rapprochait de la gouvernante et qui a provoqué, de la part de celle-ci, cette ultime confidence intime. La raison
du transfert du manuscrit n'est donc pas simplement la mort, mais
l'amour. Pour Douglas, le manuscrit commémore la rencontre d'une
femme, et de son écriture : le récit est comme tel le résultat d'un amour,
de la mort, d'un écrit, d'un transfert.

Si l'origine du récit est perdue, ce n'est donc pas simplement parce
qu'elle se trouve, par la mort de l'auteur, enfouie dans l'éloignement
infini d'un passé irrécupérable; c'est aussi parce que cette origine
n'est pas repérable comme un point fixe, mais bien comme une dynamique, un mouvement : l'origine du récit est *dans le transfert*. Elle
n'est pas assignable, en d'autres termes, au « je » de tel ou tel narrateur, mais au rapport entre les narrateurs. L'origine du récit n'est pas
un référent, mais *l'acte même de la référence* : le geste même — porté
par l'amour et la mort — de se référer à l'Autre comme tel; geste du
transfert d'un récit.

Les narrateurs, en effet, constituent non pas simplement une
chaîne narrative, mais une série de *couples :* la gouvernante et Douglas;
Douglas et le je-narrateur. Bien avant que la chaîne narrative triangulaire ne soit constituée, justement par la disparition du couple (par
la mort, à chaque fois, d'un de ses éléments et le transfert du manuscrit), les couples, de leur vivant, sont unis par un rapport discrètement
érotique, que sous-tend — et produit — un rapport linguistique.

— Entre Douglas et la gouvernante :

> We had, in her off-hours, some strolls and talks in the garden—talks
> in which she struck me as awfully clever and nice.   Oh yes; don't grin:

I liked her extremely and am glad to this day to think she liked me too
(*Norton*, prologue, p. 2.)

[Je me souviens de nos tours de jardin et de nos conversations à ses heures de liberté, conversations où elle m'apparaissait si intelligente et si agréable! Mais oui, ne ricanez pas. Elle me plaisait énormément et je suis content, aujourd'hui encore, de penser que je lui plaisais aussi. (*Stock*, I, p. 125-126).]

— A une époque postérieure, entre Douglas devenu narrateur et le « je » alors auditeur :

It was to me in particular that he appeared to propound this—appeared almost to appeal for aid not to hesitate [...]. The others resented postponement, but it was just his scruples that charmed me (*Norton*, prologue, p. 2).

[C'était *à moi en particulier* qu'il semblait adresser ces paroles, comme s'il implorait une aide pour mettre fin à ses hésitations [...]. Les autres lui en voulaient pour ce retard, mais c'étaient justement ses scrupules qui *m'enchantaient* (*Stock*, I, p. 125; trad. modifiée).]

Les couples sont couples d'abord en vertu d'une situation de dialogue, d'une condition d'*interlocution*, à l'intérieur de laquelle se dégage un subtil jeu de *séduction*. Or, cette situation n'est pas sans rappeler la structure par excellence de la situation analytique, dont la dynamique, justement, du transfert au sens strictement analytique (du je-narrateur sur Douglas, de Douglas sur la gouvernante, de la gouvernante sur le Maître) va dès lors tout à la fois motiver et modifier le récit, en devenir simultanément le *mobile* et le *masque* : ce qui le met en mouvement et à partir d'où il parle, mais aussi ce qui en altère la portée, la dissimule ou bien la déforme par les reflets miroitants des miroirs de la séduction.

Les jeux de la séduction sont trompeurs dans la mesure où, inscrits dans le geste même de la narration, ils se transforment en jeux de *croyance*, dans la mesure où ils ajoutent foi à l'image idéalisée d'un objet d'amour spéculaire et au discours dont il est responsable, et qu'ils rendent donc *illusoirement crédible*. Parce qu'il est séduit par la gouvernante, Douglas en effet rend crédible le discours de celle-ci, lui confère une autorité [1] narrative. Et les déclarations de Douglas

---

1. Cruciale dans *le Tour de vis*, l'autorité en tant que telle s'avère être, du coup, une fiction, une erreur de perspective produite par les illusions optiques de la structure transférentielle. Cf. le commentaire de James sur l'autorité de la gouvernante dans la préface de New York :

lui-même sont à leur tour mises en relief, rendues crédibles et autoritaires à travers l'admiration charmée, le regard séduit du je-narrateur.

La reprise narrative transférentielle, la mise en abyme des voix narratrices qui répètent d'autres voix narratrices constitue ainsi, en même temps, une dynamique de *regards* séducteurs, un mouvement visuel de renvoi et de reprise de reflets spéculaires, un jeu de miroirs duels se reflétant indéfiniment. Dans tous les sens du terme, le récit du *Tour de vis* est une *réflexion* sur le *voir*, une mise en abyme de regards de couples qui se regardent :

> "*... she liked me too.   If she hadn't she wouldn't have told me.   She had never told anyone.   It wasn't simply that she said so, but that I knew she hadn't.   I was sure;* I could see.   *You'll easily judge why when you hear.*"
> "*Because the thing had been such a scare?*"
> He continued to fix me.   "*You'll easily judge*", he repeated: "*you* * *will*".
> I fixed him too.   "*I see.   She was in love.*"
> *He laughed for the first time.   "You* are * *acute.   Yes, she was in love.   That is she* had * *been.   That came out—she couldn't tell her story without its coming out.* I saw it, *and* she saw I saw it; *but neither of us spoke of it* [...].*" (*Norton*, prologue, p. 2-3; * James souligne).

I recall [...] *a reproach made me by a reader capable evidently, for the time, of some attention, but not quite capable of enough, who complained that I hadn't sufficiently "characterised" my young woman engaged in her labyrinth* [...] *hadn't in a word invited her to deal with her own mystery as well as with that of Peter Quint* [...] *I remember well* [...] *my reply to that criticism* [...] *We have surely as much of her own nature as we can swallow in watching her reflect her anxieties and inductions. It constitutes no little of a character indeed, in such conditions,* [...] *that she is able to make her particular* credible *statement of such strange matters. She has "authority", which is a good deal to have given her, and I couldn't have arrived at so much had I clumsily tried for more* (*Norton*, p. 120-121).

[Je me souviens [...] du reproche que m'a fait un lecteur capable évidemment, pour un temps, d'un peu d'attention, mais non pas d'attention suffisante, et qui se plaignait du fait que je n'avais pas suffisamment décrit le « caractère » de ma jeune femme engagée dans son labyrinthe [...] en un mot, que je ne l'avais pas invitée à se préoccuper de son propre mystère comme de celui de Peter Quint [...] Je me souviens bien de ma réponse à cette critique [...] En la voyant réfléchir ses angoisses et ses inductions, nous possédons sûrement de sa propre nature autant que nous en pouvons avaler. Qu'elle soit capable, dans ces conditions, de faire un récit *crédible* de telles bizarreries ne constitue pas peu de « caractère ». *Elle a* « *de l'autorité* », ce qui n'est pas peu lui donner, et je n'aurais pas pu en atteindre autant si j'avais maladroitement tenté d'en atteindre davantage.]

[« ... je lui plaisais aussi. Si je ne lui avais pas plu, elle ne m'aurait pas raconté l'histoire. Elle ne l'avait jamais racontée à personne. Et ce n'est pas seulement parce qu'elle me le disait que je le croyais, mais je savais qu'elle n'en avait jamais rien dit. J'en étais sûr, *ça se voyait*. Vous comprendrez pourquoi quand vous m'aurez entendu.
— Parce que l'affaire était si bouleversante? »
Il *continua de me fixer du regard*. « Vous comprendrez facilement, répéta-t-il, mais c'est *à vous* * de comprendre. »
A mon tour je le fixai du regard. « Je vois. Elle était amoureuse. »
Il rit alors pour la première fois. « Vous *êtes* * bien perspicace, en effet. Oui, elle était amoureuse. C'est-à-dire qu'elle l'*avait* * été. Cela sautait aux yeux : elle ne pouvait pas raconter l'histoire sans que cela sautât aux yeux. *Je le voyais, et elle voyait que je le voyais*, mais aucun de nous n'en parla » (*Stock*, I, p. 126; trad. modifiée).]

Cependant, qu'est-ce que c'est que « voir »? C'est aussi la question que poseront les fantômes, non seulement parce que leur émergence visuelle dépendra du regard de la gouvernante, mais parce que leur apparition, elle aussi, impliquera à chaque fois un regard de couple, une confrontation spéculaire, un échange de regards symétriques et duels. Dans cette mise en abyme des regards des couples qui « se voient voir », par laquelle le prologue, à nouveau, semble préfigurer l'histoire, que signifie donc *voir?* « Je le voyais, et elle voyait que je le voyais »; « j'en étais sûr; ça se voyait »; « Il continua de me fixer du regard [...] Je le fixai du regard à mon tour. " Je vois. Elle était amoureuse." » De toute évidence[1], dans le jeu de ces phrases, *voir*, c'est *interpréter* : c'est interpréter l'*amour;* c'est aussi interpréter *par* l'amour. L'amour est ici, à plusieurs titres, à plusieurs niveaux, et dans les deux sens, le *sujet* de l'interprétation. Dans cette double relation amoureuse, dans ce double rapport transférentiel, entre le narrateur et Douglas, et entre Douglas et la gouvernante, l'amour est tout à la fois ce qui *est vu* et ce qui *voit*, ce qui *est lu* et ce qui *lit*, ce qui, dans l'échange des regards, est à interpréter, *s'interprète*, et ce qui, dans cet échange, *interprète*. Inversement, l'interprète comme tel, qu'il le sache ou non, qu'il le veuille ou non, se trouve pris dans une relation d'amour : dans un rapport transférentiel.

Le transfert, dit Lacan, est « la mise en acte de la réalité de l'inconscient[2] ». On pourrait se demander ici, à partir du champ littéraire, si la mise en acte de l'inconscient est toujours la mise en acte d'un

1. Et bien sûr, cette « évidence » relève, elle aussi, de l'ordre du « voir » : nous voici à notre tour entraînés par le « voir » dont il est question, impliqués par le jeu que nous analysons.
2. *Le Séminaire*, livre XI, *op. cit.*, p. 158.

récit; et si tout récit implique un transfert, c'est-à-dire une relation amoureuse qui de quelque façon le structure — et le masque —, à la fois le déchiffre et le chiffre, comme son propre substitut et sa propre répétition. *Le Tour de vis* semblerait en tout cas confirmer une telle hypothèse.

Ce n'est donc pas un hasard si c'est un couple d'amoureux qui préside au transfert du manuscrit et si l'amour, déclenchant par deux fois la mise en acte du récit, superpose sur le couple transférentiel le couple auteur-lecteur, en distribuant à l'intérieur de la relation amoureuse les fonctions interdépendantes de destinateur du récit (son « auteur » ou narrateur) et de destinataire (auditeur-récepteur ou lecteur-interprète).

> *I can see Douglas there before the fire* [...] *looking down at his conver-ser with his hands in his pockets. "Nobody but me, till now, has ever heard. It's quite too horrible." [...] "It's beyond everything. Nothing at all that I know touches it."*
> *"For sheer terror?" I remember asking.*
> *He seemed to say that it wasn't so simple as that; to be really at a loss how to qualify it. He passed his hand over his eyes, made a little wincing grimace. "For dreadful—dreadfulness!"*
> *"Oh, how delicious!" cried one of women. He took no notice of her;* he looked at me, but as if, instead of me, he saw what he spoke of. *"For general uncanny ugliness and horror and pain"*
>
> (*Norton*, prologue, p. 1-2).

[Je vois encore Douglas devant le feu [...] regardant son interlocuteur de haut en bas, les mains dans les poches. « Il n'y a que moi jusqu'ici qui l'aie jamais su. C'est par trop horri-ble. » [...] « C'est au-delà de tout. Je ne sais rien au monde qui en approche.
— Comme effet de terreur? » je me souviens d'avoir demandé.
Il sembla vouloir dire que ce n'était pas si simple que cela, mais qu'il ne pouvait pas trouver de mots pour le qualifier. Il passa sa main sur ses yeux, eut une petite grimace douloureuse. « Comme horreur, comme horreur — horrible!
— Oh! c'est délicieux! » s'écria l'une des femmes. Il ne parut pas l'entendre; *il me regardait, mais comme si, à ma place, il voyait ce dont il parlait.* « Comme un ensemble d'étrange hideur et horreur et douleur » (*Stock*, I, p. 124; trad. modifiée).]

Le jeu des regards amoureux se complique, du moment que le regard en lui-même consiste en une substitution. A travers ce regard, l'amour et, du même coup, le geste de la narration, visent tous deux un *lieu* rhétorique, plutôt qu'un objet propre : « Il me regardait mais *comme si, à ma place* il voyait *ce dont il parlait*. » Cette phrase a deux implications:

1) « Ce dont le narrateur parle » est équivalent à la *place* de celui *auquel il s'adresse:* si à cette place se trouve le lecteur, le lecteur est bien le sujet du récit; 2) Pour le narrateur, le lecteur, devenu le sujet du récit, se superpose au fantôme : le lecteur est lui-même un fantôme, lié au rapport insolite, terrifiant, entre l'amour et la mort.

Le lecteur, de son côté, entretient un rapport transférentiel à l' « auteur » ou au narrateur, dans la mesure où il les investit du prestige du *sujet supposé savoir.* « Le transfert, dit Lacan, est impensable sinon à prendre son départ dans le sujet supposé savoir; il est supposé savoir ce à quoi nul ne saurait échapper, la signification. » C'est le je-narrateur, nous l'avons vu, dans son rôle de lecteur-récepteur, qui confère à Douglas son autorité, et au récit son titre, son nom : son ultime savoir de son propre sens. « L'histoire le dira, pris-je sur moi de répondre » (*Stock*, I, p. 126). Le je-lecteur constitue, de la sorte, en *savoir* du texte (de l' « auteur ») le *non-su* de sa propre lecture, de la même manière que le fantasme transférentiel de l'analysant constitue en savoir de son analyste le non-su de sa propre histoire.

Opérant sur et par le transfert, le récit est ainsi un rapport, un passage, un constant va-et-vient entre deux bords : conscience et inconscient, intérieur et extérieur, écriture et lecture, parole et silence, vie et mort, sommeil et veille :

> *The case, I may mention, was that of an apparition in just such an old house as had gathered us for the occasion—an appearance, of a dreadful kind, to a little boy sleeping in the room with his mother and waking her up in the terror of it; waking her not to dissipate his dread and soothe him to sleep again,* but to encounter also, herself, [...] *the same sight that had shaken him. It was this observation that drew from Douglas—not immediately, but later in the evening—a reply that had the interesting consequence to which I call attention.*
>
> (*Norton*, prologue, p. 1).

> [Dans le cas en question (je le dis en passant), il s'agissait d'une apparition dans une vieille maison semblable à celle où nous nous trouvions rassemblés, apparition, d'une horrible espèce, à un petit garçon *dormant* dans la chambre de sa mère et, pris de terreur, *réveillant* celle-ci; *la réveillant non pour qu'elle dissipe son angoisse* et le fasse dormir de nouveau, mais *pour qu'elle rencontre aussi elle-même* [...] *la même vision* qui l'avait secoué. Ce fut cette observation qui tira de Douglas — pas immédiatement, mais plus tard dans la soirée — une réplique, sur l'intéressante conséquence de laquelle je voudrais attirer l'attention (*Stock*, I, p. 123; trad. modifiée).]

Si l'enfant, dans ce premier fragment du prologue, est tout à la fois l'origine du rêve et l'origine du récit onirique auquel celui-ci donne lieu, il ne réveille sa mère que pour l'attirer dans son rêve, c'est-à-dire dans son propre sommeil. En franchissant les limites qui séparent le sommeil de la veille, le récit de l'enfant subvertit celles-ci, ou en tout cas les brouille. Comme l'enfant, le narrateur (ou l' « auteur »), par le récit onirique qu'il engage à partir d'un rapport transférentiel, à son tour, ne nous réveille que pour nous attirer, justement, à l'intérieur du sommeil : *nous réveille à notre sommeil*.

Dans cette conjoncture, il serait éclairant de rappeler que Freud introduit en effet la notion de transfert pour la première fois dans *l'Interprétation des rêves*, lorsqu'il réfléchit, justement, sur ce qu'il appelle « les rapports d'énergie entre la veille et le sommeil [1] », pour expliquer l'interaction et l'échange entre les deux, c'est-à-dire la fonction des « restes diurnes » et leur rapport au « désir du rêve » :

> [...] le rêve serait un *substitut d'une scène infantile modifié par le TRANSFERT dans un domaine récent.* La scène infantile ne peut réaliser sa propre réapparition; elle doit se contenter de revenir en tant que rêve [2].

> *Je me représente que le désir inconscient ne suscite le rêve que lorsqu'il parvient à ÉVEILLER un autre désir, inconscient et de même teneur, par lequel il se trouve fortifié* (p. 470).

> Pour cela, il faut bien comprendre l'importance du désir inconscient, et recourir à la psychologie des névroses. Elle nous apprend que la représentation inconsciente ne peut, en tant que telle, pénétrer dans le préconscient et qu'elle ne peut agir dans ce domaine que si elle s'allie à quelque représentation sans importance qui s'y trouvait déjà, à laquelle elle *TRANSFÈRE SON INTENSITÉ* et qui lui sert de couverture. C'est là le phénomène du *transfert*, qui explique tant de faits frappants de la vie psychique des névropathes (p. 478-479).

> Ainsi donc les *RESTES DIURNES* [...] non seulement *empruntent à l'inconscient,* quand ils parviennent à jouer un rôle dans la formation du rêve, *la force pulsionnelle dont dispose le désir refoulé,* mais encore *offrent à l'inconscient* quelque chose : *LE POINT OÙ IL FAUT S'ATTACHER POUR RÉALISER LE TRANSFERT* (p. 480).

> Résumons [...] Le travail de la veille peut avoir laissé des restes diurnes [...]. Le désir inconscient s'est frayé une voie jusqu'à ces restes diurnes et a réalisé sur eux son transfert. Un désir transféré sur le matériel récent apparaît alors, ou bien un désir récent réprimé se ranime, reprenant des forces dans l'inconscient. Il pénétrerait volontiers dans la conscience [...]. Mais il se heurte à la censure [...]. Il subit

---

1. *L'Interprétation des rêves, op. cit.,* p. 447.
2. Dans cette citation et celles qui suivront de *l'Interprétation des rêves*, les italiques sont ceux de Freud; les mots en majuscules sont soulignés par moi.

alors une nouvelle déformation dont la voie a été déjà préparée par le transfert sur l'élément récent. A ce moment, il est sur une voie qui pourrait le mener à l'obsession, à l'idée délirante, etc., à toutes pensées renforcées par le transfert et déformées par la censure (p. 487).

Le processus du rêve prend alors la voie de la régression, que précisément le sommeil ouvre : il obéit par là à l'attraction qu'exercent sur lui des groupes de souvenirs qui n'existent, en partie, que sous la forme d'investissements visuels, non comme une traduction en termes de systèmes ultérieurs. C'est sur cette route qu'il acquiert la possibilité de figuration [...]. Il a maintenant franchi une seconde étape d'une carrière déjà bien accidentée (p. 487-488).

L'analyse que fait ici Freud du va-et-vient, des « rapports d'énergie entre la veille et le sommeil » par le biais du transfert ne nous prépare-t-elle pas à rencontrer, et à mieux comprendre, ces figures visuelles oniriques que sont, justement, les fantômes? *Voir*, c'est donc avant tout *transférer*. Et si, comme nous l'avons « vu » plus haut, voir, dans le jeu de langage du prologue, c'est toujours déchiffrer, lire, *interpréter*, c'est-à-dire investir de sens, c'est parce que lire, c'est aussi transférer : investir un signifiant « diurne » par une énergie pulsionnelle inconsciente, greffer sur un matériel récent une intensité de sommeil archaïque. Voir, ce sera donc toujours, quelque part, regarder par les yeux mêmes de l'inconscient, c'est-à-dire, d'une façon ou d'une autre, percevoir à travers un rêve : rhétoriquement, et non pas proprement.

Les deux sens du transfert chez Freud, le transfert comme ressort de l'analyse, comme principe structurant, répétitif, du rapport affectif intersubjectif, et le transfert comme fonction rhétorique du matériel signifiant, comme transfert d'intensité à travers un déplacement de signifiants, se retrouvent ainsi tous deux dans le prologue du *Tour de vis* : c'est leur interaction, justement, qui donne lieu à la mise en acte du récit comme tout à la fois un *rapport de couple* et comme le déplacement d'un écrit, un *transfert de manuscrit* : le récit est tout entier pris, et se joue, entre, d'une part, une tentative de séduction, de capture, et, d'autre part, le déplacement d'un signifiant, d'un effet d'écriture.

"Well then", I said, *"just sit right down and begin".*
He turned round to the fire, gave a kick to a log, watched it an instant. Then as he faced us again: "I can't begin. I shall have to send to town. [...] The story's written. It's in a locked drawer. It has not been out for years" (Norton, prologue, p. 2).

[« Eh bien, lui dis-je alors, veuillez vous asseoir et commencer. » Il se retourna vers le feu, repoussa une bûche du pied et la contempla un instant. Puis il nous dévisagea à nouveau : « Je ne peux pas commencer. Il faudra que j'envoie quelqu'un en ville [...]. L'histoire est écrite. Elle est dans un tiroir fermé à clé. Elle n'en est pas sortie depuis des années » (*Stock*, I, p. 124-125).]

LA SCÈNE DE L'ÉCRITURE, OU LES LETTRES VOLÉES.

> Sans ce qui fait que le dire, ça vient à s'écrire, il n'y a pas moyen de faire sentir la dimension du savoir inconscient.
> J. Lacan, séminaire du 19 février 1974.

> Pour qu'il y ait lettre volée, nous dirons-nous, à qui une lettre appartient-elle?
> J. Lacan, « Séminaire sur "la Lettre volée" ».

Le fait que « l'histoire est écrite », générateur d'un effet de suspens qui le marque et le souligne, a donc deux implications immédiates :

1. L'histoire, consistant en un texte, et non pas simplement en une suite d'événements, a une existence, et une place, matérielles;

2. Cette existence, et cette place, sont indépendantes de celles du narrateur : c'est plutôt le narrateur qui se trouve sous la dépendance de l'écrit : de sa place et de son existence matérielles.

Cette double signification du fait que « l'histoire est écrite » aura trois répercussions immédiates sur la mise en acte du récit :

1. L'impossibilité de commencer; une difficulté liée au commencement comme tel, d'abord temporisé, ensuite remplacé par un prologue substitutif. « Je ne peux pas commencer », dit Douglas. « Il faudra que j'envoie quelqu'un en ville. [...] L'histoire est écrite. » Toutefois, le manuscrit arrivé, Douglas explique la nécessité de faire précéder sa lecture par « quelques mots de prologue » qui tiendront lieu de commencement : « Le document écrit entama l'histoire à un point où, en somme, elle avait déjà commencé » (*Stock*, II, p. 127, 128; trad. modifiée).

2. Puisque le lieu où le texte est gardé est un lieu clos, protégé et secret (un « tiroir fermé à clé »), la narration, nécessitant la sortie du manuscrit, impliquera le forcement de la clôture, une effraction, une crise d'ouverture :

> *"The story [...] has not been out for years.   I could write to my man and enclose the key; he could send down the packet as he finds it."*
> [...] *He had* broken *a thickness of ice, the formation of many a winter; had had his reasons for a long silence* (*Norton*, prologue, p. 2).
>
> *Mrs. Griffin spoke.* [...]
> *"... it's rather nice, his long reticence."*

278

"Forty years!" Griffin put in.
"With this outbreak *at last."*
"The outbreak*", I returned, "will make a tremendous occasion of
Thursday night" (Norton,* prologue, p. 3).

[« L'histoire est dans un tiroir fermé à clé. Elle n'en est pas sortie
depuis des années. Mais je pourrais écrire à mon domestique et lui
envoyer la clé : il m'enverrait le paquet tel qu'il est. » [...] Il avait
brisé la couche de glace, amoncelée par tant d'hivers. Il avait eu ses
raisons pour garder ce long silence (*Stock*, I, p. 125).

Alors Mrs. Griffin parla : [...]
« ... c'est vraiment gentil, un silence gardé si longtemps!
— Quarante ans, nota brièvement Griffin.
— Avec enfin cette *explosion*.
— *L'explosion*, répliquai-je, va faire de la soirée de jeudi quelque
chose de formidable » (*Stock*, I, p. 127).]

3. Pour que la narration soit possible, Douglas se fait adresser le
manuscrit par la poste. Sur le texte il y a une adresse : *le récit est une
lettre*. Auparavant, le manuscrit a déjà été envoyé comme une lettre
par la gouvernante à Douglas. Il sera, plus tard, envoyé de nouveau
par Douglas au je-narrateur. De la lettre, la narration implique donc
tout à la fois un *changement de place* et un *changement d'adresse*.

Or, le manuscrit lui-même parle sans arrêt de lettres : de la lettre
énigmatique qui annonce, sans en donner les raisons, que Miles a été
renvoyé de l'école; des lettres des enfants au Maître, interceptées par
la gouvernante; de la lettre que, pour l'informer des anomalies à
Bly, Mrs. Grose voudrait faire écrire au Maître, la gouvernante l'en
empêchant, promettant d'écrire elle-même; de la lettre de la gouvernante au Maître, interceptée et détruite par Miles.

Ce qui est frappant, c'est que toutes ces lettres ont des caractéris-
tiques qui rappellent celles du manuscrit du récit. Elles sont fermées
et cachetées :

> ... *my letter*, sealed and directed, *was still in my pocket.*
>
> (*Norton*, XVIII, p. 65).
>
> [... ma lettre, *adressée et cachetée*, était encore dans ma poche
> (*Stock*, XIX, p. 215).]

Leur ouverture, entraînant donc le forcement d'une clôture, la violence
d'une cassure, constitue une espèce d'effraction et de crise :

> *The postbag that evening* [...] *contained a letter for me which, however,
> in the hand of my employer, I found to be composed but of a few words
> enclosing another, addressed to himself, with a* seal still unbroken.

"This, I recognize, is from the head-master, and the head-master's an awful bore. Read him please; deal with him; but mind you don't report. [...]" I broke the seal with a great effort—so great a one that I was a long time coming to it; took the unopened missive at last up to my room and only attacked it just before going to bed. I had better have let it wait till morning, for it gave me a second sleepless night
(*Norton*, ii, p. 10).

[Le courrier de ce soir-là [...] apportait une lettre pour moi. Elle était écrite par mon patron, mais ne contenait que peu de mots, et en renfermait une autre adressée à lui-même, *dont le cachet n'était pas encore brisé.* « Je reconnais ceci comme venant du directeur du collège, et ce directeur est un horrible raseur. Veuillez en prendre connaissance, traitez la question avec lui, mais par-dessus tout, ne m'en parlez pas [...] »
Il me fallut faire un *grand effort pour briser le cachet* — un tel effort qu'il me fallut longtemps pour m'y mettre; enfin j'emportai la lettre, toujours cachetée, dans ma chambre, et ne l'attaquai que lorsque j'étais sur le point de me coucher. J'aurais mieux fait de la laisser attendre jusqu'au lendemain, car elle me procura une seconde nuit sans sommeil (*Stock*, iii, p. 136-137; trad. modifiée).]

Dans le récit comme dans le prologue, l'écriture matérielle de la lettre, comme l'existence matérielle du manuscrit du récit, fait ressortir une difficulté inhérente au commencement comme tel. La gouvernante, comme Douglas, est incapable de commencer :

I went so far, in the evening, as to make a beginning [...] *I sat for a long time before a* blank sheet of paper [...]. *Finally I went out*
(*Norton*, xvii, p. 62).

[J'osai enfin, dans la soirée, *tenter un commencement.* [...] Je restai longtemps assise devant une *page blanche.* [...] Finalement je sortis (*Stock*, xviii, p. 209).]

Nous saurons plus tard que cette lettre de la gouvernante au Maître n'aura abouti, en réalité, qu'à la préparation d'une enveloppe contenant, justement, cette page blanche : le commencement demeure non-écrit, toujours antérieur, et toujours exclu des renseignements fournis par les lettres :

"I've just begun a letter to your uncle", I said.
"Well then, finish it!"
I waited a minute. "What happened before?"
He gazed up at me again. "Before what?"
"Before you came back. And before you went away."
... he was silent (*Norton*, xvii, p. 64-65).

[« Je viens de commencer une lettre à votre oncle, dis-je.
— Eh bien, finissez-la ! »
J'attendis une minute.
« Qu'était-il arrivé *avant ?* »
Il leva les yeux sur moi.
« *Avant* quoi?
— *Avant* votre retour ici. Et *avant* votre départ, aussi. »
Il garda le silence (*Stock*, XVIII, p. 213-214).]

Dans la mesure où la narration est subordonnée à l'écrit, dans la mesure où le récit est déterminé comme effet d'écriture, raconter, c'est donc se heurter à l'impossibilité d'écrire le commencement ou d'en disposer sous forme d'écrit; c'est forcer une clôture, la serrure d'un tiroir ou le cachet d'une lettre; c'est mettre en circulation un écrit en fonction d'une nouvelle destination; c'est changer l'adresse d'une lettre et en changer la place matérielle.

Les lettres dans le récit ressemblent donc singulièrement au manuscrit du récit lui-même, envoyé lui aussi comme une lettre. Et, bien qu'à l'intérieur de l'histoire les lettres demeurent soit non écrites, soit interceptées et détruites, soit lacunaires et énigmatiques, leur fonction n'en est pas moins, comme celle de la lettre du manuscrit, de faire précisément un récit, de raconter l'histoire qui est en train de se passer et dont elles font partie.

"Do you mean you'll write?" Remembering she couldn't, I caught myself up. *"How do you communicate?"*
"I tell the bailiff. He *writes."*
"And should you like him to write our story?"
My question had a sarcastic force that I had not fully intended, and it made her [...] inconsequently break down [...].
"Ah Miss, you write!" (*Norton*, XVI, p. 61-62).

[« Vous voulez dire que vous lui écrirez? » Me souvenant qu'elle ne savait pas écrire, je me rattrapai :
— Comment communiquez-vous?
— Je le dis au régisseur. Et il écrit.
— Et aimeriez-vous vraiment lui faire *écrire notre histoire?* »
Ma question comportait plus de sarcasme que je n'avais voulu y mettre, et elle fit [...] éclater Mrs. Grose en sanglots inconséquents.
[...]
« Ah! mademoiselle, *écrivez, vous!* » (*Stock*, XVII, p. 209).]

De toute évidence, l'enjeu de la lettre, c'est le récit lui-même. Ce que les lettres racontent, c'est comment le récit se raconte : comment le récit se raconte en tant qu'effet d'écriture. Les lettres à l'intérieur de l'histoire ne sont donc pas simplement métonymiques du manuscrit qui les contient, dont elles font partie; elles en sont également métaphoriques : dans les lettres, c'est le récit dans son ensemble qui se réfléchit et se met en abyme. Lire le récit, ce serait donc tâcher de faire une lecture des lettres : suivre leur trace, leur circuit.

Or, une lecture des lettres doit constater tout d'abord que les lettres ne mettent en marche le récit que parce qu'elles sont *illisibles* : illisibles d'ailleurs pour le lecteur comme pour les personnages qui les interrogent, et qui en sont d'autant plus affectés qu'ils ne peuvent les comprendre; illisibles comme l'est, justement, le savoir inconscient qui régit une « histoire », qui détermine toute une vie, tout un sort, sans pour autant se laisser reconnaître, pénétrer ou comprendre.

Si la résistance même des lettres à l'ouverture et à la lumière, à la transparence et au sens, pouvait indiquer que les lettres comme telles font partie d'une économie inconsciente; que, signifiants par excellence de l'inconscient, elles ne peuvent signifier qu'à travers une censure; si le récit même de l'inconscient pouvait être celui de la circulation de lettres indéchiffrables, la question théorique cruciale qui, dès lors, se poserait et solliciterait tout autant l'attention analytique que l'attention littéraire, tout autant l'interprète des lettres que le lecteur de l'inconscient, serait sans doute celle-ci : comment lit-on des lettres, lorsque celles-ci se donnent à lire comme précisément illisibles? Question cruciale que *le Tour de vis* articule, fait surgir à tous ses niveaux, pour les personnages de l'histoire dont le drame est entièrement régi par le mystère des lettres, comme pour le lecteur du texte.

Comment l'illisible se lit-il? Cette question n'est rien moins que simple, car la contradiction qu'elle comporte s'avère subvertir ses propres termes : c'est que lire réellement l'illisible, lui imposer un sens, c'est en même temps ne pas le lire en tant que précisément illisible, mais le réduire en lisible. Or, il se pourrait bien que le lisible et l'illisible ne se situent pas au même niveau : si leurs économies respectives sont régies par la conscience et par l'inconscient, leurs fonctionnements pourraient être radicalement différents, foncièrement hétérogènes l'un à l'autre. Ils ne pourraient donc s'équivaloir, se renverser l'un dans l'autre, par un simple effort de conscience ou de meilleure lecture : non seulement ils ne seraient pas comparables, mais encore moins : simplement opposés, n'étant surtout pas symétriques. Peut-être ne faudrait-il donc pas essayer de lire l'illisible à partir du lisible, mais, au contraire, repenser le lisible lui-même, et le lire, à partir de l'illisible. Dans cette optique, la nécessité paradoxale de lire l'illisible ne pourrait s'accomplir qu'à modifier le sens même de *lire*. Lire à partir de l'illisible, ce sera se demander non pas quel est le sens de l'illisible, mais comment l'illisible signifie. Non pas quel est le sens des lettres, mais de quelle façon les lettres parviennent à échapper au sens. Comment la fuite du sens signifie-t-elle? Comment les lettres signifient-elles en tant qu'in-signifiantes, illisibles?

Nous avons vu que les lettres deviennent un facteur dramatique du récit à cause même de leur résistance au sens : leur fonction dramatique de « donner l'alarme », de déclencher et maintenir le récit en créant une situation équivoque et contradictoire, va de pair avec l'opacité persistante de leur fonction informative et avec la frustration réitérée de leur visée narrative : celle de faire le récit d'une genèse, de « raconter une histoire » qui puisse intégrer, ou connaître, tout autant son commencement que sa cause. Or, c'est parce que les lettres *échouent* de la sorte à faire un récit cohérent, transparent, de ce qu'elles sont chargées de transmettre, qu'il y a précisément récit : il y a récit parce qu'il y a inconscient, parce qu'il y a de l'illisible; il y a récit à partir du moment où il y a, paradoxalement, une impossibilité de récit, à partir du moment où un impossible à raconter est transmis par les lettres, se déplace comme un effet d'écriture.

C'est en effet l'illisible qui détermine la structure du récit. Les événements s'organisent autour des « alarmes » données par les lettres. Mais les lettres ne donnent naissance l'une à l'autre qu'à travers les ellipses, les lacunes, les silences qui les constituent : elles ne sont liées entre elles que par les trous qu'elles comportent. De la lettre énigmatique, elliptique du directeur de l'école de Miles, à la lettre inaccomplie de la gouvernante au Maître, interceptée et détruite par Miles, le récit du *Tour de vis* s'organise comme une impossibilité contredite par une nécessité de *raconter une ellipse* : d'écrire une lettre (au Maître) sur ce qui manquait dans la première lettre.

C'est ainsi que le cours entier du récit est déterminé par le creux des lettres. Se définissant par ses manques agissants et par ses aspects négatifs, la chaîne signifiante des lettres se spécifie comme telle par trois attributs communs : 1º Ellipse ou suppression du message ou du contenu des lettres; 2º En l'absence du contenu, ce qui se raconte et acquiert donc de l'importance, c'est le sort matériel des lettres, leurs déplacements, leur circuit; or, ce circuit est ici celui d'un détour et d'un détournement, d'un court-circuit du contact direct entre destinateur et destinataire; 3º Le destinataire, qui commande le circuit, est dès lors valorisé comme l'élément privilégié et déterminant de la lettre; l'adresse est en réalité, dans ces lettres mystérieuses, le seul élément qui demeure lisible, et quelquefois le seul qui s'écrive. Or, toutes les lettres du *Tour de vis* sont adressées au Maître : celle que reçoit la gouvernante (du directeur de l'école de Miles) porte aussi l'adresse du Maître comme son destinataire initial qui, refusant de l'ouvrir, l'a détournée, l'a fait suivre. Il est temps de s'arrêter donc sur l'importance structurante de cette adresse cruciale dans la circulation de l'illisible.

La nécessité d'écrire au Maître pour l'informer des désordres de Bly est liée au fait que le Maître en est le propriétaire légitime : qu'il incarne donc, par rapport aux enfants comme par rapport à la propriété, à la fois l'instance suprême du *pouvoir* et la figure suprême de la *Loi*. Mais le Maître, avant le début de l'histoire, dans cette partie justement non-écrite dont le prologue rend compte, avait instruit la gouvernante de *ne jamais lui écrire*, sous quelque prétexte que ce soit.

> "*He told her frankly all his difficulty—that for several applicants the* conditions *had been* prohibitive. [...] *It sounded strange; and all the more so because of his main condition.*"
> "*Which was—?*"
> "*That she should never trouble him—but never, never; neither appeal nor complain nor write about anything; only meet all questions herself, receive all moneys from his sollicitor, take the whole thing over and let him alone. She promised to do this, and she mentioned to me that when, for a moment, disburdened, delighted, he held her hand, thanking her for the sacrifice, she already felt rewarded.*"
> "*But was that all her reward?*"
> "*She never saw him again*" (*Norton*, prologue, p. 6).

[« Il lui disait franchement toute sa difficulté : à plusieurs candidats les *conditions* avaient *interdit d'accepter* — avaient paru impossibles [...] Cela semblait étrange; d'autant plus étrange quand on apprenait sa principale condition.
— Qui était?...
— Qu'elle ne devait jamais venir le troubler pour quoi que ce fût, mais jamais, jamais; ni l'appeler, ni se plaindre, ni lui écrire, mais résoudre elle-même toutes les difficultés qui se présenteraient, recevoir de son notaire l'argent nécessaire, se charger de tout et le laisser tranquille. Elle le lui promit, et elle m'a avoué que lorsque, soulagé et ravi, il tint un instant sa main dans la sienne, la remerciant de son sacrifice, elle s'était déjà sentie récompensée.
— Mais fut-ce là toute sa récompense?
— Elle ne le revit jamais » (*Stock*, I, p. 131; trad. modifiée).]

Le paradoxal rapport contractuel qui dès lors relie la gouvernante au Maître est un rapport aporétique, *un rapport de non-rapport*, un contrat de *non-correspondance*. C'est dire que le discours du Maître est donné donc ici, à partir du prologue, comme la condition structurante du discours de l'inconscient : selon les termes initiaux du contrat, la Loi est ici une Censure. Or, cette loi, ce contrat et du coup, cet impératif de censure constituent la condition même de possibilité du récit : condition de possibilité du récit de l'impossibilité d'écrire une lettre (au Maître) sur ce qui manquait dans une autre lettre (adressée elle aussi au Maître, mais refusée par lui, retournée sans avoir été ouverte). Se déterminant ainsi tour à tour comme un désir d'ignorance et comme un refus d'information, l'instance de la Loi et de la Maîtrise s'établit, dans sa fonction de barrage, de refus, d'effacement et de refoulement, comme la barre qui va radicalement séparer le signifiant de son signifié, placer les lettres sous l'impératif du non-savoir de leur propre contenu, puisqu'elles sont adressées au Maître, c'est-à-dire *écrites pour leur propre Censeur*.

La situation se complique puisque la gouvernante, de toute évidence, cède aussitôt au charme du Maître et en tombe amoureuse. Le Maître devient donc tout à la fois une figure de pouvoir, une instance de censure, et un objet d'amour, de transfert. Écrites *pour* la Loi et *pour* l'Autorité, mais aussi pour leur propre interdiction et pour leur propre censure, les lettres au Maître constituent en même temps des demandes : demandes d'attention et d'amour.

Or, qu'en est-il d'une demande adressée tout autant à l'instance du pouvoir qu'à l'instance du non-savoir? Qu'en est-il de l'amour du Censeur [1], de l'amour de l'instance qui censure l'amour? Et comment, dès lors, écrire au Censeur? Comment écrit-on pour celui qui, comme tel, signifie la suppression même de ce que nous avons à lui dire? Voilà la question cruciale qui s'agite dans le texte du *Tour de vis*. C'est à partir de ce *double-bind* que l'histoire est racontée et écrite.

Les lettres au Maître ne peuvent donc véhiculer autre chose qu'un silence, un message non seulement raturé, mais qui consiste en sa propre rature. Miles ne volera en effet la lettre de la gouvernante au Maître que pour constater que l'enveloppe ne contenait rien :

"Tell me [...] if, yesterday afternoon, from the table in the hall, you took, you know, my letter." [...]
[...]
"Yes—I took it."
[...]

1. Cf. P. Legendre, *L'Amour du censeur, Essai sur l'ordre dogmatique*, Paris, Éd. du Seuil, 1974.

"What did you take it for?"
"To see what you said about me."
"You opened the letter?"
"I opened it."
[...]
"And you found nothing!" *I let my elation out.*
He gave the most mournful, thoughtful little headshake. "Nothing."
"Nothing, nothing!" *I almost shouted in my joy.*
"Nothing, nothing [1]", *he sadly repeated.*
I kissed his forehead; it was drenched. "So what have you done with
it?"
"I've burnt it" (*Norton*, XXIII-XXIV, p. 84-86).

[« Dites-moi [...] si, hier après-midi, sur la table du hall, vous avez
pris, vous savez bien, ma lettre? »
[...]
« Oui, je l'ai prise. »
[...]
« Pourquoi l'avez-vous prise?
— Pour voir ce que vous disiez de moi.
— Vous avez ouvert la lettre?
— Je l'ai ouverte. »
[...]
« Et vous n'avez *rien* trouvé! » Je donnai libre cours à ma joie.
Il fit, de la tête, le plus mélancolique, le plus pensif petit hochement :
« *Rien.*
— *Rien! rien!* » Je criais presque, sans pouvoir supprimer mon
transport.
« *Rien! rien* [1] *!* » répétait-il tristement.
Je baisai son front; il était ruisselant.
« Et qu'en avez-vous fait?
— *Je l'ai brûlée* » (*Stock*, XXIII-XXIV, p. 241-243).]

1. Que la lettre même du Rien puisse être une lettre d'amour, nous le savons
depuis *le Roi Lear*, et l'aveu d'amour singulier que s'attire, de la part de sa fille
Cordélia, son autorité, paternelle et royale :

Lear.   ... *Now, our joy.*
Although the last, not least, to whose young love
The vines of France and milk of Burgundy
Strive to be interested, what can you say to draw
A third more opulent than your sisters? Speak.
Cordelia. *Nothing, my lord.*
Lear.   *Nothing!*
Cordelia. *Nothing.*
Lear.   *Nothing will come of nothing. Speak again*
(*Shakespeare*, King Lear, I, 1).

Ce n'est sans doute pas un hasard si les lettres au Censeur finissent par être matériellement supprimées. De même que la gouvernante supprime les lettres des enfants au Maître, Miles à son tour supprime la lettre de la gouvernante au Maître, en la jetant au *feu*. Or, le feu, souvenons-nous, apparaissait, dès la première phrase du prologue, comme le centre de l'espace de désir qui donne naissance au récit :

> *The story had held us*, round the fire, *sufficiently breathless...*

> [L'histoire nous avait tenus, haletants, *autour du feu...*]

Symboliquement et structuralement, le feu, dans l'espace du prologue, paraissait occuper la même place centrale, par rapport au cercle de la lecture, que celle du contenu de l'histoire par rapport au cadre de sa narration : au centre du cercle, au centre du cadre, le contenu comme le feu tenaient lieu de foyer, d'intérieur de l'espace de la narration et de la lecture. Or, voici qu'à l' « intérieur » de l'histoire, le feu, par le geste de Miles, se précise comme ce dont le rôle est, spécifiquement, d'*anéantir le contenu de la lettre*, d'en supprimer matériellement jusqu'au « rien » qu'elle contient. Puisque les lettres sont métaphoriques du manuscrit global du récit, c'est-à-dire de l'histoire dans son ensemble en tant qu'effet d'écriture, ce que le feu consume en brûlant ainsi le contenu de la lettre, c'est aussi le « contenu » même de l'histoire.

> *The story had held us round the fire.*

> [L'histoire nous avait tenus autour du feu.]

Si l'histoire est ici l'histoire de la lettre, c'est parce que, dans tous les sens du terme, *la lettre brûle*. Mais le feu ne se trouve de la sorte au centre qu'en tant que ce qui supprime le centre [1] : il n'est analogue au contenu de l'histoire qu'en tant que ce qui consume et brûle tout autant le contenu de l'histoire que l'intérieur de la lettre, les rendant à tout jamais illisibles; illisibles, toutefois, de façon à tenir toujours plus serré et « haletant » le cercle des lecteurs qui l'entoure. « On ne voit pas ce qui brûle », dit Lacan dans un autre contexte, commentant un autre feu, une autre brûlure dont l'aspect fantastiquement funèbre n'est toutefois pas aussi étranger qu'on serait tenté de le croire à la

---

1. Il n'est pas indispensable, mais il n'est pas non plus indifférent de rappeler ici l'importance cruciale du feu dans la vie même de Henry James, et son rôle récurrent, symbolique ou réel, comme agent de castration : de même que le père de Henry James a perdu sa jambe en essayant d'éteindre un incendie, de même le

brûlure, ici, de la lettre, « on ne voit pas ce qui brûle, car la flamme nous aveugle sur le fait que le feu porte sur [...] le réel [1] ».

Mallarmé :

> Toute l'âme résumée
> Quand lente nous l'expirons
> Dans plusieurs ronds de fumée
> Abolis en autres ronds

> Atteste quelque cigare
> Brûlant savamment pour peu
> Que la cendre se sépare
> De son clair baiser de feu

> Ainsi le chœur des romances
> A la lèvre vole-t-il
> Exclus-en si tu commences
> Le réel parce que vil

> Le sens trop précis rature
> Ta vague littérature [2].

LA SCÈNE DE LA LECTURE, OU LA REDDITION DU NOM

> *It was a sense instinctive and unreasoned, but I felt from the first that if I was on the scent of something ultimate I had better waste neither my wonder nor my wisdom. I was on the scent —that I was sure of; and yet even after I was sure I should still have been at a loss to put my enigma itself into words. I was just conscious, vaguely, of being on the track of a law, a law that would fit, that would strike me as governing the delicate phenomena [...]. The obsession pays, if one will; but to pay it has to borrow.*
>
> H. James, *The Sacred Fount.*

Le récit du *Tour de vis* s'organise de la sorte, de façon parallèle, autour d'un double mystère : celui du contenu des lettres, d'une part; et celui des fantômes, d'autre part. Comme les lettres, les fantômes, eux aussi, sont des figures du silence :

---

mystérieux accident dans lequel Henry James s'est blessé le dos de façon à en souffrir — en partie de façon névrotique — toute sa vie, est arrivé lors d'un incendie. Cf. Dr. S. Rozensweig, « The Ghost of Henry James. A Study in Thematic Aperception », in *Character and Personality*, décembre 1943.

1. *Le Séminaire*, livre XI, *op. cit.*, p. 58.
2. Mallarmé *Œuvres*, *op. cit.*, p. 73,

It was the dead silence *of our long gaze at such close quarters that give the whole horror, huge as it was, its only note of the unnatural* (*Norton*, IX, p. 41).

[C'était le *silence de mort* de ce long regard que nous fixions de si près l'un sur l'autre qui seul donnait à toute cette horreur, si énorme fût-elle, son unique touche surnaturelle (*Stock*, X, 180; trad. modifiée).]

Or, si les fantômes, qui sont, de par leur définition, des « horreurs [1] », sont aussi silencieux et muets que les lettres, les lettres elles-mêmes apparaissent, d'autre part — en raison même de leur silence —, contenir ou impliquer des « horreurs » :

My fear was of having to deal with the intolerable question of the grounds of his dismissal from school, *since that was really but the* question of the horrors gathered behind (*Norton*, XV, p. 57).

[La peur que j'éprouvais, c'était d'avoir à traiter de la question intolérable des *raisons de son renvoi de l'école*, puisque cela n'était, au fond, que la question des *horreurs* qui s'y rattachaient (*Stock*, XVI, p. 203; trad. modifiée).]

Aux yeux de la gouvernante, les « horreurs » définissent, de la sorte, à la fois *ce que sont* les fantômes et *ce qui manque* dans la lettre. Ne pourrait-on pas dire, dès lors, que l'horreur des fantômes fait pendant au contenu manquant de la lettre? Comme ce contenu, le fantôme, lui aussi, est un signifié *barré*, ne portant que les marques de sa propre rature. De même que la lettre ouverte par Miles s'avérait contenir strictement « rien » (« *no*thing »), le fantôme se définit comme « personne » (« *no*body ») :

" *What is he like?* "
" *I've been dying to tell you. But he's like* nobody " (*Norton*, V, p. 23.)

[« A quoi ressemble-t-il?
— Je meurs d'envie de vous le dire. Mais comment faire? Il ne ressemble à *personne*. » (*Stock*, VI, p. 155.)]

No-thing, no-body: non-chose, non-corps. Affectés des signes de la négation et de la dénégation, précédés d'un « non » qui les interdit dans le temps même qu'il les manifeste, les fantômes — comme les lettres — se nient au moment même où ils s'affirment; leur mode

---

1. Cf. : « *What is he? He's a horror* » (*Norton*, V, p. 22*).*
        « *For the woman's a horror of horrors* » (*Norton*, VII, p. 32*).*
[« Qu'est-ce qu'il est? Il est une horreur » (*Stock*, VI, p. 154).
« Car cette femme est l'horreur des horreurs » (*Stock*, VIII, p. 167).]

d'existence, et de révélation, est celui de leur propre *contradiction*. Le stigmate d'« horreur » qui renvoie dos à dos les fantômes et les lettres, et le double scandale que, parallèlement, les uns comme les autres paraissent impliquer, pourraient dans les deux cas provenir, en effet, moins d'un mal essentiel qui leur serait inhérent que de ce fonctionnement auto-contradictoire, de ce que la contradiction qui les fonde comporte structurellement en elle-même, pour elle-même, d'incompatible et d'inacceptable, véhicule donc de pouvoir scandaleux. Le scandale serait ainsi un scandale de structure, et non pas un scandale d'éthique.

Si donc, marqués par la même négation, portés par la même contradiction, les fantômes viennent en quelque sorte peupler les vides et les trous de la lettre; s'ils occupent un espace homologue à l'espace vacant du contenu de la lettre, il se pourrait bien que les fantômes *soient* en réalité le contenu de la lettre [1]; il se pourrait, d'autre part,

---

1. La chaîne signifiante des lettres serait, du coup, une chaîne signifiante de revenants; le retour de la lettre raturée aurait quelque chose à faire avec le retour des morts sur la terre; l'écriture, ses ratures et ses déplacements, marquerait l'insistance, le revenir de ce qui n'est pas censé revenir, de ce qui est censé, au contraire, être « mort et enterré »; le récit de l'inconscient serait celui du retour du refoulé à travers l'insistance du signifiant.

> ... *the element of the unnamed and untouched became, between us, greater than any other, and* [...] *so much avoidance couldn't have been made successful without a great deal of tacit arrangement. It was as if, at moments, we were perpetually coming into sight of subjects before which we must stop short, turning suddenly out of alleys that we perceived to be blind, closing with a little bang that made us look at each other — for, like all bangs, it was something louder than we had intended— the doors we had indiscretely opened. All roads lead to Rome, and there were times when it might have struck us that almost every branch of study or subject of conversation skirted forbidden ground. Forbidden ground was the question of the return of the dead in general and of whatever, in especial, might survive, for memory, of the friends little children had lost* (Norton, XII, p. 50-51).

[... l'élément innommé et intouché grandissait entre nous aux dépens de tout le reste [...] Pour réussir à tant éviter, il fallait entre nous un bien fort consentement tacite. C'était comme si, par moments, nous arrivions constamment en vue de sujets devant lesquels il nous fallait tourner court, abandonnant subitement des routes dont nous nous apercevions qu'elles étaient des impasses, fermant, avec un bruit qui nous faisait nous regarder les uns les autres — car, comme tous les bruits, c'était toujours plus fort que nous ne l'aurions voulu — des portes indiscrètement ouvertes. Tous les chemins mènent à Rome et, à certains moments, il semblait que tous les sujets d'études et tous les thèmes de conversation frôlassent le terrain défendu. Le terrain défendu, c'était, d'une façon générale, le retour des morts sur la terre, et, tout spécialement, la discussion de ce qui peut survivre, dans la mémoire, d'amis perdus par de petits enfants (*Stock*, XIV, p. 194, trad. modifiée).]

que le contenu de la lettre ne soit lui-même qu'un effet de fantôme [1].

Que les fantômes soient contenus dans les lettres, que leur existence soit liée à l'existence même de *l'écriture*, les propos de la gouvernante concernant Peter Quint le donneraient à penser :

> So I saw him as I see the letters I form on this page   (*Norton*, III, p. 17).

> [C'est ainsi que je le vis, comme je vois les lettres que je trace sur cette page (*Stock*, IV, p. 146).]

Cette remarque semble construire une équivalence entre deux activités, manifestes comme deux modes du voir :

$$
\begin{array}{ccc}
& as & \\
\text{so I saw him} & = & \text{I see the letters} \\
& comme & \\
\text{je le vis} & = & \text{je vois les lettres} \\
\textit{voir des fantômes} & = & \textit{voir des lettres}
\end{array}
$$

Or, « voir des lettres », c'est *lire* [2]. En « voyant » de la sorte les « lettres qu'elle trace sur cette page » du manuscrit du récit, la gouvernante est en train de *lire* sa propre histoire qu'elle écrit, souvenons-nous, sous forme de lettre à Douglas. A la fois contenu dans les lettres et contenu de la lettre, le fantôme s'avère être ainsi tout autant un effet d'écriture qu'un effet de lecture.

La gouvernante en réalité se révèle être amateur de lecture, de lecture non seulement de sa propre histoire, mais aussi des romans du siècle dernier. Il est frappant qu'à plusieurs reprises les fantômes soient associés aux romans. La première apparition de Quint évoque aussitôt en la gouvernante le souvenir de deux romans : ce souvenir

---

1. Puisque, comme nous l'avons vu plus haut, les lettres ici sont métaphoriques du manuscrit global du récit, et que le contenu de la lettre représente donc aussi le contenu de l'histoire, l'intérieur du cadre, il n'est pas étonnant de voir le fantôme émerger, dès sa première visite, « comme un tableau dans un cadre » :

> ... the man who looked at me over the battlements was as definite as a picture in a frame (*Norton*, III, p. 16).

> [... l'homme qui me regardait par-dessus les créneaux était aussi distinct qu'un tableau dans un cadre (*Stock*, IV, p. 146).]

2. L'envers de cette équivalence, mais qui ne fait que la confirmer, est illustré par Mrs. Grose : elle ne voit pas les fantômes, d'une part, et, d'autre part, ne sait pas lire :

Ne pas lire = ne pas voir de fantômes.

de lecture interprète le fantôme [1]. A sa troisième apparition, l'émergence du fantôme suit une scène de lecture : l'acte de « voir des lettres » précède donc ici celui de « voir des fantômes » qui lui est contigu et consécutif. Par cette contiguïté qui les associe métonymiquement, le fantôme semble presque sortir, en quelque sorte, des pages du roman que la gouvernante est en train de lire. Ce n'est plus, ici, un souvenir de lecture qui interprète le fantôme, mais le fantôme lui-même qui semble interpréter le livre [2].

La gouvernante est donc une *lectrice*, subissant les effets des lettres; des lettres, d'ailleurs, qu'elle reçoit par la poste tout autant que de celles qu'elle trouve dans les livres. Sa première question, en effet, en recevant la lettre du directeur de l'école de Miles, est la question par excellence du lecteur et de l'interprète : celle du sens.

> What does it mean? *The child's dismissed his school* (*Norton*, II, p. 10).
>
> [*Qu'est-ce que cela veut dire?* Le petit est renvoyé de l'école (*Stock*, III, p. 136).]

Préoccupée de la sorte par le sens — tour à tour des fantômes et des lettres, et, par conséquent, constamment absorbée par une activité

---

1. *"Was there a secret at Bly—a mystery of Udolpho or an insane, an unmentionable relative kept in unsuspected confinement?"* (*Norton*, IV, p. 17). [« Y avait-il un secret à Bly? Un mystère d'Udolphe, ou quelque parent aliéné que l'on ne peut mentionner, séquestré dans une cachette insoupçonnée? » (*Stock*, V, p. 147).]
La référence est ici, d'une part, aux *Mystères d'Udolphe* d'Anne Radcliffe, qui évoquent une atmosphère d'étrangeté surnaturelle et la présence d'un fantôme, et, d'autre part, à *Jane Eyre* de Charlotte Brontë, qui évoque un amour entre une gouvernante et son Maître; un amour toutefois impossible, car le Maître est secrètement lié par un mariage irrévocable à une femme devenue folle, qu'il séquestre et cache dans une pièce isolée de sa propriété.

2. *I sat reading by a couple of candles [...] I remember that the book I had in my hand was Fielding's* Amelia; *also that I was wholly awake. I recall further both a general conviction that it was horribly late and a particular objection to looking at my watch [...] I recollect [...] that though I was deeply interested in the author, I found myself, at the turn of a page and with his spell all scattered, looking straight up from him and hard at the door of my room [...] ... I went straight along the lobby [...] till I came within sight of the tall window that presided over the great turn of the staircasse [...] My candle [...] went out [...] Without it, the next instant, I knew that there was a figure on the stair. I speak of sequences, but I required no lapse of seconds to stiffen myself for a third encounter with Quint* (*Norton*, IX, p. 40-41).
[Je lisais, assise, à la lumière des deux bougies [...] Je me souviens que le livre que je tenais était l'*Amélia* de Fielding, et que j'étais tout à fait éveillée. Je me souviens aussi d'avoir eu une vague idée qu'il était horriblement

de déchiffrement —, la gouvernante transforme en fait toute son expérience à Bly en une vaste aventure de lecture, en une recherche du sens propre, définitif, des paroles et des choses :

> *I had restlessly* read into *the facts before us almost all the* meaning *they were to receive from subsequent and more cruel occurrences* (*Norton*, VI, p. 27-28).

> *I* [...] read into *what our young friend had said to me the* fulness of its meaning (*Norton*, XV, p. 57).

> *I* extracted a meaning *from the boy's embarrassed back* (*Norton*, XXIII, p. 82).

> *I suppose I now* read into *our situation a clearness it couldn't have had at the time* (*Norton*, XXIII, p. 84).

> [Sans répit, j'*avais lu* dans les faits devant nous presque tout le *sens* que des circonstances plus cruelles devaient par la suite leur donner (*Stock*, VII, p. 161; trad. modifiée).

> Je ne pouvais que [...] *lire*, à travers les paroles prononcées par mon jeune ami, toute *la plénitude de leur sens* (*Stock*, XVI, p. 203; trad. modifiée).

---

tard, et que je ne voulais pas interroger ma montre [...] Je me rappelle qu'en dépit du vif intérêt que je prenais à ma lecture je me trouvais, comme je venais de tourner une page, avoir perdu subitement le fil de l'histoire, et fixant la porte de ma chambre, les yeux levés de dessus mon livre [...]

... je sortis tout droit de la chambre; [...] je m'avançai tout droit le long du corridor [...] jusqu'à ce que j'arrivasse en vue de la haute fenêtre qui dominait le vaste tournant de l'escalier [...] ma bougie s'était éteinte [...] Sans elle, un instant après, je savais qu'il y avait une forme humaine dans l'escalier. Je parle de successions d'idées, mais il ne me fallut pas un grand nombre de secondes pour me dresser pour une troisième rencontre avec Quint (*Stock*, X, p. 179-180).]

Voir des fantômes, c'est donc lire des lettres; lire des lettres, c'est veiller tard dans la nuit : la lecture est liée à la nuit comme le fantôme à l'obscurité. Lire (voir des lettres, voir des fantômes), c'est donc regarder, percevoir dans le noir. Pour percevoir dans le noir (donc pour lire), faut-il ouvrir ou fermer les yeux? La gouvernante nous affirme qu'elle n'était pas endormie, qu'elle avait donc les yeux ouverts, en dépit de la tentation de l'heure. S'il était permis d'en douter, le fantôme pourrait n'être qu'un rêve des lettres; la lecture serait livrée aux apparitions du sommeil que comporte l'écriture.

Cf. la description du Maître (« un type, enfin, tel que jamais, sauf *dans un rêve ou un roman d'autrefois*, il n'aurait pu en apparaître... », *Norton* prologue, p. 4; *Stock*, I, p. 128) et celle de la maison de Bly (« il me semblait voir un château de roman [...] un lieu auprès duquel pâliraient les contes de fées et les plus belles histoires d'enfants. Tout ceci n'était-il pas un *conte, sur lequel je sommeillais et rêvassais?* Non... », *Norton*, I, p. 10; *Stock*, II, p. 136).

Je dégageai un sens du dos que le garçon m'avait tourné dans son embarras (*Stock*, XXIII, 238; trad. modifiée).

Je suppose que je *lis* maintenant dans la situation une sorte de clarté qu'elle ne pouvait avoir eu dans le temps (*Stock*, XXIII, 241; trad. modifiée).]

Cette fièvre de déchiffrement qu'implique l'interrogation du sens est déclenchée par la perception d'une *ambiguïté*.
— Ambiguïté des lettres :

Deep obscurity continued to cover the region of the boy's conduct at school (*Norton*, IV, p. 19).

[Une profonde obscurité continuait de couvrir la région du comportement du garçon à l'école (*Stock*, V, p. 149).]

— Ambiguïté des fantômes :

... I caught at a dozen possibilities [...] that I could see, in there having been in the house [...] a person of whom I was in ignorance. [...] My office seemed to require that there should be no such ignorance and no such person. [...] This visitant [...] seemed to fix me [...] with just the question, just the scrutiny [...] that his own presence provoked (*Norton*, III, p. 17).

[... une douzaine de suppositions se présentèrent à mon esprit pour expliquer la présence, dans la maison, d'une personne que j'ignorais. [...] Dans ma situation une telle ignorance n'était pas plus admissible que la présence d'une telle personne [...]. Ce visiteur semblait me fixer, en m'adressant juste la même question, le même regard scrutateur que provoquait sa propre présence (*Stock*, IV, p. 146).]

— Ambiguïté des paroles :

... my impression of her having accidentally said more than she meant [...] I don't know what there was in this brevity of Mrs. Grose's that struck me as ambiguous. [...] I felt that [...] I had a right to know (*Norton*, II, p. 12-13).

[... mon impression que, par mégarde, elle avait dit plus qu'elle ne voulait [...] Je ne sais pourquoi ces brèves réponses de Mrs. Grose me frappaient comme ambiguës [...] Je sentais [...] que j'avais le droit de savoir (*Stock*, III, p. 140).]

« Voir des fantômes », « voir des lettres », c'est donc percevoir des signifiants ambigus et contradictoires, percevoir des *doubles-sens*. Cependant, le procès même de la lecture déclenché par cette perception ambiguë se manifeste, paradoxalement, comme un procès de *réduction de l'ambiguïté* :

> *I [...] opened my letter again to repeat it to her [...] " Is he really bad? "
> The tears were still in her eyes. " Do the gentlemen say so? "
> " They go into no particulars. They simply express their regret that
> it should be impossible to keep him.* That can have but one meaning
> [...] : *that he's an injury to the others* " (*Norton*, II, p. 11).

> *There was* but one *sane inference : [...] we had been, collectively,
> subject to an intrusion* (*Norton*, IV, p. 18).

> *I had an* absolute certainty *that I should see again what I had already
> seen* (*Norton*, VI, p. 26).

> *I began to take in with* certitude, *and yet without direct vision, the
> presence, a good way off, of a third person. [...] There was* no ambi-
> guity *in anything* (*Norton*, VI, p. 29).

> " *If I had ever doubted, all my doubt would at present have gone. I've
> been living with the miserable truth, and now it has only too much
> closed round me... " (*Norton*, XX, p. 73).

> [Je [...] rouvris la lettre pour la lui lire [...]
> « Est-ce vraiment un mauvais garçon? »
> Elle avait toujours des larmes aux yeux. « Ces messieurs le disent-
> ils? »
> « Ils ne donnent aucun détail. Ils expriment simplement leur regret
> de ne pouvoir le garder. *Cela ne peut avoir qu'un seul sens* [...] :
> Qu'il fait du mal aux autres » (*Stock*, III, p. 137).

> *Une seule conclusion* lucide s'imposait : [...] nous avions été, collec-
> tivement, victimes d'une intrusion (*Stock*, V, p. 148; trad. modifiée).

> J'avais la *certitude absolue* que je reverrais encore ce que j'avais déjà
> vu (*Stock*, VII, p. 159).

> Je commençai à percevoir avec *certitude* — et cependant sans vision
> directe — la présence, assez lointaine, d'une troisième personne [...]
> Il n'y avait *rien d'ambigu* en quoi que ce fût (*Stock*, VII, p. 163).

> Si j'avais jamais douté, mon doute disparaîtrait aujourd'hui. J'ai
> vécu longtemps avec l'amère vérité — et maintenant elle me renferme
> et me presse de toutes parts (*Stock*, XXI, p. 225).]

Dans son effort pour réduire l'ambigu et le contradictoire, et pour établir le sens comme univoque et unique (« but one »), la méthode de lecture de la gouvernante n'est donc pas radicalement différente de celle des critiques-lecteurs de James, se disputant sur le vrai sens du texte :

> Mais que dire s'il y avait une seule chose [...] qui ne pût pas être lue
> dans deux sens différents, qui ne pût être lue que dans *un seul sens?*
> (A. J. A. Waldock, *Casebook*, p. 172.)

> Les déterminants passages non ambigus à partir desquels le critique peut travailler sont si nombreux, que l'emploi des passages ambigus comme points de départ ne semble guère être une bonne stratégie critique (Heilman, FR, *MLN*, 436).

Puisque le texte anticipe, là encore, sur sa propre lecture qu'il met en abyme et en quelque sorte commente à l'avance, le défi que rencontre ici le critique prend la forme d'une invitation à lire, au deuxième degré, justement, la lecture que le texte suggère de sa propre lecture : de quelle façon, dans le texte même, se réfléchit, s'analyse, se commente la recherche du sens propre, le passage de la perception équivoque à l'établissement du sens univoque, le « renfermement de la vérité » autour de la narratrice?

L'exclusion de l'incertitude et du doute provoqués par un signifiant équivoque, l'acquisition de la « clarté » relative au sens de ce qui, pourtant, s'était manifesté tout d'abord comme essentiellement ambigu, le couronnement, donc, de la lecture, est à plusieurs reprises exprimé dans le texte comme une revendication cognitive, c'est-à-dire comme l'affirmation d'un savoir :

> " *He was looking for little Miles.* " *A portentous clearness now possessed me.* " That's *whom he was looking for.* "
> " *But how do you know?* "
> " *I know, I know, I know!* " *My exaltation grew.* " *And* you *know, my dear!* " (*Norton*, VI, p. 25-26; James souligne).
>
> [« Il cherchait le petit Miles. » Je me sentais sous la possession d'une prodigieuse clairvoyance.
> « Voilà ce qu'il cherchait.
> — Mais comment le savez-vous?
> — Je le sais, je le sais, je le sais! » Mon exaltation croissait. « Et vous le savez aussi, ma chère! » (*Stock*, VII, p. 158).]

La certitude du lecteur est liée à son assurance de *savoir* : le savoir est donc un savoir du sens. « I don't *know* what you *mean* », dira Flora [1]. Ce « savoir » est acquis au moyen du « voir » :

> *Mrs. Grose of course could only gape the wider.* " *Then* how do you know? "
> " *I was there* —I saw with my eyes " (*Norton*, VII, p. 30-31).
> " *For the woman's a horror of horrors.* " [...]
> " *Tell me* how you know ", *my friend simply repeated.*
> " Know? By *seeing* her! By the way she looked " (*Norton*, VII, p. 32).

---

1. *Norton*, XX, p. 73; *Stock*, XXI, p. 225.

[Naturellement, l'étonnement de Mrs. Grose ne pouvait que grandir.

« Alors, *comment savez-vous ?*

— J'étais là, *j'ai vu, de mes yeux* » (*Stock*, VIII, p. 165).

« Car cette femme est la pire des horreurs. » [...]

Mon amie se contenta de répéter :

« Dites-moi *comment vous le savez*.

— Comment je l'ai *su ?* En la *voyant !* A son aspect » (*Stock*, VIII, p. 167).]

Si le « savoir » est savoir du sens, le « voir », en revanche, est la perception d'une figure qui paraît signifiante, qui fait signe :

> There was a figure in the grounds—a figure prowling for a sight   (*Norton*, X, p. 44).

> [Il y avait une figure au milieu des parterres, une figure qui rôdait *pour obtenir un regard* (*Stock*, XI, p. 184-185).]

« Voir », en d'autres termes, se rapporte à l'ordre du *signifiant* (ce qui est perçu comme porteur de sens, et qui est donc en train de signifier), alors que « savoir », d'autre part, se rapporte à l'ordre du *signifié* (ce qui a été signifié : sens accompli et comme tel connu, maîtrisé, possédé). Le « savoir » est au « voir » ce que le signifié est au signifiant : le signifiant est de l'ordre du *vu*, le signifié est de l'ordre du *su*. Le signifiant est comme tel à la fois ambigu et obscur ; le signifié, en revanche, est lumineux, certain, univoque. L'équivoque appartient donc à l'ordre du « voir » :

> ... there are depths, depths! The more I go over it, the more I see in it, and the more I see in it the more I fear.   I don't know what I don't *see*, what I don't *fear !*   (*Norton*, VII, p. 31 ; James souligne).

> [... Il y a là des abîmes, des abîmes ! Plus j'y reviens, plus j'y vois de choses, et plus j'y vois de choses, plus j'ai peur. Je ne sais plus ce que je n'y vois pas — ce que je ne redoute pas ! (*Stock*, VIII, p. 166 ; trad. modifiée).]

Elle est éliminée du « savoir » :

> The way this knowledge gathered in me was the strangest thing in the world [...].   I began to take in with certitude [...] the presence [...] of a third person   (*Norton*, VI, 29).

> [La façon dont ce *savoir* me pénétrait fut bien la chose la plus étrange du monde [...]. Je commençai à percevoir avec *certitude* la présence [...] d'une troisième personne (*Stock*, VII, 163 ; trad. modifiée).]

Le procès de lecture de la gouvernante esquisse, de la sorte, un rapport dynamique, un *passage du « voir » au « savoir »*. Essayons de suivre de près ce passage à travers les indices insistants du vocabulaire du texte, pour tâcher d'étudier dans quelles conditions il s'opère, et de quelle façon il commande la diachronie textuelle, détermine l'histoire même de la gouvernante comme l'histoire de l'évolution d'une lecture vers son dénouement final.

La lecture commence donc par la perception de signifiants ambigus, une lettre obscure, un fantôme inconnu : leur sens est un savoir dont la gouvernante est barrée (« Il est... Dieu me pardonne si je sais ce qu'il est [1] »). Or, si la lecture se déclenche à partir d'une *absence de savoir*, elle postule en même temps que *le savoir existe*, mais *dans l'Autre :* pour que la lecture soit possible, il doit exister un savoir dans l'Autre (dans le texte, par exemple), et c'est ce savoir de l'Autre qui doit justement être lu. La gouvernante postule en effet que le signifié dont elle est barrée, le sens qu'elle ignore, est su quelque part. La question qui hante la nouvelle tout entière, celle du sens, se transforme dès lors en la question : *qu'est-ce qui sait ?* « Si l'inconscient, dit Lacan, nous a appris quelque chose, c'est d'abord ceci, que quelque part, dans l'Autre, ça sait. Ça sait parce que ça se supporte justement de ces signifiants dont se constitue le sujet [...]. Le statut du savoir implique comme tel qu'il y en a déjà, du savoir, et dans l'Autre, et qu'il est à prendre. C'est pourquoi il est fait d'*apprendre* [2]. »

En lisant, la gouvernante en effet cherche à prendre le savoir de l'Autre, à y apprendre, y lire, le signifié qu'elle ignore. Le savoir de Mrs. Grose tout d'abord :

> Then seeing *in her face that she already, in this* [...] *found a touch of picture, I quickly added stroke to stroke* [...]
> " *You* know *him then ?* "
> [...]
> " *You* do know him ? "
> *She faltered but a second.* " Quint ! " she cried (*Norton*, v, 23-24).

> [En *voyant* à sa figure que déjà, à ceci, elle reconnaissait [...] un signe caractéristique, j'ajoutai rapidement au portrait touche après touche [...]
> « Vous le *connaissez* donc ? »
> [...]
> « Donc, vous le *connaissez ?* »
> Elle défaillit — une seconde seulement.
> " *Quint !* " s'écria-t-elle (*Stock*, vi, p. 155-156).]

1. *Norton*, v, p. 22; *Stock*, vi, p. 154.
2. *Encore*, p. 81, 89.

Mais c'est surtout le savoir des enfants que la gouvernante cherche à lire.

> " *They* know — *it's too monstrous : they know, they know!* » (*Norton*, VII, p. 30; James souligne.)

> *I was ready to* know *the very worst that was to be* known. *What I had then had an ugly* glimpse *of was that my eyes might be sealed just while theirs were most opened.* [...]
> *What it was least possible to get rid of was the cruel idea that, whatever I had seen, Miles and Flora saw* more*—*things terrible and unguessable and that sprang from dreadful passages of intercourse in the past* (*Norton*, XIII, p. 52-53).

> [« Ils *savent*! c'est monstrueux! ils savent! ils savent! » (*Stock*, VIII, p. 165).

> J'étais prête à *connaître* le pire qu'il y avait à *connaître*. Ce dont j'avais alors entretenu la laideur était la pensée que mes yeux pussent être scellés tandis que les leurs eussent été grands ouverts. [...]
> Ce dont je ne pouvais me débarrasser était l'idée cruelle que, quoi que j'eusse vu, Miles et Flora voyaient *davantage*— choses terribles, impossibles à deviner, et qui dérivaient des moments horribles d'intimité dans le passé (*Stock*, XIV, p. 196-197; trad. modifiée).]

Témoins ou complices des rapports sexuels qui liaient entre eux les fantômes, les enfants, aux yeux de la gouvernante, sont ainsi possesseurs d'un savoir qui est tout à la fois un savoir du sens et un savoir sexuel : « They *know* — it's too monstrous: they know, they know! »; le verbe même de la connaissance, « to know », tout en gardant sa valeur cognitive, en retrouve, du même coup, la connotation de son sens archaïque et biblique : « connaître » = tout à la fois « savoir » et « avoir un rapport sexuel ». Le savoir désiré de l'Autre relève donc tout à la fois de la connaissance et de la jouissance.

Les enfants deviennent de la sorte, aux yeux de la gouvernante, des « sujets supposés savoir ». Or, « le sujet supposé savoir » définit, pour Lacan, le support du transfert dans l'expérience analytique : « J'ai cru devoir supporter le transfert, en tant qu'il ne se distingue pas de l'amour, de la formule du sujet supposé savoir [...]. Celui à qui je suppose le savoir, je l'aime [1]. » « Le transfert est de l'amour [...]. J'insiste : c'est de l'amour qui s'adresse au savoir [2]. » La gouvernante, en effet, sans qu'elle s'en rende compte peut-être, tombe amoureuse de l'enfant, à qui elle suppose le savoir :

1. *Encore*, p. 64.
2. *Scilicet*, n° 5, p. 16.

> *It was extraordinary how my absolute conviction of his secret preco-*
> *city [...] made him [...] appear as accessible as an older person—impo-*
> *sed him almost as an intellectual equal* (*Norton*, XVII, p. 63).
>
> *... Miles stood again with his hands in his little pockets [...]. We conti-*
> *nued silent while the maid was with us—as silent, it whimsically*
> *occurred to me, as some young couple who, on their wedding-journey,*
> *at the inn, feel shy in the presence of the waiter* (*Norton*, XX, p. 81).
>
> [C'était extraordinaire comme ma conviction absolue de sa secrète
> précocité [...] le rendait, à mes yeux, aussi accessible qu'une personne
> plus âgée — l'imposait presque comme mon égal, intellectuellement
> (*Stock*, XVIII, p. 211-212; trad. modifiée).
>
> Miles se tint de nouveau debout, les mains dans ses petites poches
> [...]. Nous restâmes silencieux tant que la servante fut là — aussi
> silencieux, pensais-je de façon fantaisiste, qu'un jeune couple en
> voyage de noces dans une auberge, et qui se sent intimidé par la
> présence du garçon (*Stock*, XXIII, p. 237; trad. modifiée).]

A nouveau comme dans le prologue, nous sommes donc en présence
d'un rapport de lecture qui comporte, comme tel, un rapport de transfert : la lecture s'avère être, ici encore, la répétition d'une histoire
d'amour : d'un amour qui *s'adresse au savoir de l'Autre*. Le procès de
lecture de la gouvernante — sa recherche du signifié en tant que
savoir de l'Autre — la place donc, paradoxalement, en position
d'analysant par rapport au *savoir des enfants*, qui se trouvent
occuper, du même coup, rien de moins que la place même de
l'analyste.

Ce n'est pourtant pas ainsi que la gouvernante voit les choses :
à ses yeux, ce sont plutôt les enfants qui sont dans la position des
« patients »; au contraire, son propre rôle auprès d'eux est celui du
thérapeute, du médecin :

> *His clear listening face, framed in its smooth whiteness, made him for*
> *the minute as appealing as some wistful patient in a children's hospital :*
> *and I would have given, as the resemblance came to me, all I possessed*
> *on earth really to be the nurse or the sister of charity who might have*
> *helped to cure him* (*Norton*, XVII, p. 63).
>
> [Son clair visage attentif, encadré dans sa pâle blancheur, le rendait,
> à ce moment, aussi attendrissant qu'un pensif petit patient dans un
> hôpital d'enfants, et quand cette similitude me vint à l'esprit, je
> pensai que je donnerais volontiers tout ce que je possédais au monde
> pour être l'infirmière ou la sœur de charité qui aiderait à le guérir
> (*Stock*, XVIII, p. 211).]

En effet, vers la fin du roman, la gouvernante conçoit, comme elle dit, un « remède » (*Norton*, XXI, p. 76) pour guérir Miles. Le remède s'avère être la confession à laquelle elle va le forcer :

> *"I'll get it out of him He'll meet me He'll confess If he confesses, he's saved"* (*Norton*, XXI, p. 78-79).

> [« J'en tirerai ce que je veux. Il me cédera — il m'avouera. S'il avoue, il est sauvé » (*Stock*, XXII, p. 233).]

C'est ainsi en sa fonction de thérapeute, de médecin de l'âme, que la gouvernante déclenche le dénouement de la nouvelle sous la forme de la confession-remède. L'importance que le « remède » accorde à la parole du « patient », à la nomination du mal comme moyen de l'exorciser, suggère même, de loin, une visée semblable à celle de la cure analytique.

Mais c'est aussi en tant que lectrice que la gouvernante souhaite obtenir la confession de Miles : réclamant à l'enfant *toute la vérité* sur ce qu'il sait, elle entend, justement, *s'approprier le savoir de l'Autre :* le contraindre à s'avouer, tout à la fois en tant que *jouissance* et en tant que *connaissance*. L'aveu de l'enfant, révélant, d'une part, ce qu'il a fait à l'école, et admettant, d'autre part, sa complicité avec le fantôme, devra permettre à la gouvernante de déchiffrer, ou de lire, à la fois le sens du fantôme et le contenu de la lettre. Cet aveu constitue, de la sorte, l'aboutissement et le couronnement de l'activité de la lecture : la *nomination du sens*.

> *They are in my ears still*, his supreme surrender of the name *and his tribute to my devotion* (*Norton*, XXIV, p. 88).

> [Je l'entends encore résonner à mes oreilles, cette *suprême reddition du nom*, cet hommage rendu par Miles à mon dévouement (*Stock*, XXIV, p. 247).]

Cette « suprême reddition du nom », couronnant le triomphe de l'effort de lecture, n'en demeure pas moins, dans le texte, ambiguë, et doublement problématique. D'une part, cette nomination, que la gouvernante interprète comme réponse décisive à toutes ses questions, est en réalité elle-même une question :

> *"It's* there—*the coward horror, there for the last time!"*
> *At this* [...] *he was at me in a white rage, bewildered, glaring vainly over the place and missing wholly, though it now, to my sense, filled the room* [...] *"It's* he?"
> *I was so determined to have all my proof that I flashed into ice to challenge him. "Whom do you mean by "he"?"*

"Peter Quint—you devil!" His face gave again, round the room, its convulsed supplication. "Where?" (*Norton*, XXIV, p. 88; James souligne).

[« Il est là, le lâche, l'horreur immonde; là pour la dernière fois! » « A ces mots [...] il se jeta sur moi, affolé, jetant vainement de tous côtés des regards furieux, et ne trouvant nulle part — bien qu'à mon sens la chambre en fût maintenant imprégnée tout entière [...]
« C'est lui? »
J'étais maintenant si déterminée à obtenir la preuve entière, que je me muai en une statue de glace pour le défier.
« De qui voulez-vous parler?
— Peter Quint! Ah! Démon! » Son visage adressait à toute la pièce sa supplication convulsive : « Mais où? » (*Stock*, XXIV, p. 246-247; trad. modifiée).]

Si la nomination — « Peter Quint » — nomme le sens, désigne et cerne la vérité, cette vérité en fait ne se livre que comme la question de son lieu. « Où? » demande Miles : dernier mot de l'aveu. Le sens ici littéralement fait question. Or, la gouvernante étouffe la question, en la prenant comme réponse.

D'autre part, le triomphe de la gouvernante comme lectrice et à la fois comme médecin, comme interprète et comme thérapeute, est compromis par la mort de Miles. Il s'agira donc ici de comprendre pourquoi, et comment, *le sens tue;* pourquoi, et comment, le sens tue l'enfant.

ON TUE UN ENFANT

> Insupportable est la mort de l'enfant : elle réalise le plus secret et le plus profond de nos vœux [...] Il est remarquable que, jusqu'à ce jour, on se soit plus volontiers arrêté [...] dans la constellation œdipienne, [sur les] fantasmes du meurtre du père, de prise ou de mise en pièces de la mère, laissant pour compte la tentative de meurtre d'Œdipe-enfant dont c'est l'échec qui a assuré et déterminé le destin tragique du héros.
> Serge Leclaire, *On tue un enfant.*

De quoi en effet meurt Miles? Le dernier paragraphe laisse entendre que sa mort est par accident provoquée par l'étreinte passionnée de la gouvernante, une étreinte qui littéralement l'étouffe :

The grasp *with which I* recovered *him might have been that of* catching *him in his fall. I* caught *him, yes, I* held *him—it may be imagined what with a passion, but at the end of a minute I began to feel what it truly was that I* held. *We were alone with the quiet day, and his little heart, dispossessed, had stopped* (*Norton*, XXIV, p. 88).

[L'*étreinte* [*grasp*] avec laquelle je le *ressaisis* aurait bien pu être le geste même qui *l'eût rattrapé* dans sa chute. Je le *saisis* : oui, je le *tenais* bien, on peut imaginer avec quelle passion — mais au bout d'une minute, je commençai à m'apercevoir de ce que je *tenais* réellement.
Nous étions seuls dans le jour paisible, et le petit cœur, enfin délivré, avait cessé de battre (*Stock*, XXIV, p. 247; trad. modifiée).]

Le mot *grasp* (« étreinte ») qui commande ce dernier paragraphe semble donc expliquer la mort de l'enfant. Or, il est frappant que le même mot, *grasp*, commande également, de façon symétrique, le premier paragraphe du dernier chapitre : tout se passe comme si le début et la fin du dernier chapitre se faisaient signe, comme s'il appartenait au mot *grasp* d'introduire et de clore la fin du roman. Voici donc la première phrase de ce chapitre final :

My grasp *of how he received this suffered for a minute from something that I can describe only as a fierce split of my attention—a stroke that at first, as I sprang straight up, reduced me to the mere blind movement of* getting hold of him, drawing him close *and, while I just fell for support against the nearest piece of furniture, instinctively keeping him with his back to the window* (*Norton*, XXIV, p. 84-85).

[Ma *perception* [*grasp*] de l'effet produit sur lui par cette demande souffrit — l'espace d'une minute — de quelque chose que je ne puis décrire que comme une violente fissure de mon attention, comme un coup qui, d'abord, le temps que je me dresse, me réduisit au strict mouvement aveugle de *le saisir, de le tirer près de moi* — et m'appuyant au hasard, dans ma chute, contre le premier meuble venu, d'instinctivement le garder le dos tourné à la fenêtre (*Stock*, XXIV, p. 241-242; trad. modifiée).]

Malgré la symétrie apparente de leurs positions stratégiques au début et à la fin du chapitre de conclusion, les deux occurrences du mot *grasp* renvoient cependant à deux sens différents : "*my grasp of how he received this*" utilise le mot dans son sens abstrait, celui de « compréhension, perception »; "*the* grasp *with which I recovered him*" utilise le mot dans son sens concret, celui d'étreinte physique et de pression musculaire. (En français, l'équivalent de *grasp* serait le verbe « saisir », dans son double sens de geste physique et d'acte mental, intellectuel.) Or, il semble que, en plaçant le mot *grasp* dans ses deux connotations différentes en ces deux positions stratégiques parallèles, James, justement, entend en *faire jouer* les deux sens, en suggérer fortement la complicité et l'interdépendance. La question implicite dans ce jeu sémantique qui encadre le dernier chapitre serait donc : qu'est-ce que « saisir »? Quelle est l'interaction entre l'acte de comprendre (*"my* grasp *of how he received this"*) et l'acte d'étreindre au point d'étouffer (*"the* grasp *with which I recovered him"*)? Curieusement, c'est par une image semblable et au moyen de la même équivoque entre l'acte mental et le geste physique que Cicéron, lui aussi, réfléchit sur l'acte de comprendre. « Sauf le sage, écrit-il, personne ne sait quoi que ce soit, et cela, Zénon le montrait par un geste. Il montrait sa main, les doigts tendus. C'est là la représentation *(visum)*, disait-il. Puis il repliait un peu les doigts. C'est là l'assentiment *(assensus)*. Ensuite, quand il avait complètement fermé la main et qu'il montrait le poing, il déclarait que c'était là la compréhension *(comprehensio)*. C'est pourquoi il lui a donné le nom de catalepse [« action de saisir »], qui n'était pas utilisé avant lui. Ensuite, il rapprochait la main gauche de la main droite et serrait étroitement son poing, et avec force; il disait que c'était là la science *(scientia)*, que personne ne possède sauf le sage [1]. » C'est ainsi la « science » même de la gouvernante qui semble tuer l'enfant. De même que, chez Cicéron, la compréhension paraît s'illustrer par l'image du poing serré, de la fermeture de la main, de même, chez James, la compréhension se littéralise, et du coup s'ironise, dans le geste physique de l'étreinte étouffante, de la fermeture des bras :

> *Mightn't one, to reach his mind, risk the stretch of a stiff arm across his character?* (*Norton*, XXII, p. 81).

> *The grasp with which I recovered him* [...] *I caught him, yes, I held him* (*Norton*, XXIII, p. 88).

> [N'était-il pas permis, pour atteindre son esprit, de risquer la raideur d'un bras tendu au travers de son caractère? (*Stock*, XXIII, p. 236; trad. modifiée).

> L'étreinte avec laquelle je le ressaisis [...] Je le saisis, oui, je le tenais bien... (*Stock*, XXIV, p. 247).]

La compréhension (« grasp », « reach his mind ») du sens en tant que savoir de l'Autre, l'aboutissement donc de la lecture, est ainsi conçu comme un geste violent d'*appropriation* de l'Autre. La lecture n'a pas seulement rapport au *savoir*, mais aussi au *pouvoir* : elle n'est pas une simple recherche du sens, mais une lutte pour son contrôle. Le sens lui-même ne peut être, dès lors, que le résultat d'un acte de violence :

1. Cicéron, *Premiers Analytiques;* cité par J.-A. Miller, « Théorie de Lalangue (rudiment) », in *Ornicar*, n° 1, janvier 1975, p. 22.

> *To do it in* any* *way was an* act of violence, *for what did it consist of but the obtrusion of the idea of grossness and guilt on a small helpless creature who had been for me a revelation of the possibilities of beautiful intercourse?* [...] *I suppose I now* read into our situation a clearness *it couldn't have had at the time* (*Norton*, XXIII, p. 84; * James souligne).

> [Quelque moyen que j'employasse, je commettais un acte de violence, car que faisais-je, sinon pénétrer d'une idée de grossièreté et de culpabilité une petite créature sans défense qui m'avait révélé la possibilité de rapports délicieux? [...] Je suppose que je *lis maintenant dans la situation une sorte de clarté* qu'elle ne pouvait pas avoir dans le temps (*Stock*, XXIII, p. 240-241; trad. modifiée).]

Mais pourquoi cette violence est-elle nécessaire pour que le sens advienne, justement, comme lumière et comme « clarté »? De quoi « souffre » la compréhension (*"my* grasp *of how he received this"*) avant que la pression physique de sa propre étreinte (*"the* grasp *with which I recovered him"*) ne la rende triomphante? Examinons à nouveau la phrase liminaire du dernier chapitre.

> *My grasp of how he received this* suffered *for a minute from something that I can describe only as a* fierce split of my attention — *a stroke that at first, as I sprang straight up, reduced me to the mere blind movement of getting hold of him, drawing him close and, while I just fell for support against the nearest piece of furniture, instinctively keeping him with his back to the window* (*Norton*, XXIV, p. 84-85).

> [Ma perception de l'effet produit sur lui par cette demande *souffrit* — l'espace d'une minute — de quelque chose que je ne puis décrire que comme une *violente fissure de mon attention*, comme un coup qui, d'abord, le temps que je me dresse, me réduisit au strict mouvement aveugle de le saisir, de le tirer près de moi — et m'appuyant au hasard, dans ma chute, contre le premier meuble venu, d'instinctivement le garder le dos tourné à la fenêtre (*Stock*, XXIV, p. 241-242; trad. modifiée).]

Juste avant ce passage, la gouvernante a posé à Miles la question décisive, a-t-il volé sa lettre? Pourtant, sa capacité de *saisir* l'effet sur Miles de sa propre question *souffre* — comme elle le dit elle-même — d'une « violente *fissure* de son attention » : son attention est divisée entre Miles et le fantôme dans la fenêtre, entre un signifiant conscient et le signifiant inconscient sur lequel celui-ci s'articule; entre une perception consciente et son dédoublement fantasmatique, son prolongement contradictoire dans le désir interdit qu'elle déclenche. Or, divisée de la sorte, son attention échoue à saisir le sens de la réaction

305

de l'enfant. L'échec de la compréhension est donc dû à la « violente fissure » — à la *Spaltung* — du sujet, à la *division* dans laquelle le sens tient le sujet qui le cherche. Or, c'est cette castration, cette « fissure » qu'il s'agit précisément de nier, cette division qu'il s'agit de réduire, de surmonter ou de conjurer par la violence de l'étreinte.

> ... *something that I can describe only as a fierce split of my attention— a stroke that at first* [...] *reduced me to the mere blind movement of getting hold of him, drawing him close...*
> [...] *yet I believe that no woman so overwhelmed ever in so short a time recovered her command of the* act
>
> (*Norton*, XXIV, p. 84-85; James souligne).

> [... quelque chose que je ne puis décrire que comme une violente fissure de mon attention — comme un coup qui, d'abord, [...] me réduit au strict mouvement aveugle de le saisir, de le tirer près de moi...
> [...] cependant, je crois que jamais femme aussi bouleversée ne recouvrit, en un temps aussi court, la maîtrise de ses actes
>
> (*Stock*, XXIV, p. 242).]

James a d'abord écrit *"recovered her* grasp *of the act"*; c'est lors de la révision de son texte pour l'édition de New York qu'il a remplacé *grasp* par *command*. Quel est donc l'acte dont la gouvernante recouvre la « compréhension » *(grasp)*, voire la maîtrise, le contrôle *(command)*?

> *It came to me in the very horror of the immediate presence that the act would be, seeing and facing what I saw and faced, to keep the boy himself unaware*   (*Norton*, XXIV, p. 85).

> [Dans l'horreur même de cette présence immédiate, il me vint à l'esprit que, voyant et affrontant ce que je voyais et affrontais, l'acte à accomplir serait d'empêcher le petit d'en prendre conscience
> (*Stock*, XXIV, p. 242; trad. modifiée).]

La gouvernante, souvenons-nous, est, dans ce dernier chapitre, en train de faire aboutir sa lecture du *savoir* de l'enfant, donc du sens. Or, paradoxalement, l'acte même de lire le savoir de l'enfant s'avère être un acte de *refoulement* d'une partie de ce savoir. Le savoir enfantin devient donc ici lui-même emblème du savoir inconscient; le savoir d'un enfant promis à la mort et pourtant indestructible, toujours encore à tuer : « un savoir », dit Lacan, « qui ne supporte pas qu'on sache qu'on sait [1] », qui se refuse, dans les deux sens du terme, à la *réflexion* consciente.

1. Séminaire de 1973-1974, « Les non-dupes errent » (inédit).

What was prodigious was that at last, by my success, his sense was
sealed and his comunication stopped: he knew that he was in presence,
but knew not of what [...] *My eyes went back to the window only*
to see that the air was clear again. [...] *There was nothing there. I*
felt that the cause was mine and that I should surely get all*
(*Norton*, XXIV, p. 85-86; * James souligne).

[C'était prodigieux de sentir enfin, grâce à mon succès, ses sens scellés et la communication rompue : *il savait qu'il était en présence,*
mais ne savait pas de quoi [...] Mes yeux revinrent à la fenêtre et n'y
virent plus que l'air transparent [...] Il n'y avait rien à la fenêtre.
Je sentis que j'avais cause gagnée et que ma conquête serait *totale**
(*Stock*, XXIV, p. 243; trad. modifiée; * James souligne).]

La lecture, ou l'effort pour *saisir* et pour étreindre le signifié, va
donc de pair avec le barrage ou le refoulement d'un signifiant, refoulement dont le but est d'éliminer la *division* du sens.

"*The act would be,* seeing *and facing what I* saw *and faced, to keep*
the boy himself unaware [...] *my eyes went back to the window only*
to see *that the air was clear again* [...] *There was nothing there.*"

[« *Voyant* et dévisageant ce que je *voyais* et dévisageais, l'acte à
accomplir serait d'empêcher le petit d'en prendre conscience [...]
Mes yeux revinrent à la fenêtre et n'y virent plus que l'air transparent [...] Il n'y avait rien à la fenêtre. »]

Voir (et, du même coup, *lire :* « voir des fantômes », « voir des lettres »),
c'est donc paradoxalement, non seulement percevoir, mais *ne pas*
percevoir : déterminer activement un champ en tant qu'invisible,
en tant qu'exclu de la perception, extérieur — par définition — à la
visibilité : c'est *poser une limite* au-delà de laquelle la vision est barrée,
interdite, impossible. La violence de la clôture de l'étreinte en vue de
la compréhension est liée à la violence nécessaire pour l'imposition
même de cette limite, au-delà de laquelle les yeux doivent se clore.
Car ce n'est pas la clôture des yeux qui détermine l'invisible comme
son résultat empirique; c'est, au contraire, l'invisible (le refoulé)
qui (pré)détermine la fermeture des yeux : l'impératif de fermer les
yeux fait partie, activement, de l'effort même pour voir — de l'effort
pour lire, pour connaître, pour dégager le sens :

... *my equilibrium depended on the success of my rigid will, the will*
to shut my eyes as tight as possible *to the truth that what I had to*
deal with was, revoltingly, against nature. *I could only get on at all*
by taking « nature » *into my confidence and my account* [...] *No*
attempt, none the less, could well require more tact than just this

attempt to supply, one's self, all* *the nature.   How could I put even a little of that article into a* suppression of reference *to what had occurred? How on the other hand could I* make a reference *without a* new plunge into the hideous obscure?

(Norton, XXII, p. 80; *James souligne).

[... mon équilibre dépendait de la victoire de mon impassible volonté, la volonté de *fermer les yeux aussi fort que possible* à cette vérité : le cas que j'avais à traiter était révoltant et contre nature. Je ne pouvais tenir qu'en tenant compte de « la nature », en faisant d'elle ma confidente et mon alliée [...] Aucune entreprise, néanmoins, n'exigeait plus de tact que celle-ci, de suppléer à soi seule *toute** la nature. Et comment introduire ne serait-ce qu'un atome de cette denrée dans une *suppression de la référence* à ce qui s'était passé? Comment, d'autre part, pouvais-je *faire une référence* sans à nouveau *plonger dans la hideuse obscurité?*

(Stock, XXIII, p. 235-236; trad. modifiée; * James souligne).]

Saisir : fermer les bras/étouffer. Voir : fermer les yeux/supprimer une référence, ou bien faire référence, mais par le même geste, « plonger à nouveau dans l'obscurité », c'est-à-dire dans l'invisible. Or, c'est paradoxalement ce barrage à la vision, cette limite, qui conjure la « fissure de l'attention » et, du même coup, la division du sens, et qui permet, dès lors, l'illusion de maîtrise, d'émergence du sens en tant que totalité [1] :

My eyes went back to the window only to see that the air was clear again [...] *There was nothing there.   I felt that the cause was mine and that I should surely get* all*

(Norton, XXIV, p. 86; * James souligne).

I seemed to myself [...] *to have* mastered *it, to* see it all

(Norton, XXI, p. 78).

---

1. La totalité est, en tant que telle, tout à la fois *unique* (puisqu'elle intègre tout, il n'y a rien à part elle) et *univoque* (homogène, continue, non-divisée, cohérente). C'est ainsi que la gouvernante peut dire :
   That can have but one *meaning* [...] *to put the thing with some* coherence... (*Norton*, II, p. 11).
   [Cela ne peut avoir qu'*un seul* sens [...] pour exprimer la chose avec quelque *cohérence*... (*Stock*, III, p. 137, trad. modifiée).]
« Le principe de la cohérence, écrit E. D. Hirsch, est précisément le même que le principe d'une limite. Tout ce qui est continu avec la partie visible d'un iceberg se trouve à l'intérieur de ses limites, et tout ce qui se trouve à l'intérieur de ces limites tombe sous la prise du critère de continuité. Les deux concepts sont codéfinissants » *Validity in Interpretation*, New Haven, Yale University Press, 1967, p. 54).

[Mes yeux revinrent à la fenêtre et virent que l'air était transparent à nouveau [...] Il n'y avait rien à la fenêtre. Je sentis que j'avais cause gagnée et que ma conquête serait *totale**

        (*Stock*, XXIV, p. 234; * James souligne).

Il me sembla *tout voir*, avoir *maîtrisé* la difficulté

        (*Stock*, XXII, p. 233; trad. modifiée).]

Le principe de la totalité étant le principe même de la limite et du refoulement qui lui est inhérent, l'ironie suggérée ici par le texte, c'est que l'illusion de maîtrise, de « tout voir », est en réalité la contrepartie du geste de « fermer les yeux aussi fort que possible à la vérité ». Maîtriser, c'est devenir à son tour un Maître, et devenir comme le Maître : or, le Maître, dans cette histoire, souvenons-nous, incarne la loi même de la Censure et le principe même de la Limite en tant que constitutives de l'instance de l'Autorité : de l'instance de la conscience comme maîtrise. En effet, « maîtriser », dans ce texte, tout comprendre, *tout voir*, c'est, ironiquement, rejoindre la place même de l'*aveuglement* que le Maître assume au début de l'histoire : place d'un impératif d'ignorance, de la suppression de l'information [1] :

> ... *a stroke that* [...] *reduced me to the mere* blind *movement of getting hold of him, drawing him close* [...] *instinctively keeping him with his back to the window...* [...]
> *He almost smiled at me in the desolation of his surrender* [...] *I was* blind *with* victory (*Norton*, XXIV, p. 84-85, 87).

[... un coup qui me réduisit au strict mouvement *aveugle* de le saisir, de le tirer près de moi [...] d'instinctivement le garder le dos tourné à la fenêtre. [...]

1. Cette suppression de l'information est également la fonction du directeur (« head*master* ») et des maîtres de l'école de Miles, qui suppriment de leur lettre les raisons du renvoi de Miles de l'école :

> *I turned it over. "And these things came round...?"*
> *"To the* masters? *Oh yes!" he answered very simply. "But I didn't know they'd tell."*
> *"The* masters? *They didn't* — *They've never told. That's why I ask you"*
>   (*Norton*, XXIV, p. 87).

[Je réfléchis un peu. « Et... ces choses... sont parvenues...?
— Aux *maîtres*? Oh! oui! répondit-il, très simplement. Mais je ne savais pas qu'ils le répéteraient.
— *Les* maîtres? *Ils n'ont pas*, ils n'ont jamais rien dit. *C'est pour cela que je vous interroge* » (*Stock*, XXIV, p. 245).]

Le mot « maître » signifie, dans ce texte, le principe même du refoulement, l'*autorité* de la *répression*, tout à la fois mentale et physique, analytique mais aussi politique. Cf. le renvoi de Miles de l'école, et, finalement, son meurtre.

Il alla presque jusqu'à me sourire dans la désolation de sa reddition. [...] J'étais ivre, *aveuglée de victoire* (*Stock*, XXIV, p. 242, 244).]

« Maîtriser », « tout voir », c'est ainsi, non seulement s'aveugler de triomphe, mais aussi, littéralement, triompher d'aveuglement.

La violence de l'étreinte aveugle par laquelle la gouvernante saisit Miles rappelle l'image métaphorique de l'étreinte quasi-convulsive mais puissante du gouvernail d'un bateau en naufrage, image par laquelle la gouvernante se représente la nécessité de son propre effort de maîtrise, de contrôle de la situation :

> *It was* [...] *by just clutching the helm that I avoided total wreck* (*Norton*, XXII, p. 79).

> [C'était [...] en me cramponnant au gouvernail que j'évitai le naufrage total (*Stock*, XXIII, p. 234).]

Cette métaphore du bateau est insistante dans le texte. Marquant ici la fin de l'histoire, elle figure également au début : c'est par elle que se clôt le premier chapitre :

> *It was a big, ugly* [...] *house* [...] *in which I had the fancy of our being almost as lost as a handful of passengers in a great drifting ship. Well, I was, strangely, at the helm!* (*Norton*, I, p. 10).

> [C'était une grande maison vieille et laide [...]. Notre petit groupe m'y apparaissait presque aussi perdu qu'une poignée de passagers sur un grand vaisseau à la dérive. Et c'était moi, étrangement, qui tenais le gouvernail! (*Stock*, II, p. 136).]

La métaphore du gouvernail met en évidence le rapport sous-jacent entre le pouvoir et le sens : tenir la barre, c'est, effectivement, *donner sens* au mouvement du bateau en lui donnant une direction: en contrôlant sa direction. Tout au long de l'histoire, en effet, la lecture de la gouvernante est une imposition de sens, de direction, sur les autres :

> *This is why I had now given to Mrs. Grose's steps* so marked a direction—*a direction making her, when she perceived it, oppose a resistance* [...]
> "*You're* going to the water, *Miss?—you think she's* in*—?"
> (*Norton*, XIX, p. 68; * James souligne).
> *I could only get on at all by taking* " *nature* " *into my confidence* [...], *by treating my monstrous ordeal as* a push in a direction unusual.
> (*Norton*, XXII, p. 80).

"Is she here*?" *Miles panted as he caught with his sealed eyes the*
direction *of my words* (*Norton*, XXIV, p. 88; * James souligne).

[C'était la raison pour laquelle je dirigeais les pas de Mrs. Grose
dans *une direction aussi nette*, direction à laquelle, quand elle s'en
aperçut, elle opposa une résistance [...]
« Vous allez vers l'étang, mademoiselle? Vous croyez qu'elle est
dedans? » (*Stock*, XX, p. 218-219; trad. modifiée).

Je ne pouvais tenir qu'en tenant compte de la « nature », en faisant
d'elle ma confidente et mon alliée [...] en traitant ma monstrueuse
épreuve comme une poussée dans une *direction insolite* (*Stock*, XXIII,
p. 236; trad. modifiée).

« Est-elle là? » haleta Miles, lorsqu'il saisit, de ses yeux scellés, la
direction de mes paroles (*Stock*, XXIV, p. 246; trad. modifiée).]

En donnant une direction, en donnant sens, en saisissant le gouvernail,
la gouvernante, imposant sa lecture, saisit à la fois le sens comme pouvoir et le pouvoir comme sens : elle nous fait croire, et fait croire aux
personnages qui l'entourent, que c'est le sens qui est au pouvoir et
que le pouvoir (qu'elle détient) *a sens :* « Elle a de l'autorité », dit
James : « ce qui n'est pas peu lui avoir donné »; « qu'elle soit capable,
dans ces conditions, de faire un récit *crédible* de telles bizarreries ne
constitue pas, en réalité, si peu de caractère [1] ». La *gouvernante*, à
la lettre, *gouverne*, en saisissant puissamment le *gouvernail* du bateau.
La répétition textuelle de la métaphore du bateau est donc liée à ces
connotations de la prise du gouvernail en tant qu'entreprise de contrôle
du sens.

Or, curieusement, l'image du bateau reparaît également — dans
un contexte apparemment différent — dans un autre lieu stratégique
du texte : là où, au bord du lac, la gouvernante surprend Flora (sous
l'influence, croit-elle, de Miss Jessel) se livrer au jeu, à ses yeux suspect, de la construction d'un bateau-jouet au moyen de morceaux
de bois :

[Flora] had picked up a small flat piece of wood which happened
to have in it a *little hole* that had evidently suggested to her the *idea*
of sticking in another fragment *that might* figure as a mast *and* make
the thing a boat. *This second morsel, as I watched her, she was very
markedly and intently attempting to* tighten in its place. [...]
I got hold of Mrs. Grose as soon after this as I could [...] *I still hear
myself cry as I fairly threw myself into her arms:* "They know—
it's too monstrous: they know, they know!"
"And what on earth—?" [...]

1. Préface de New York, *Norton*, p. 121.

"Why, all that we* *know—and heaven knows what else besides!"*
(*Norton*, VI-VII, p. 30; * James souligne).

[[Flora] avait ramassé un petit bout de bois plat percé d'un *petit trou*, qui lui avait évidemment suggéré l'idée d'y enfoncer un *autre fragment* qui pourrait *figurer un mât* et *transformer la chose en bateau*. Ce second morceau, tandis que je l'observais, elle essayait, avec un soin et une attention incroyables, de le *serrer* pour le faire tenir en place.
[...]
Aussitôt que je le pus, je sautai sur Mrs. Grose [...] je m'entends encore m'écrier, en me jetant, pour ainsi dire, dans ses bras :
« *Ils savent!* c'est monstrueux! ils savent! ils savent!
— Et que savent-ils, pour l'amour de Dieu?
— Mais tout ce que *nous** savons et Dieu sait quoi de plus! »
(*Stock*, VII, VIII, p. 164-165; trad. modifiée; * James souligne)].

Ce passage est crucial, non seulement parce qu'il constitue, pour la gouvernante, une preuve décisive du savoir des enfants, mais aussi parce que littéralement, bien qu'implicitement, il évoque une image qui se rapporte au titre du texte : en essayant de fixer le bâton à l'intérieur du trou pour figurer le mât du bateau, Flora le tourne sur place (*"attempting to tighten it in its place"*) comme on tourne, précisément, une *vis*.

Or, que signifie, justement, ce geste? De toute évidence, la vis — ou le mât —, tout au moins aux yeux de la gouvernante, est ici un symbole sexuel, une métaphore phallique. Cette connotation phallique a été vue et soulignée, souvenons-nous, par l'exégèse de Wilson; mais elle y apparaissait comme une réponse définitive mettant fin à toutes les questions du texte, comme le *sens propre* qu'il suffisait de nommer pour tout comprendre, « tout voir » : emblème de l'acte sexuel, le mât du bateau de Flora était donc pour Wilson un simple indice de l'objet réel — de l'organe littéral — que la gouvernante désire, sans vouloir ou sans pouvoir l'admettre. Or, ce n'est pas en tant que *réponse* — en tant que sens littéral — que le texte évoque ici le phallus, mais, tout au contraire, en tant que *question*, en tant que figure elle-même ambiguë, surgie de l'énigme du double sens de l'équation métaphorique : phallus = mât du bateau. Dire : « le mât signifie un phallus », n'est pas plus éclairant, ni plus explicatif, que de dire : « un phallus signifie un mât ». La question qui se pose est, dès lors : *qu'est-ce qu'un phallus*, pour pouvoir de la sorte être ce qu'il n'est pas? Et de même, qu'est-ce qu'un mât, pour pouvoir signifier tout autre chose que lui-même? Quel est le sens du *mouvement de renvoi* entre le phallus et le mât? Puisque le mât, qui figure le phallus,

312

fait figure également de vis, il semble que ce pourrait être là la question cruciale posée par le texte, annoncée et valorisée par le titre : qu'est-ce, après tout, qu'une vis dans le texte du *Tour de vis?*

Revenons donc au bateau de Flora. C'est en tant que métaphore phallique qu'il perturbe la gouvernante, la convainc de la perversité des enfants : *"They know — it's too monstrous: they know, they know"*. La vis, ou le mât phallique, constitue donc, aux yeux de la gouvernante, une *clé du sens*, un signifiant-maître : clé du savoir de l'Autre.

Dans un tel contexte, il est sans doute tentant de noter la frappante ressemblance, en anglais, entre le mot *mast* (« mât ») et le mot *master* (« maître ») qu'il ne peut pas ne pas évoquer : si le mât, en effet, est une sorte de « maître », la pièce maîtresse qui supporte et domine l'articulation du bateau, le Maître est peut-être une sorte de mât qui soutient et gouverne l'articulation même du texte, l'histoire entière du *Tour de vis*. Dominant lui aussi le bateau, le mât n'est donc pas sans rapport avec le gouvernail — ou la barre — que la gouvernante saisit et étreint avec la même violence, de la même façon dont elle étreint Miles [1] (qui est lui aussi un petit Maître [2]).

Or, suggérer de la sorte que *Miles* étreint par la gouvernante, de même que la *barre* puissamment empoignée du gouvernail d'un bateau en naufrage, de même que le *mât* du bateau de Flora, de même que la *vis* du *Tour de vis*, signifient tour à tour le phallus *et* le Maître, c'est suggérer, justement, une *chaîne signifiante* dans laquelle le phallus (ou la Vis, ou le Mât, ou le Maître), loin d'incarner le sens littéral, symbolise au contraire le glissement incessant, le principe de mouvement et de déplacement qui empêche au contraire la chaîne (ou le texte) d'avoir un sens arrêté, littéral. Le phallus, en effet, est un signifiant ; un signifiant qui n'est Maître — clé du sens et clé du savoir *de l'Autre* (du savoir inconscient qui ne peut *se* savoir, qui ne supporte pas qu'on

1. Cf. :
> *My face must have shown him I believed him utterly;* yet my hands — *but it was for pure tenderness* — shook him [...] *He might have been* standing at the bottom of the sea *and raising his eyes to some faint green twilight*
> (*Norton*, XXIV, p. 86).
> [Il put lire sur mon visage que je le croyais absolument. Et cependant mes mains — mais c'était par pure tendresse — le secouaient [...] Il regardait tout autour de lui [...] *On l'aurait cru au fond de la mer*, essayant de voir au travers du glauque crépuscule (*Stock*, XXIV, p. 244).]

2. Cf. :
> *At this, with one of the quick* turns *of simple folk, she suddenly flamed up* « Master *Miles!* — him* *an injury?* » (Norton, I, p. 11 ; *James souligne).
> [A ces mots, avec une de ces brusques tournures des gens simples, elle s'enflamma subitement : « *Maître* Miles? Lui, nuire aux autres? »
> (*Stock*, III, p. 137-138, trad. modifiée).]

sache qu'on sait) — que parce que, comme le Maître, il emblématise *la barre :* le principe même de la limite, du refoulement et de la censure, principe du barrage même du signifié.

> « La question est, disait Alice, si les mots peuvent avoir tant de sens différents. »
> « La question est, disait Humpty Dumpty, lequel va être le maître — c'est tout » [1].

C'est donc dans les deux sens du terme que la gouvernante *tient la barre :* elle tient la barre qui dirige le bateau, qui lui donne sa direction et son sens. Mais elle tient également — et c'est la même — la barre qui frappe et refoule, qui déplace et rature le signifié. Alors même qu'elle se croît être en position de contrôle de direction, de maîtrise du sens, elle n'étreint, en serrant la barre ou la vis, qu'un signifié fétiche, un bouche-trou qui, comme le bâton-mât de Flora, n'est en fait qu'un simulacre. La vis, du même tour, bouche le trou et fait trou :

> *I was blind with victory, though even then the effect that was to have brought him so much nearer was already that of an added separation* (Norton, XXIV, p. 87).
>
> *The grasp with which I recovered him might have been that of catching him in his fall. I caught him, yes, I held him—it may be imagined with what a passion; but at the end of a minute I began to feel what it truly was that I held. We were alone with the quiet day, and his little heart, dispossessed, had stopped.* (Norton, XXIV, p. 88).
>
> [J'étais ivre, aveuglée de victoire, bien que même alors l'effet de ce qui aurait dû tant le rapprocher était déjà celui d'une séparation supplémentaire (*Stock*, XXIV, p. 244-245; trad. modifiée).
>
> L'étreinte avec laquelle je le ressaisis aurait bien pu être le geste même qui l'eût rattrapé dans sa chute. Je le saisis : oui, je le tenais bien, on peut imaginer avec quelle passion, mais au bout d'une minute, je commençai à m'apercevoir de ce que je tenais réellement.
>
> Nous étions seuls dans le jour paisible, et le petit cœur, enfin délivré, avait cessé de battre (*Stock*, XXIV, p. 247; trad. modifiée).]

Bien que, dans cette étreinte de la compréhension, le « nom » soit « cédé » et le sens saisi et nommé, la satisfaction de la fin ne s'achève qu'au prix d'une radicale déception : la triomphale étreinte du signifié n'est en réalité que l'étreinte d'un cadavre. L'appropriation du sens

---

1. L. Carrol, *Through the Looking-Glass*, VI.

s'avère être l'appropriation de *rien* — de rien, en tout cas, de vivant :
« ... le démontage impie de la fiction et conséquemment du mécanisme
littéraire, pour étaler », comme l'écrit Mallarmé, « la pièce principale
ou rien. [...] le conscient manque chez nous de ce qui là-haut éclate » [1].

Mais qu'est-ce qui *éclate*, sinon, justement, la conscience elle-même
du fait que, ne possédant *rien*, elle est dépossédée de sa propre maîtrise? Qu'est-ce qui éclate sinon la conscience elle-même en tant qu'elle
demeure, justement, étrangère à ce qui éclate, c'est-à-dire étrangère
à elle-même? Ce qui, donc, à nouveau mais cette fois de façon définitive se divise, c'est à la fois l'unité du sens et l'unité même de son
détenteur. La tentative de maîtrise du sens qui devait justement unifier
celui-ci, en conjurer la « fissure », la contradiction et la division, ne
s'accomplit qu'au prix d'une blessure, d'une fissure ou distance supplé-
mentaire, d'une irréversible « séparation ». La compression du signifiant crée une perte irrécupérable, une irrémédiable castration : la
vis serrée, la barre empoignée ne « *cèdent* » leur sens qu'en *fendant
le pouvoir* de celui (ou de celle) qui croit les détenir. La *possession*
même du sens s'avère être, ironiquement, une *dépossession* de son
détenteur. A son point d'aboutissement, la tentative d'empoigner le
sens et de clore la lecture en faisant un déchiffrement définitif ne trouve,
et ne donne à lire, que la mort.

On pourrait donc considérer *le Tour de vis* non seulement comme
une remarquable histoire de fantômes, mais également comme une
non moins remarquable histoire policière : le récit comporte en effet
la découverte d'un cadavre, et un crime singulièrement redoutable :
le meurtre d'un enfant. Comme dans tout « policier », le crime ne se
dévoile qu'à la fin. Seulement, à la différence des « policiers » classiques, le fait criminel ne survient pas ici au début de l'histoire, mais à
son dénouement : la détection précède donc le crime. En sa fonction
de lectrice, la gouvernante est le détective : à partir du début de l'histoire, elle essaie de détecter, autour d'elle, par des inductions logiques
et par la recherche fiévreuse de « preuves », tout à la fois la nature du
crime et l'identité du criminel.

> *I remember [...] my thrill of joy at having brought on a proof* (Norton,
> XX, p. 71).
>
> *I was so determined to have all my proof, that I flashed into ice to
> challenge him* (Norton, XXIV, p. 88).
>
> *It didn't last as suspense—it was superseded by horrible proofs* (Nor-
> ton, VI, p. 28).

1. Mallarmé, *La Musique et les Lettres*, in *Œuvres complètes, op. cit.*, p. 647.

[Je me souviens [...] de mon frémissement de joie d'avoir enfin obtenu une preuve indéniable (*Stock*, xxi, p. 222).

J'étais maintenant si déterminée à obtenir la preuve entière, que je me muai en une statue de glace pour le défier (*Stock*, xxiv, p. 247).

Le suspens ne dura pas — il céda la place à des preuves épouvantables (*Stock*, vii, p. 172; trad. modifiée).]

Or, ne sachant pas quel est le crime, la gouvernante finit par le commettre elle-même. La structure policière insolite du *Tour de vis* rejoint, ainsi donc, celle-là même d'*Œdipe roi* : dans un texte comme dans l'autre, le détective découvre qu'il est l'auteur du crime recherché et que le crime est en lui. « L'intérêt du crime », écrit James à propos des romans policiers modernes, « réside dans le fait qu'il compromet la sécurité [...] du criminel » :

> *The play is a tragedy, not in virtue of an avenging deity, but in virtue of a preventive system of law; not through the presence of a company of fairies, but through that of an admirable organization of police detectives. Of course*, the nearer the criminal and the detective are brought home to the reader, the more lively his « sensation »[1].

> [La pièce est une tragédie, non pas en vertu d'une divinité vengeresse, mais en vertu d'un système de loi préventif; non pas par la présence d'un groupe de fées, mais par celle d'une admirable organisation de policiers détectives. Bien sûr, *plus le criminel et le détective seront rendus proches du lecteur, plus vivante sera sa « sensation ».*

Le Tour de vis paraît, en effet, réaliser de façon maximale cet idéal de proximité, puisque le criminel est ici aussi proche que possible du détective, et que le détective, d'autre part, n'est tel qu'en sa fonction de lecteur : incarnés l'un et l'autre en la gouvernante, le détective et le criminel ne dramatisent ici rien d'autre que la condition du lecteur. Introduit dans l'intimité, dans la proximité de la gouvernante, en tant que lectrice/détective/criminelle, le lecteur à l'affût du sens caché du *Tour de vis*, détectant le « mal », essayant de le situer dans le texte, serait-il, lui aussi, comme elle, le détective d'un crime qui en réalité est en lui, qui retourne sur lui, qui procède de lui-même? Car si la gouvernante, en effet, finit par commettre elle-même le crime qu'elle essaie de découvrir, ce crime, elle le commet en sa qualité même de détective, au moyen de l'investigation, en forçant le suspect à une confession : le crime, paradoxalement, est commis par la

---

1. Extrait d'un compte rendu de James sur « Aurora Floyd » de M. E. Braddon, in *Norton*, p. 98.

détection. C'est la détection (la lecture) qui elle-même est ici l'instrument du crime, l'arme meurtrière. L'histoire du sens (ou de la conscience) est l'histoire du crime de sa détection.

De même que le détective se découvre, à la fin, criminel, on peut dire qu'en la gouvernante, de la même façon, par la mort de Miles, le médecin s'avère être lui-même le malade, l'analyste s'avère être l'analysant. *Le Tour de vis* déconstruit toutes ces oppositions classiques : le possédé et son exorciste, le symptôme et son interprétation sont ici interchangeables, ou, en tout cas, indécidables. Puisque la médecine est malade, puisque le « remède » de la gouvernante est lui-même un symptôme, puisque la « cure » de l'enfant est son meurtre, rien ne ressemble ici davantage à la folie que l'assurance même de la thérapie. A n'en pas douter, le naufrage est réel : le gouvernail de la gouvernante est celui d'un bateau ivre.

> [...] DU FOND D'UN NAUFRAGE
> LE MAÎTRE [...]
> jadis il empoignait la barre
>
> hésite
> cadavre par le bras écarté du secret qu'il détient
> Fiançailles
> [...]
> dont
> le voile d'illusion rejailli leur hantise
> ainsi que le fantôme d'un geste
>
> chancellera
> s'affalera
>
> folie [1]

FOLIE ET SENS : LE TOUR DE VIS

> *But this is exactly what we mean by operative irony. It implies and projects the possible other case.*
> H. James, Préface à *The Lesson of the Master.*
>
> Les hommes sont si nécessairement fous que ce serait être fou par un autre tour de folie de n'être pas fou.
> Pascal.

La métaphore fondamentale du titre du texte — le tour de vis — subit donc elle-même un tour de vis : sur le plan sexuel, l'étreinte ou la prise du signifiant phallique en tant que signifiant-maître, fétiche

1. Mallarmé, *Un coup de dés*, in *Œuvres complètes, op. cit.*, p. 459-464.

de plénitude, de puissance, s'avère déboucher sur le vide de la castration, sur une perte de puissance; sur le plan cognitif, la compression du signifiant comme clé du savoir, la tentative d'étreinte et de possession du sens s'avère déboucher sur une perte du bon sens, sur une sorte de délire se soldant par l'ultime non-sens de la mort. La métaphore du *contrôle* se transforme en métaphore de la *perte;* spécifiquement de la perte de contrôle sur un fonctionnement mécanique: celui qui croit tourner la vis pour contrôler la machine se découvre lui-même une vis dans une machine qui tourne toute seule, dans un automatisme répétitif :

> *We had, all three, with* repetition, *got into such splendid training that we went, each time,* almost automatically, *to* mark the close *of the incident,* through the very same movements (*Norton,* XIII, p. 53).
>
> [Nous avons tous trois acquis, par la *répétition,* un tel entraînement que chaque fois nous esquissions, *presque automatiquement,* les *mêmes gestes* pour *marquer la clôture de l'incident*
>
> (*Stock,* XIV, p. 197; trad. modifiée).]

L'incident, pourtant, n'est jamais clos, puisque, dans le mouvement de spirale tracé par la vis, la clôture est manquée : figure exemplaire du concept freudien de la compulsion de répétition, la spirale est une répétition de cercles où ce qui tourne re-tourne[1], mais où ce qui circulairement retourne manque cependant de parfaire le cercle, manque de se clore et de se rencontrer : ce qui dans la spirale se répète, c'est une rencontre manquée avec soi, une *rencontre manquée avec ce qui retourne* et qui n'arrête donc pas de tourner. Pour être opératoire, justement, la vis ne peut pas clore le cercle, elle ne peut que le répéter, répéter le « tour » à travers « les mêmes gestes ».

De métaphore substantielle [2], la vis se transforme ainsi en méta-

1. Cf. :

> *All roads lead to Rome, and there were times when it might have struck us that almost every* [...] *subject of conversation skirted forbidden ground. Forbidden ground was the question of the* return *of the dead...* (*Norton,* XIII, p. 51).
>
> *To bring the bad dead back to life for a* second round *of badness is to warrant them as indeed prodigious* (Préface de New York, *Norton,* p. 122).
>
> [Tous les chemins mènent à Rome et, à certains moments, il semblait que [...] tous les thèmes de conversation frôlassent le terrain défendu. Le terrain défendu, c'était le *retour* des morts sur la terre... (Stock, XIV, p. 194).
>
> Ramener les mauvais morts à la vie pour un *second tour* de méchanceté, c'est les garantir, en effet, comme réellement prodigieux (Préface de New York).

2. Cf. le mât du bateau de Flora : vis = substance remplissant un trou = phallus ou sens, plénitude centrale, le suppôt d'un projet de fixité.

phore fonctionnelle, métaphore du mouvement dans lequel elle est prise: ce n'est plus tant la *vis* qui compte, mais le *tour* qui la manipule, le mouvement même du tournoiement et les tournants qu'il marque. En effet, les apparitions des fantômes sont souvent liées dans le texte aux tournants et au mouvement de tourner.

> ... *I could take a* turn *into the grounds and enjoy, almost with a sense of property* [...] *the beauty and dignity of the place.* [...] *One of the thoughts that* [...] *used to be with me* [...] *was that it would be* [...] *charming* [...] *suddenly to meet some one.* *Some one would appear there at the* turn *of a path* [...]. *What arrested me on the spot* [...] *was the sense that my imagination had, in a flash*, turned real. *He did stand there* [...] *at the very top of the tower...* (*Norton*, III, p. 15-16).

> *I sat reading* [...]. *I found myself, at the* turn *of a page* [...] *looking* [...] *hard at the door of my room.* [...] *I went straight along the lobby* [...] *till I came within sight of the tall window that presided over the great* turn *of the staircase* [...]. *I required no lapse of seconds to stiffen myself for a third encounter with Quint* (*Norton*, IX, p. 40-41).

> [Je pouvais *faire un tour dans les parterres* et jouir, avec un sentiment presque de propriété [...] de la noblesse et de la beauté des lieux. [...] Une des pensées qui m'accompagnait dans ces flâneries [...] était que ce serait [...] charmant [...] de rencontrer subitement quelqu'un. Quelqu'un apparaîtrait là, *au tournant d'une allée* [...]. Ce qui m'arrêta net [...] était la sensation que mon imagination, en un éclair, avait *tourné en réalité*. Il était bien là [...] au sommet de la tour
> (*Stock*, IV, p. 144).

> Je lisais, assise [...] je me trouvai, comme je venais de *tourner une page*, fixant la porte de ma chambre, les yeux levés de dessus mon livre [...]. Je m'avançai tout droit le long du corridor [...] jusqu'à ce que j'arrivasse en vue de la haute fenêtre qui dominait le vaste *tournant de l'escalier* [...]. Il ne me fallut qu'un laps de quelques secondes pour me raidir pour une troisième rencontre avec Quint
> (*Stock*, X, p. 179-180).]

Or, qu'est-ce que, précisément, un *tournant*, sinon une modification d'orientation dans l'espace, c'est-à-dire, à la fois un déplacement et une décision du *sens*? Il n'est donc pas étonnant que, concerné comme il est par l'enjeu du sens, *Le Tour de vis* se structure en effet comme une topographie de tournants. Cependant, la vis tourne sur place : la topographie des tournants en réalité l'enferme, la coince dans un espace labyrinthique :

> *It was a* tighter place *still than I had yet* turned round in
> (*Norton*, XXII, p. 179).

319

[C'était une *clôture* encore plus *serrée* dans laquelle je *tournai en rond* (*Stock*, XXIII, p. 234; trad. modifiée).]

Si le tournant marque la direction, ce qui caractérise, en revanche, l'économie du labyrinthe, c'est une perte de la direction. En effet, la mort même de Peter Quint (qui le fait accéder au statut de fantôme) est due à une telle perte de direction, à une « erreur de tournant » :

> *Peter Quint was found* [...] *stone dead on the road from the village: a catastrophe explained* [...] *by a visible wound to his head; such a wound as might have been produced (and as, on the final evidence, had* been) by a fatal slip, in the dark and after leaving the public house, on the steepish icy slope, a wrong path altogether, at the bottom of which he lay. The icy slope, the turn mistaken at night and in liquor, accounted for much—practically, in the end, and after the inquest and boundless chatter, for everything* (*Norton*, VI, p. 28; *James souligne).

[Peter Quint, froid comme la pierre, fut trouvé [...] sur la route qui vient du village. La catastrophe fut expliquée [...] par une blessure visible à la tête; blessure qui aurait pu être produite — et qui, d'après les preuves finales, l'avait réellement été — par un *fatal faux pas,* qu'une *complète erreur de chemin* lui avait fait faire, dans l'obscurité, en quittant le cabaret, sur la pente raide, couverte de glace, au pied de laquelle il gisait. La pente glacée, *l'erreur de tournant* induite par la nuit et par l'alcool *expliquaient bien des choses;* en *fin* de compte, après l'enquête et les interminables bavardages, elles *expliquèrent pratiquement tout* (*Stock*, VII, p. 161-162; trad. modifiée).]

Si la mauvaise direction, le « tournant erroné » « explique bien des choses », si « à la fin » il peut « tout expliquer », et notamment l'accident de la mort, il se pourrait bien qu'il puisse également, de façon parallèle, à la fin du roman, expliquer l'accident de la mort de Miles, doublée de la disparition du fantôme qui est comme une « seconde mort » de Peter Quint. La folie même de la gouvernante pourrait être, ainsi, elle aussi, explicable comme une erreur de tournant, une fausse prise de direction (ou de sens), une erreur de lecture qui mène à la mort. Le mot *turn* lui-même signifie, en anglais, à la fois un « tournant » et une « attaque », un « accès » de folie *(a turn of hysteria);* certains moments du texte semblent jouer sur ce double-sens. Au moment crucial où la gouvernante, nerveusement et violemment, accuse Flora de voir Miss Jessel et de le dénier, Mrs. Grose, qui ne voit rien elle non plus, ne laisse pas de protester :

> "What a dreadful turn, *to be sure, Miss! Where on earth do you see anything?*" (*Norton*, XX, p. 27).

[« Que ça *tourne mal*, pour sûr, mademoiselle! Où diable voyez-vous quoi que ce soit? » (*Stock*, XXI, p. 224; trad. modifiée).]

Le mot *turn* (« que ça tourne mal » : *"what a dreadful* turn") signifie-t-il ici un « tournant dans l'histoire » (« tour différent que prennent les choses »), ou bien une « attaque de nerfs » (« un accès de folie ou de rage »)? Et s'il signifie un « tournant dans l'histoire », le « tournant » implique-t-il un simple changement, un simple d*éplacement* du sens, ou bien sa *déviation* aberrante, sa distorsion délirante? Ou bien encore la figure ironique de la possibilité même de son radical *renversement?* Quoi qu'il en soit, la métaphore du « tour de vis », se référant au tournoiement du sens, lie entre eux, dans une équivalence et dans une suspension ironiques, la direction et la déviation, le tour de l'interprétation et le tournant même de la folie. La gouvernante elle-même est consciente de la possibilité de la folie — de sa propre folie — comme un risque de lecture, comme envers du sens :

> *I began to watch them in a stifled suspense, a disguised tension that might well, had it continued too long, have* turned *to something like* madness. *What saved me, as I now see, was that it* turned *to another matter altogether* [...] *it was superseded by horrible proofs. Proofs, I say, yes—from the moment I really took hold* (*Norton*, VI, p. 28).

> [Je me mis à les observer dans un suspense étouffé, une tension d'excitation déguisée qui aurait bien pu, à la longue, me conduire à la *folie* [littéralement : « *tourner* en folie »]. Ce qui me sauva, je le vois maintenant, ce fut le *tour entièrement différent* que prirent les choses [...]. Le suspense [...] céda la place à des preuves épouvantables. Je dis bien des preuves, oui, à partir du moment où je pus avoir prise sur la situation (*Stock*, VII, p. 162; trad. modifiée).]

« Avoir prise » *(to "take hold")*, c'est-à-dire, à nouveau, saisir et serrer la vis, s'efforcer de contrôler le sens, est donc conçu comme un geste de sauvegarde de la lucidité et de la santé, une protection contre la folie. La question de la *prise* s'avère être une question d'*équilibre* :

> *I had felt it again and again—how* my equilibrium depended on the success of my rigid will [...]. *I could only get on at all* [...] *by treating my monstrous ordeal as a* push in a direction *unusual, of course, and unpleasant, but demanding, after all* [...] *only* another turn of the screw *of ordinary human virtue* (*Norton*, XXII, p. 80) [1].

1. Cf. encore, ces autres métaphores d'une *prise* liée à une *perte d'équilibre* :
The grasp with which I recovered him might have been that of catching him in his fall. *I caught him, yes, I held him...* (*Norton*, p. 88).
... the mere blind movement of getting hold of him, [...] *while I just* fell for support *against the nearest piece of furniture...* (*Norton*, p. 85).

[Combien de fois ne l'avais-je pas senti — que *mon équilibre dépendait de la victoire de mon impassible volonté* [...]. Je ne pouvais tenir qu'en [...] traitant ma monstrueuse épreuve comme une *poussée dans une direction* insolite, sans doute, et déplaisante, mais ne demandant, après tout [...] qu'*un tour de vis de plus* à la vertu humaine ordinaire (*Stock*, XXIII, p. 235-236; trad. modifiée).]

L'expression explicite de « tour de vis » figure en effet deux fois dans le texte, dans deux contextes entièrement différents qui soulèvent la question de leur mise en rapport, de l'intention textuelle qui les lie au-delà de leurs différences. Or, si, dans ce dernier contexte, la figure du « tour de vis » est explicitement rattachée à la question de l'équilibre, et donc du déséquilibre, de la possibilité de folie, elle est explicitement rattachée dans l'autre contexte, celui du prologue, à la question explicite de la réception du récit et de ses effets de lecture. A partir de la lettre même du « tour de vis » qui les lie, la lecture et la folie se font signe d'un bout à l'autre du texte, d'un niveau du texte à l'autre, du récit principal à son « cadre ». Mais ce signe, cette fois-ci, *nous* implique, nous met en rapport avec la gouvernante, puisqu'il s'agit, dans le « cadre », précisément du « tour de vis » de l'effet de lecture produit par l'histoire même du *Tour de vis*. C'est Douglas souvenons-nous, qui pose de la sorte la question qui va introduire son récit :

"*I quite agree—in regard to Griffin's ghost* [...]—*that its appearing first to the little boy, at so tender an age, adds a particular touch. But it's not the first occurrence of its charming kind that I know to have been concerned with a child.   If the child gives the effect another turn of the screw, what do you say to* two* *children?*"
"*We say, of course*", somebody exclaimed, "*that they give two turns* [1]!

[L'étreinte avec laquelle je le ressaisis aurait pu être celle-là même qui l'eût *rattrapé dans sa chute*. Je le saisis : oui, *je le tenais bien...* (*Stock*, XXIV, p. 247, trad. modifiée).
... le strict mouvement aveugle de *le saisir*, [...] pendant que *je cherchais à m'appuyer, dans ma chute*, contre le premier meuble venu... (*Stock*, XXIV, p. 242, trad. modifiée).]
1. Si la présence d'un enfant dans une histoire de fantômes « donne un tour de vis » à l'effet d'horreur produit sur le lecteur, il est bien évident, en revanche, que *deux* enfants *ne donnent pas* « deux tours », et que cette réponse ne correspond pas à l'intention qu'a Douglas en posant la question. On ne peut dire « donner deux tours de vis », car on ne peut modifier un cliché, une expression figée. La réponse à la question de Douglas ne peut que répéter la proposition même de la question : « deux enfants donneraient, d'autant plus, un tour de vis à l'effet ».

Also that we want to hear about them" (*Norton*, prologue, p. 1; *James souligne).

[« Je reconnais bien — pour ce qui est du fantôme de Griffin [...] — que son apparition d'abord à un petit garçon d'un âge si tendre ajoute à l'histoire un trait particulier. Mais ce n'est pas, à ma connaissance, la première fois qu'un exemple de ce genre délicieux s'applique à un enfant. Si l'enfant *donne à l'effet un tour de vis de plus*, que direz-vous de *deux** enfants?

— Nous disons, bien entendu, s'écria quelqu'un, que deux enfants donnent *deux tours* [1], et que nous voulons savoir ce qui leur est arrivé. » (*Stock*, I, p. 123-123; *James souligne.)]

Mais de quelle façon, plus précisément, le « tour de vis » donné ici à « l'effet » produit sur le lecteur rencontre-t-il le « tour de vis » donné par la gouvernante à « la vertu humaine ordinaire »? Comme le lecteur du récit dramatisé par le cadre, la gouvernante, nous l'avons vu, est elle aussi foncièrement une lectrice, engagée dans un procès et dans un projet de déchiffrement. Or, que nous dit-elle à propos du

---

Dans ce sens, la question de Douglas est une question rhétorique, une affirmation qui n'interroge pas, qui n'appelle pas de réponse.

D'autre part, si l'effet d'horreur est lié à la présence d'un enfant, ce rapport de cause à effet (le rapport entre l'enfant et l'horreur) est un rapport qualitatif et non un rapport quantitatif : ce qui produit l'effet, c'est la qualité de l'enfance comme telle, et non la quantité des enfants. Le chiffre deux, dans la bouche de Douglas, signifie un effet de superlatif et non pas une mesure de multiplication; il s'agit d'une surenchère rhétorique et non arithmétique. Douglas propose de donner un autre exemple, meilleur encore, du même genre (le genre qui lie l'horreur à l'enfance) : les *deux* enfants reviennent au *même*.

L'interprétation de l'auditeur : « deux enfants = deux tours », est donc (encore) une erreur de lecture. L'auditeur en effet se méprend en prenant la rhétorique (à la fois la question rhétorique et la surenchère rhétorique) à la lettre.

En répondant « two turns » (« deux tours »), la lecture produit donc une *différence*, une fissure au sein du même. Mais en suggérant de la sorte, ou en laissant entendre, que l'histoire aura « deux tournants », deux directions, deux *sens* différents, la méprise du lecteur rencontre, paradoxalement, la vérité du texte : celle de l'ambiguïté. Et le texte pourrait dire du lecteur, comme la gouvernante de Miles :

« *Horrible as it was, his lies made up my truth.* » (*Norton*, XXIII, p. 84).

Commençant par sa propre mélecture, dramatisant sa propre rhétoricité comme une capacité différentielle au sein de la catégorie du même, comme une capacité d'erreur qui déconstruit cependant la polarité décidable entre vérité et erreur, la métaphore même du « tour de vis » associe, de la sorte, par un tour de vis, l'effet de lecture et l'erreur de lecture.

1. Voir note 1, page précédente,

« tour de vis » à donner à « la vertu humaine ordinaire »? Que ce « tour de vis » est censé assurer son équilibre; que son équilibre dépend de sa « rigide volonté », c'est-à-dire de sa capacité de serrer la vis et de maîtriser sa « poussée » et sa direction, donc son sens (*"a push in a direction unusual [...] but demanding only [...] another turn of the screw"*): la « vertu humaine ordinaire », en d'autres termes, n'est ici rien d'autre qu'un *système de contrôle du sens*. Mais de quelle façon ce projet de contrôle de la vis — de la *prise* du sens — qui constitue le fond du récit, est-il lié au tour de vis donné à l'effet de lecture du récit? Le « tour de vis » de l'effet de lecture impliquerait-il, lui aussi, une prise?

En effet, et parallèlement à la façon dont l'histoire finit, parallèlement à la façon dont la gouvernante-lectrice *tient* tout à la fois le sens et l'enfant (*"the* grasp *with which I recovered him... I caught him, yes, I held him"*), on peut lire, dès la première phrase du prologue :

> The story has held us, *round the fire, sufficiently breathless...* (*Norton*, prologue, p. 1).
>
> [*L'histoire nous avait tenus*, haletants, autour du feu... (*Stock*, I, p. 123).]

Par rapport à la prise du *projet de lecture (*"*a push in a direction unusual... another turn of the screw of ordinary human virtue"*)*, la prise de l'*effet de lecture* s'avère être une prise inversée. Voici donc l'ultime tour de vis de la métaphore même du tour de vis : *prendre, c'est être pris.* Tenir le signifiant (ou le sens), c'est être tenu par lui. Figure non pas cognitive, constative, mais *performative* de la force ironique du renversement et du chiasme, figure de l'ironie même de la subversion du sujet par la langue, le « tour de vis », ou *Le Tour de vis*, met en acte l'histoire même de la lecture *en tant qu'elle subvertit le lecteur.* En croyant tenir, comprendre l'histoire, c'est l'histoire qui nous comprend, qui nous tient.

Mais de quelle façon l'histoire nous tient-elle? De quelle façon sommes-nous tout à la fois pris et compris par l'histoire?

LA FOLIE DE L'INTERPRÉTATION :
LITTÉRATURE ET PSYCHANALYSE

> « *Do you know what I think?* »
> « *It's exactly what I'm pressing you to make
> intelligible.* »
> « *Well* », *said Mrs. Briss,* « *I think you are crazy.* »
> *It naturally struck me.*
> « *Crazy?* »
> « *Crazy.* »
> *I turned it over.* « *But do you call that intelligi-
> ble?* »
> *She did it justice.* « *No; I don't suppose it* can
> *be so for you if you* are *insane.* »
> *I risked the long laugh which might have seemed
> that of madness.* « " *If I am* " *is lovely!* » *And
> whether or not it was the special sound, in my ear,
> of my hilarity, I remember just wondering if
> perhaps I mightn't be.*
> H. James, The Sacred Fount.

> *Literature as well as criticism (the difference
> between them being delusive) are condemned to be
> forever the most rigorous and, consequently, the
> most unreliable language in terms of which man
> names and modifies himself.*
> Paul de Man, « Semiology and Rhetoric ».

Que *le Tour de vis* soit un *piège* qui se referme sur le lecteur, James l'a dit explicitement :

> *It is an excursion into chaos while remaining, like Blue-Beard and
> Cinderella, but an anecdote—though an anecdote amplified and highly
> emphasised and* returning upon itself; *as, for that matter, Cinderella
> and Blue-Beard return.   I need scarcely add after this that it is a piece
> of ingenuity pure and simple, of cold artistic calculation, an* amusette *
> to* catch those not easily caught *(the "fun" of the* capture *of the merely
> witless being ever but small), the jaded, the disillusioned, the fastidious*
> (New York Preface, *Norton*, p. 120; * James souligne).

[C'est une excursion en plein chaos mais qui n'en demeure pas moins, comme Barbe-Bleue et Cendrillon, une simple anecdote — une anecdote toutefois elle-même hautement amplifiée, mise en relief et retournant sur elle-même; comme d'ailleurs Cendrillon et Barbe-Bleue retournent. J'ai à peine besoin d'ajouter après cela que c'est un pur et simple tour d'ingéniosité, une « amusette » pour *attraper ceux qui ne sont pas faciles à attraper* (le plaisir de capturer ceux qui ne sont qu'inintelligents étant trop mince), les blasés, les désillusionnés, les difficiles.]

Ce qui est intéressant dans le piège, c'est qu'il pointe vers une alternative proposée à la lecture, mais, du même coup, annule cette alternative par sa capacité piégeante [1]. L'alternative, que le piège donc tout à la fois produit et suspend, est celle d'une lecture naïve (*"the capture of the merely witless"*) et d'une lecture sophistiquée (*"to catch those not easily caught... the jaded, the disillusioned, the fastidious"*). Mais le piège est spécifiquement adressé non à la naïveté, qui sera de toute façon prise, mais à l'*intelligence*. Or, en quoi consiste l'intelligence sinon, précisément, à vouloir *éviter le piège ?* « Ceux qui ne sont pas faciles à prendre » sont précisément ceux qui soupçonnent et qui détectent les pièges, ceux qui ne veulent pas être dupes : « les désillusionnés, les blasés, les difficiles ». Dans ce sens, la « lecture naïve » serait sans doute une lecture qui *porte foi* au témoignage de la gouvernante et aux valeurs thématiques du texte ; alors que la lecture « désillusionnée » serait celle, au contraire, qui *soupçonne* et qui démystifie la gouvernante : une lecture du type même de celle de Wilson, qui commence en effet son étude en nous mettant en garde contre un piège tendu par le texte :

> Une discussion de l'ambiguïté de Henry James peut adéquatement commencer par une analyse du *Tour de vis*. Cette histoire [...] *cache peut-être une autre horreur derrière celle qui est évidente.* [...] La présentation de personnages sinistres par des descriptions qui d'abord paraissent flatteuses n'est pas une *astuce* [*trick*] peu fréquente chez James, et ne devrait donc pas nous tromper (*Wilson*, p. 102).

Comme le piège tendu par le texte de James vise précisément ceux des lecteurs qui sont « difficiles à attraper », ceux-là mêmes, en d'autres termes, qui se méfient des pièges et qui cherchent à les éviter, nous pouvons dire que *Le Tour de vis*, piégeant le lecteur quel qu'il soit, est un texte qui plus spécifiquement *piège le lecteur analytique*, en tant que, par excellence, il veut être un *lecteur non-dupe*. De quelle façon peut-on donc soutenir que la littérature, dans *le Tour de vis*, constitue un piège pour la psychanalyse ?

1. Cette *alternative* n'est donc pas sans rappeler l'illusion de « deux tours » de vis, ou « two turns », que l'erreur de lecture à la première page croit trouver, ou produit, dans l'histoire, à partir de la figure même du « tour de vis » qui la porte et qui emblématise son « effet » (cf. note précédente). Or, nous savons que, tout au moins en ce qui concerne l' « effet » de lecture, les « deux tours » de vis reviennent au même : fondée sur la symétrie même des « deux enfants », l'apparente différence qui distingue les « deux tours » est purement *spéculaire* : C'est là l'ultime ironie de la métaphore même du tour de vis : en ayant l'air de se multiplier et de se dédoubler, le tour de vis en réalité *se répète ;* en ayant l'air de changer de « tournant », de direction ou de « sens », le « sens » en réalité ne change pas, puisque la vis retourne sur soi. Et c'est par ce retour sur soi, suggère James dans la préface de New York, que le piège, justement, se referme.

Revenons, une dernière fois, à l'exégèse de Wilson, que nous prenons ici, bien entendu, non pas comme modèle de « lecture freudienne », mais comme emblème à la fois d'une tendance et d'une tentation de la psychanalyse, lorsqu'elle entreprend d' « expliquer », d'interpréter la littérature. Lorsque Wilson est finalement convaincu, sous la pression de ses objecteurs, que pour James les fantômes existaient réellement, que James, consciemment du moins, entendait présenter une histoire de fantômes et non pas une histoire clinique, Wilson ne démord pourtant pas de sa thèse que les fantômes sont en réalité des fantasmes hallucinés par la gouvernante, mais y ajoute la note de concession suivante :

> On est conduit à conclure que non seulement dans *le Tour de vis*, la gouvernante se leurre, mais que James se leurre [*is self-deceived*] à son égard (*Wilson*, note de 1958, p. 143).

Cette phrase pourrait emblématiser le désir sous-tendant le projet de l'exégèse analytique : le désir d'être *non-dupe*, de *révéler*, et du coup d'éviter, les *pièges mêmes de l'inconscient*. Or, le texte de James est en réalité fait de pièges et fait de duperie : car la gouvernante dans cette histoire est, dans une optique analytique, dupe d'elle-même : dupe de son inconscient; l'auteur, selon Wilson, est dupe du sien; le lecteur, à son tour, est dupe de la rhétorique de l'auteur, de son *trick* ou de la ruse de sa technique narrative, qui consiste à présenter des « cas d'auto-duperie » [*self-deception*] « de leur propre point de vue » (*Wilson*, p. 142). Le critique lui seul s'exclut, par son exégèse analytique, du cercle de la duperie : évitant le double piège de la rhétorique et de l'inconscient, restant à l'extérieur de l'erreur de lecture qui aveugle les personnages et l'auteur lui-même, le critique devient, à lui seul, agent de la *vérité* du texte.

Or, cette façon de penser est celle-là même de la gouvernante, qui, elle aussi, cherche avant tout à *ne pas être dupe*, c'est-à-dire à déceler et à éviter les *pièges* que l'on tend à sa crédulité. De même que Wilson soupçonne la rhétorique narrative de James de comporter un *trick* — une stratégie, une ruse ou un jeu —, la gouvernante à son tour soupçonne la rhétorique des enfants :

> *"It's a game", I went on, "it's a policy and a fraud!"*
> (*Norton*, XII, p. 48.)
>
> [« C'est un jeu », continuai-je, « c'est une tactique et une fraude! »
> (*Stock*, XIII, p. 191; trad. modifiée.)]

De même que Wilson, frappé par l'ambiguïté du texte, en conclut que la gouvernante, tout en disant *moins* que la vérité, dit *plus* qu'elle ne veut, de même la gouvernante, frappée par l'ambiguïté des propos de Mrs. Grose, en conclut, de façon parallèle, que Mrs. Grose, ne disant *pas tout*, dit *plus* qu'elle n'en a l'intention :

> ... *my impression of her having accidentally said more than she meant...*
> [...]
> *I don't know what there was in this brevity of Mrs. Grose's that struck me as ambiguous* (*Norton*, II, p. 12-13).
> *I was* [...] *still haunted with the shadow of something she had not told me* (*Norton*, VI, p. 27).
>
> [... mon impression que, par mégarde, elle en avait dit plus qu'elle ne voulait...
> [...]
> Je ne sais ce qu'il y avait dans ces brèves réponses de Mrs. Grose qui me frappa comme ambigu (*Stock*, III, p. 140).
> J'étais encore hantée du soupçon qu'elle ne m'avait pas tout dit
> (*Stock*, VII, p. 161).]

Comme Wilson, la gouvernante soupçonne l'ambiguïté des signes et leur réversibilité rhétorique; comme Wilson, c'est en inversant les signes, en bouleversant les apparences qu'elle s'efforce de lire le monde qui l'entoure. Dans un cas comme dans l'autre, c'est du *soupçon* que procède la *lecture*.

Mais le piège tendu par James n'est-il pas, en ses propres termes, précisément un *piège au soupçon?*

> ... *an* amusette *to catch those not easily caught* [...] *Otherwise expressed, the study is of a conceived "tone", the tone of suspected and felt trouble, of an inordinate and incalculable sore—the tone of tragic, yet of exquisite, mystification* (New York Preface, *Norton*, p. 120).
>
> [... une « amusette » pour attraper ceux qui ne sont pas faciles à attraper [...] Autrement dit, l'étude est celle d'un certain « ton », le ton d'un *trouble* ressenti et *soupçonné*, celui d'une douleur démesurée et incalculable, le ton d'une tragique, et pourtant d'une exquise, mystification.]

Le Tour de vis constitue donc un piège à la psychanalyse dans la mesure même où il constitue, justement, un piège au soupçon. On a dit de la psychanalyse, en effet, qu'elle est « une école de soupçon [1] ». Mais qu'est-ce que le soupçon? « Oran était une ville sans soupçon », écrit Camus au début de *la Peste*. Produit par la peste, le soupçon,

---

1. La formule est de Paul Ricœur.

dans ce cas, signifie le réveil même de la conscience au contact de la mort, de la peur, de la peine, pour prévenir ou pour combattre un désastre d'origine ignorée. Or, si c'est « la peste » qui amène « le soupçon », on sait bien que Freud, au moment de son débarquement en Amérique, disait précisément apporter avec lui « la peste »... La psychanalyse pourrait donc bien être une école de soupçon. Mais quelle est l'alternative au soupçon? Revenons au texte de James, qui pourrait peut-être nous éclairer. Dans la préface de New York tout d'abord, l'alternative au lecteur « soupçonneux », c'est le lecteur « inintelligent » (*"the fun of the capture of the merely witless being ever but small"*); le soupçon est donc équivalent ici à *l'intelligence du lecteur*. Dans le texte même du *Tour de vis*, d'autre part, l'alternative au soupçon de la gouvernante, c'est, symétriquement, la croyance naïve de Mrs. Grose, portant foi à ce que lui dit cette dernière. Et si le nom même de Mrs. Grose ne nous indiquait pas assez ce que pense James de cette attitude de *croyance* opposée, justement, au *soupçon*, le fait que Mrs. Grose est dite *ne pas savoir lire* (*"my counselor couldn't read!"*, Norton, II, p. 10) suggère suffisamment son équivalence précise au « lecteur inintelligent » que la préface de New York, elle aussi, oppose au « lecteur soupçonnant », incroyant, au lecteur difficile à prendre. La psychanalyse, pour y revenir, est ainsi une école de soupçon dans la mesure même où elle est, en réalité, une *école de lecture*. Pratiqué par la gouvernante et par Wilson, mais inconnu par Mrs. Grose, le « soupçon » est celui, tout d'abord, de l'arbitraire du signe, de sa non-adéquation à lui-même, du décalage qui sépare le signifiant de son signifié. Mais si le soupçon constitue, de la sorte, le générateur même de la lecture et la force motrice de son intelligence *(wit)* et de son intelligence du texte, le lecteur pourtant — ne l'oublions pas — est ici piégé non seulement *en dépit*, mais *à cause* même de son intelligence. De même que la croyance (la lecture inintelligente) est piégée, le soupçon est ici piégeant.

C'est que ces deux attitudes possibles de la lecture sont toutes deux impliquées et comprises par le texte. Le lecteur du *Tour de vis* peut choisir, soit de *croire* la gouvernante, de se comporter donc comme Mrs. Grose, soit de *ne pas la croire*, mais, du même coup, de se comporter *comme elle*. La gouvernante occupe, dans ce texte, la *position d'interprète : soupçonner* cette position d'interprète, c'est, du même coup, *s'y mettre*. Démystifier la gouvernante n'est possible qu'à condition de répéter son geste. Le piège de James est ainsi, à la fois, le piège le plus sophistiqué et le plus simple du monde; le piège est un texte, c'est-à-dire, simplement, une invitation à lire. Mais l'invitation à lire *le Tour de vis* est nécessairement une invitation à le *répéter* : une invitation à entrer dans le texte, c'est-à-dire, à ne plus pouvoir en sortir.

C'est à la manière même de la gouvernante que Wilson cherche à ne pas être dupe : à ne pas être dupe de la gouvernante. Demeurant justement aveugle à sa ressemblance à la gouvernante, il répète strictement, l'un après l'autre, les gestes et les leurres mêmes de sa démarche, de son procès de lecture. « Observez, dit Wilson, le sens, d'un point de vue freudien, de l'intérêt de la gouvernante pour les fragments de bois de la petite fille » (*Wilson*, p. 104). Or, « observer » le signifié derrière le signifiant en bois, « observer » donc le sens de l'intérêt pour ce signifiant, c'est précisément ce que fait, et nous invite à faire, la gouvernante lorsqu'elle s'écrie : *"They* know —*it's too monstrous: they know, they know!"* (Norton, VII, p. 30). C'est à la manière même de la gouvernante que Wilson, ainsi, *fétichise* le simulacre phallique — ou le mât du bateau de Flora — érigé et promu en Signifiant-Maître. Loin de suivre le mouvement de glissement, de déplacement dans la chaîne signifiante — l'incessant mouvement de renvoi d'un signifiant à un autre —, le projet du critique, comme de la gouvernante, est d'*arrêter* le sens au moyen, justement, de la prise de la Vis, de la saisie du Signifiant-Maître :

> Et si le thème caché [...] était tout simplement encore *la sexualité?* [...]... la *clé de l'expérience...* [« *clue of experience* »] (*Wilson*, p. 115.)
>
> Une fois que l'on a *saisi* [« *got hold* »] cette *clé du sens* du *Tour de vis* [« *the clue to this meaning* »] l'on s'étonne d'avoir jamais pu le manquer (*Wilson*, p. 108).

Partageant avec la gouvernante l'illusion d'avoir tout compris, de maîtriser le texte en étreignant le Signifiant-Maître, Wilson aurait pu dire comme elle — avec elle mais contre elle :

> *I seemed to myself* [...] *to have mastered it, to see it all*
> (*Norton*, XXI, p. 78).
>
> [Il me sembla tout voir, avoir maîtrisé la chose
> (*Stock*, XXII, p. 233; trad. modifiée).]

Or, dans le cas de Wilson comme dans le cas de la gouvernante, la conviction de totale maîtrise en réalité implique la violence d'un geste d'exclusion et de refoulement. « Notre manière d'exclure, écrit Maurice Blanchot, est à l'œuvre précisément là où nous nous faisons gloire de notre don d'universelle compréhension. » Ce que Wilson, comme la gouvernante, par son discours de maîtrise, de pouvoir totalitaire, tente d'exclure, c'est la menace même de la rhétorique — de la sexualité comme division et comme fuite du sens, comme contradiction et comme ambivalence —, la menace même, en d'autres termes, de l'immaîtrise et de l'impouvoir, de la castration inévitable en tant qu'elle est inhérente au langage. De l'étreinte de sa prise, de sa compréhension, Wilson *refoule* donc le rôle du langage, c'est-à-dire, le sujet même de son étude : l'ambiguïté de James.

> Henry James ne paraît jamais prendre conscience de l'énorme espace qu'il gaspille par ses longues formulations abstraites qui passent pour des détails concrets, les circonlocutions superflues et le verbiage gratuit et dénué de sens — les « comme si » et les « si je puis dire » et tout le reste — tous les mots avec lesquels il rembourre ses phrases et qui en eux-mêmes sont probablement symptomatiques d'une tendance à différer les problèmes principaux (*Wilson*, p. 129).

Comme l'écrit ailleurs Jean Starobinski, « le psychanalyste, expert en rhétorique inconsciente, ne veut pas être lui-même rhéteur. Il joue le rôle que Jean Paulhan assigne au terroriste : il veut que l'on parle clair [1] ». Wilson veut *que le texte parle clair*, révélant de la sorte le *statut terroriste* de son exégèse analytique. Or, la gouvernante, elle aussi, veut que l'on parle clair : elle exige de l'enfant — en le terrorisant — de « céder le nom », c'est-à-dire de donner au fantôme son *nom propre*. Wilson traite le texte, point par point, comme la gouvernante traite l'enfant : il force le texte à une *confession*. Et en réalité, que tente comme tel tout interprète analytique, sinon, justement, de contraindre le texte (de contraindre le langage textuel) à *avouer :* avouer — comme l'enfant — non seulement son *sens*, mais aussi sa *jouissance :* les avouer en ce que, précisément, ils sont *inavouables*.

Il n'est donc pas indifférent au subtil piégeage de la psychanalyse et de sa *nomination* du sens que la gouvernante *tue l'enfant*. Il n'est pas indifférent non plus qu'au sens étymologique « enfant » (latin : *infans*) signifie « non parlant », « celui qui ne sait pas parler ». Car ne peut-on pas dire, justement, que l'exégèse de Wilson, pressant le texte d'avouer, de s'expliciter, se nommer *en propre*, commet elle aussi un meurtre (et c'est là à nouveau la question du *tact*), en tuant, au sein même du langage, le silence, ce silence qui porte le texte et à partir d'où il parle?

> A stillness, a pause of all life, that had nothing to do with the more or or less noise we at the moment might be engaged in making...
>
> (*Norton*, XIII, p. 53).

1. J. Starobinski, *La Relation critique*, Paris, Gallimard, 1970, p. 271.

[Un silence, un arrêt de toute vie, qui n'avait rien à voir avec le plus ou moins de tapage que nous pouvions être en train de faire, sur le moment (*Stock*, XIV, p. 197; trad. modifiée).]

C'est en tant que *savoir qui ne peut se savoir*, qui ne peut donc se réfléchir, *se nommer*, que l'enfant dans l'histoire — nous l'avons vu — incarne le savoir inconscient. Or, étreindre l'enfant — comme le font à la fois la gouvernante et Wilson — au point même de l'étouffer, c'est-à-dire au point de *tuer son silence*, c'est précisément *refouler l'inconscient*.

Voici donc le comble de l'aberration que peut inconsciemment commettre la psychanalyse lorsqu'elle tente d'expliquer, de maîtriser la littérature (c'est-à-dire de ne pas en être la dupe) : en tuant dans le texte sa réserve de silence, cela qui spécifiquement — à l'intérieur même de la parole — *ne sait pas parler;* en tuant le silence même de la parole par excellence *littéraire* — d'une parole *qui ne sait pas dire ce qu'elle sait* —, c'est la psychanalyse elle-même qui finit, paradoxalement, par *refouler* l'inconscient qu'elle « explique ». Maîtriser, ici comme ailleurs (devenir le Maître), c'est précisément s'interdire de lire des lettres; « tout voir », ici comme ailleurs, c'est « fermer les yeux aussi fort que possible à la vérité », c'est exclure; et spécifiquement, exclure l'inconscient.

Répété à plusieurs niveaux, tout autant sur la scène textuelle que sur la scène critique, dans l'histoire elle-même comme dans sa lecture, ce geste de refoulement, d'exclusion, se cautionne quelquefois par un nom, qui garantit l'exclusion dans le temps même où il désigne l'exclu. Ce nom, c'est le label de « folie » par lequel l'interprète démarque, justement, le refoulé comme forclos, comme extérieur au Sens. Wilson suggère, en effet, que la gouvernante est *folle*, c'est-à-dire que son point de vue est *exclu* de la « vérité » ou du sens de l'histoire. Mais la gouvernante elle-même ne manque pas, dans son procès de lecture, de se référer à la folie. Elle est préoccupée par l'alternative de la folie et du sens, en tant qu'exclusifs l'un[1] de

---

1. Cf. :

   I began to watch them in a stifled suspense [...] *that might well* [.,.] *have* turned *into* something like madness. *What saved me, as I now see, was that it* turned to another matter altogether [...] *from the moment I really* took hold (*Norton*, VI, p. 28).

   [Je me suis mise à les observer dans un suspense étouffé, unet ension d'excitation déguisée qui aurait bien pu, à la longue, me conduire à la *folie*. Ce qui me sauva, je le vois maintenant, ce fut le *tour entièrement différent* que prirent les choses [...] à partir du moment où je pus *avoir prise* sur la situation (*Stock*, VII, p. 162, trad. modifiée).]

l'autre; elle reconnaît bien, en la possibilité de sa propre folie, l'envers, simplement, de la question du contrôle du sens, c'est-à-dire de la prise [1] et du refoulement, de l'exclusion de l'Autre. *Tenir* le sens ce sera, du même coup, *situer* la folie — *dans l'Autre* : rejeter la folie sur l'Autre en tant qu'il échappe justement à la prise. La gouvernante prétend en effet que les enfants sont fous [2]; lorsque Mrs. Grose lui recommande d'écrire au Maître au sujet des enfants, pour le prévenir de leurs agissements, la gouvernante s'en défend :

> "*By writing to him that his house is poisoned and his little nephew and niece* mad?"
> "*But if they* are *, Miss?"
> "And if I am myself, *you mean? That's charming news to be sent him by a person enjoying his confidence and whose prime undertaking was to give him no worry*" (Norton, XII, p. 49-50).

> [« En lui écrivant que sa maison est empoisonnée et que son neveu et sa nièce sont *fous?*
> — Mais s'ils le sont, mademoiselle?
> — *Si je le suis moi-même*, voulez-vous dire? Ce sont de charmantes nouvelles à lui envoyer, de la part d'une personne qui jouit de sa confiance et dont la tâche principale était de lui éviter tout ennui »
> (*Stock*, XIII, p. 192; trad. modifiée).]

C'est ainsi *ou* la gouvernante *ou* les enfants qui sont fous : si les enfants ne sont pas fous, la gouvernante pourrait bien être folle; si les enfants sont fous, la gouvernante est bien « dans le vrai », dans le sens, dans son « bon » sens. Prouver que les enfants sont fous (possédés par l'Autre, par les fantômes) revient donc à prouver, du même coup, que la gouvernante n'est pas folle : le geste d'indiquer

---

1. Cf. :
   « *I go on, I know*, as if I were crazy, *and it's a wonder I'm not. What I've seen would have made* you* *so; but it has only made me more lucid, made me* get hold *of still other things* » (*Norton*, XII, p. 48).
   [« Je continue, je le sais, *comme si j'étais folle*, et c'est bien un miracle que je ne le suis pas. A ma place, voyant ce que j'ai vu, vous le seriez devenue; mais cela ne m'a rendue que plus lucide, m'a *donné prise* sur bien d'autres choses » (*Stock*, XIII, p. 190, trad. modifiée).]

2. C'est-à-dire, tout d'abord, possédés par l'Autre. Cf. :
   « *Yes, mad as it seems!* [...] *They haven't been good—they've simply been absent* [...] *they're simply leading a life of their own. They're not mine—they're not ours. They're his and they're hers!* (*Norton*, XII, p. 49).
   [« Oui, aussi fou que cela paraisse! [...] Ce n'était pas qu'ils fussent sages : ils étaient absents, voilà tout [...] ils mènent tout simplement une vie à eux. Ils ne sont pas à moi — ils ne sont pas à nous. Ils sont à lui — ils sont à elle! » (*Stock*, XIII, p. 191).]

la folie de l'autre comporte, subtilement, le geste — décisif — de la dénégation de sa propre folie. La folie de l'Autre devient, de la sorte, une garantie de sa propre santé et de son propre bon sens.

> *Miss Jessel stood before us* [...] *I remember* [...] *my thrill of joy at having brought on a proof. She was there, and I was justified;* she was there, so I was neither cruel nor mad (Norton, XX, p. 71).

> [Miss Jessel était là, debout devant nous [...] Je me rappelle [...] mon frémissement de joie d'avoir enfin obtenu une preuve indéniable. Elle était là, et j'étais justifiée; *elle était là, je n'étais donc ni cruelle ni folle* (*Stock*, XXI, p. 222; trad. modifiée).]

Le (bon) *sens* de la gouvernante est fondé donc sur la *folie* des enfants. Or, c'est de la même façon que le sens (inverse) proposé par Wilson (la logique de sa lecture) est lui aussi fondé sur la folie, — mais de la gouvernante. C'est la folie de la gouvernante, c'est-à-dire l'*exclusion* de son point de vue, qui *permet* la lecture de Wilson, qui permet à son système de lecture de fonctionner comme système à la fois intégral et cohérent, de même que c'est la folie des enfants, c'est-à-dire l'exclusion de leur point de vue, qui permet la lecture de la gouvernante et son fonctionnement totalitaire [1].

« Ce n'est pas en enfermant son voisin, écrit quelque part Dostoïevski, qu'on se convainc de son propre bon sens. » C'est pourtant ce que semble faire Wilson, dans la mesure même où il répète le geste de la gouvernante; c'est donc précisément ce que fait la psychanalyse, toutes les fois où elle cède à la tentation du *diagnostic*, à la tentation d'indiquer, de montrer ou de situer justement la folie dans la littérature, en croyant à la limite « expliquer » le symptôme même du phénomène littéraire. La psychanalyse, comme la gouvernante, ne diagnostique la littérature que pour *se justifier elle-même* et pour assurer *son contrôle du sens* — pour dénier sa propre folie.

Paradoxalement, le piège du *Tour de vis* est tel, que c'est en dénonçant, en analysant la folie de la gouvernante que Wilson, sans s'en

---

1. — L'exclusion, par la gouvernante, du point de vue des enfants :
   "*It's a game*", I went on, "*it's a policy and a fraud*" (*Norton*, XII, p. 48).
   [« C'est un jeu, continuai-je, c'est une tactique et une fraude! » (*Stock*, XIII, p. 191).]
— Le fonctionnement *totalitaire* de la lecture de la gouvernante :
   "*Yes, mad as that seems!*" The very act of bringing it out really helped me to trace it—follow it all up and piece it all together (*Norton*, XII, p. 48-49).
   [« Oui, aussi fou que cela paraisse! » Le fait même de l'exprimer m'aida à remonter jusqu'à la source et à *reconstituer le tout* (*Stock*, XIII, p. 191).]

rendre compte, imite cette folie et y participe. Si le geste du diagnostic, le geste d'indiquer *la folie de l'autre* vise précisément à *s'exclure* soi-même de la folie, ici l'exclusion même est inclusion : exclure la gouvernante comme folle, c'est du coup répéter son geste d'exclusion, c'est-à-dire *s'inclure dans sa folie.* Wilson ne croit pas si bien dire lorsqu'il dit d'un des textes de James : « Le livre n'est pas simplement obscur — c'est un livre qui rend fou. » [*" The book is not merely mystifying but maddening. "*]

C'est ainsi que *le Tour de vis* piège l'exégète analytique qu'il sollicite mais dont, en même temps, il déconstruit l'autorité, en l'invitant à entrer dans le piège de son mouvement rhétorique. En *séduisant* la psychanalyse, la littérature, en réalité, ne l'invite qu'à *se subvertir elle-même.*

En effet, le mouvement rhétorique du texte, comme nous l'avons déjà vu dans son fonctionnement interne (la réversibilité des rôles de la gouvernante et des enfants), et comme nous venons encore de le voir dans sa performance tactique par rapport au critique qui l'interprète (la symétrie des rôles de la gouvernante et de Wilson), ce mouvement rhétorique consiste justement à *subvertir* la polarité, l'alternative qui *oppose*, comme tels, l'analyste à l'analysant, l'interprétation au symptôme, la théorie au délire, la psychanalyse même à la folie. Que la psychanalyse, face à la folie, soit placée en position spéculaire, Freud et Lacan le reconnaissent bien. Ils reconnaissent tous deux en effet que la valeur même — mais également le risque — de la psychanalyse, sa lumière, mais aussi son aveuglement, sa vérité, mais aussi son erreur, résident justement dans ce *tour de vis :* « Le discours de l'hystérique, écrit Lacan, a appris [à Freud] cette autre substance qui tout entière tient en ceci qu'il y a du signifiant. A recueillir l'effet de ce signifiant, dans le discours de l'hystérique, [Freud] a su le faire tourner de ce *quart de tour* qui en a fait le discours analytique [1]. » C'est au délire de Schreber que Freud, à son tour, reconnaît une frappante concordance avec sa théorie. « L'avenir dira, écrit Freud, si la théorie contient plus de folie que je ne le voudrais, ou la folie plus de vérité que d'autres ne sont aujourd'hui disposés à le croire [2]. »

Ce n'est donc pas un hasard si le drame d'Œdipe — mythe par excellence de la psychanalyse — n'est pas simplement le drame du symptôme mais aussi le drame — ou la tragédie — de l'interprétation. Œdipe, après tout, c'est l'histoire, tout autant, de l'analyste que de

---

1. *Encore*, p. 41.
2. Freud, *Cinq Psychanalyses*, Paris, PUF, p. 321.

l'analysant; et, spécifiquement, de la déconstruction, de la subversion de la polarité qui distingue et oppose ces fonctions. Or, le *meurtre* commis par Œdipe est peut-être constitutif tout autant de l'impasse dans laquelle se trouve l'interprète que de la tragédie de l'interprété. Car c'est le meurtre qui fonde le mouvement rhétorique de la substitution en tant que mouvement aveugle, permettant la commutation entre interprétant et interprété : c'est par le meurtre que l'interprète prend la place du symptôme à interpréter. Par la substitution aveugle par laquelle Œdipe — sans savoir — prend la place de cela même qu'il a tué, il se place aussi, *en tant qu'interprète* (en tant que détective qui cherche à résoudre l'énigme du crime) et sans le savoir également, au lieu précis de la *cible* du *coup destiné à l'Autre.* Or, c'est ce que fait Wilson, précisément, en répétant, sans s'en rendre compte, le geste même de la gouvernante à laquelle il destine son « coup » et dont il prend la place dans la structure textuelle.

C'est par le meurtre qu'Œdipe devient maître. C'est en tuant le silence qui habite comme tel le langage littéraire que Wilson croit maîtriser le texte (et que la psychanalyse croit maîtriser la littérature). Mais Œdipe ne devient maître que pour bientôt s'aveugler lui-même. S'aveugler : dernier geste de maître, pour se donner l'illusion qu'il commande jusqu'à son aveuglement (alors qu'en réalité celui-ci préexiste à celui qu'il s'inflige), qu'il *maîtrise* jusqu'à sa castration (alors qu'en réalité il *subit* celle-ci de partout); s'aveugler, donc, moins peut-être pour se punir en se châtrant que pour *ne pas voir,* justement — pour dénier encore —, la réalité de sa castration, existant en dehors de son propre geste, du fait que la maîtrise même de sa conscience se trouve subvertie, du fait que celui qui est pris au piège de sa détection, c'est lui-même, du fait que l'*Autre,* c'est *lui.* Se crever les yeux, ne pas voir, n'est-ce pas également la fonction du Maître dans le récit même du *Tour de vis?* Désirant maîtriser la littérature, la psychanalyse, justement, s'y aveugle : pour dénier, pour ne pas y lire la subversion de sa propre maîtrise, sa propre castration. L'ironie, c'est que, jugeant, de la sorte, la littérature du haut même de sa position de Maître, la psychanalyse, comme Wilson, rejoint à l'intérieur même du texte la position spécifique du Maître du *Tour de vis :* le lieu même du *point aveugle.*

Or, occuper le point aveugle, c'est ignorer qu'on occupe une place *à l'intérieur même* de l'aveuglement qu'on cherche à démystifier, c'est ignorer qu'on est *dans* la folie, qu'on est nécessairement *dans* la littérature, c'est croire qu'on *peut* être dehors : hors du piège de la littérature, de l'inconscient ou de la folie. Le piège de James, c'était donc d'inviter le lecteur, justement, à tenter d'échapper au piège : à croire qu'il y a un dehors au piège. Or, cette croyance elle-même participe du piège et en fait partie. Tenter d'échapper au piège, c'est précisément y tomber, c'est s'y prendre. « L'inconscient, dit Lacan, n'égare jamais mieux qu'à être pris sur le fait [1]. » C'est ce que dit James dans *le Tour de vis*. Et ce qu'il tente par l'action performative du texte, c'est précisément de nous égarer, de *nous prendre* en nous invitant, au contraire, à *prendre l'inconscient sur le fait*. A vouloir échapper à l'erreur de lecture constitutive de la rhétorique, à vouloir échapper à l'erreur rhétorique constitutive de la littérature, à vouloir maîtriser la littérature pour *ne pas en être la dupe*, la psychanalyse en est *doublement dupe*, ignorant qu'elle est dans la littérature, qu'elle est nécessairement *dans* l'erreur rhétorique, et que de cette erreur même elle exemplifie le point aveugle, celui où affirmer sa maîtrise revient à se subvertir, se châtrer. *Les non-dupes errent*, dit Lacan. C'est aussi ce que dit James, nous disant également que cette phrase, qui nous *piège* à la manière même du « tour de vis », cet énoncé, qu'on ne peut affirmer sans du même coup le nier, qu'on ne peut dire sans le contredire, constitue la position même du *sens* de l'*énonciation littéraire :* position par excellence rhétorique, impliquant un rapport de subversion et de radicale contradiction entre l'énoncé et l'énonciation.

Qu'il n'y a pas de dehors à la littérature, ni de dehors assuré et certain à la folie, d'*où* la démystifier, d'où la situer dans l'Autre sans en être soi-même affecté, Freud, aux meilleurs moments de son texte, ne laissait pas de l'affirmer (en dépit de la tentation inverse — la tentation du maître — à laquelle il a succombé, comme on sait, à d'autres moments). En parlant de *l'Homme au sable* et de l'inquiétante étrangeté que provoque, par la rhétorique d'Hoffmann, la folie de Nathanael — cette folie que le texte marque et métaphorise par le regard (déformé) du héros à travers les lunettes mêmes de l'homme au sable (les lunettes que lui avait vendues l'opticien Coppola) : regard qui précède à chaque fois les accès de folie du héros et ses tentatives de meurtre —, Freud insiste sur le fait que le lecteur est rhétoriquement placé *à l'intérieur* même de cette folie, qu'il n'est donc pas donné au lecteur de juger la folie *du dehors :*

> Nous voyons qu'il [Hoffmann] a l'intention de *nous faire regarder, nous aussi, à travers les lunettes meurtrières de Coppola* [...]
> Nous savons à présent que nous ne sommes pas censés être les spectateurs des productions d'une imagination démente derrière laquelle

---

1. *Scilicet*, nº 1, p. 31.

nous, avec la supériorité des esprits rationnels, nous sommes en mesure de percevoir et de détecter la sobre vérité.

Or, de façon parallèle, le texte du *Tour de vis* pose la folie de la gouvernante comme la condition rhétorique de notre perception de l'histoire. Chez James comme chez Hoffmann, la folie est inquiétante *(unheimlich)* parce qu'elle est *insituable*, parce qu'elle est l'espace même de la lecture. C'est un ironique jugement de folie renvoyé à celui qui dit « je » qui clôt un autre récit de James, intitulé *The Sacred Fount*, lorsque Mrs. Briss dit au narrateur-détective-lecteur :

> *"You are crazy, and I bid you good night."*

> [« Vous êtes fou, et je vous dis bonne nuit. »]

Mais le narrateur, dans ce « dernier mot », ne se repère que comme insituable : « Un tel dernier mot, commente-t-il, me plaça entièrement nulle part [1]. »

« C'est un jeu », dit la gouvernante du comportement des enfants, dont elle veut établir la « folie » (la possession par l'Autre) :

> — *"It's a game, it's a policy and a fraud!"* (Norton, XII, p. 48).
> [« C'est un jeu, c'est une tactique et une fraude! » (*Stock*, XIII, p. 191; trad. modifiée).]

> — *"It's all a mere mistake and a worry and a joke".* (Norton, XX, p. 72.) [« Tout ça est une erreur, c'est un ennui et une blague » (*Stock*, XXI, p. 225).]

réplique indirectement Mrs. Grose, lorsqu'elle se rend compte, de son côté, de la folie de la gouvernante et qu'elle cherche à rassurer la petite fille, l'assurer que les fantômes n'existent pas. Que l'erreur soit tragique et comique en même temps, qu'elle soit tout à la fois « un ennui » et « une blague », James à sa façon le dit dans la préface de New York :

> *The study is of a conceived "tone", the tone of suspected and felt trouble, of an inordinate and incalculable sore*—the tone of tragic, yet of exquisite, mystification (Norton, p. 120).

> [L'étude est celle d'un certain « ton », le ton d'un trouble senti et soupçonné, d'une douleur démesurée et incalculable — *le ton d'une tragique, et pourtant d'une exquise, mystification.*]

1. H. James, *The Sacred Fount*, New York, Charles Scribner's Sons, 1901, p. 318-319; je traduis.

Puisque le geste de Wilson répète le geste de la gouvernante, puisque le critique participe à la folie qu'il dénonce, la *démystification* de l'exégèse analytique *reproduit la mystification* du langage littéraire. La mystification elle-même, c'était donc de laisser croire à une différence fondamentale, à une opposition radicale entre le tour de vis de la démystification et celui de la mystification. Or, c'est paradoxalement la mystification littéraire qui démystifie — qui prend au piège — le démystificateur, en le mystifiant activement.

« Nous serions bientôt à nous demander », écrit Lacan à propos de *la Lettre volée* de Poe — mais ce serait aussi vrai du *Tour de vis* —, « nous serions bientôt à nous demander si [...] ce n'est pas *que tout le monde soit joué* qui fait ici notre plaisir [1]. » Si la mystification, dans les termes mêmes de James, est « exquise », c'est qu'elle est, justement, une source de plaisir : la comprendre, c'est *être compris* par elle; jouer, c'est se trouver déjoué. Si la « blague » est pourtant un « ennui », si, toute « exquise » qu'elle soit, la mystification est « tragique », c'est parce que l' « erreur » (la folie même de l'interprète) est celle de la vie. « La vie est la condition de la connaissance », écrit Nietzsche. « L'erreur est la condition de la vie, je veux dire l'erreur foncière. Savoir que l'on erre ne supprime pas l'erreur [2]. »

UN FANTÔME DE MAÎTRE

> *The whole point about the puzzle is its ultimate insolubility. How skillfully he managed it [...] The Master indeed.*
> Louis D. Rubin, Jr., *One More Turn of the Screw.*

> *Note how masterly the telling is [...] still we must own that something remains unaccounted for.*
> Virginia Woolf, *Henry James's Ghosts.*

> On me voulut un rôle plus efficace quoiqu'il ne convient à personne.
> Mallarmé, *Crise de vers.*

C'est ainsi que, dans l'espace de la blague qui est aussi un espace d'ennuis, dans l'espace du plaisir et du rire qui est aussi un espace de souci, Henry James, en maître du jeu, tourne la vis qui commande le ressort même de notre intérêt :

> *That was my probleme, so to speak, and my* gageure—*[...] to work my [...] particular degree of* pressure on the spring of interest [3].

1. *Écrits, op. cit.,* p. 17.
2. Nietzsche, *La Volonté de puissance.*
3. Préface à *The Golden Bowl, AN,* p. 331.

[Là était mon problème, pour ainsi dire, et ma gageure — [...] d'effectuer mon degré particulier de *pression sur le ressort de l'inté-rêt* .]

« Vous avez failli me tuer », proteste le valet de Don Juan, Lepo-rello, dans l'opéra de Mozart *Don Giovanni*. « Tu es fou, ce n'était qu'une blague », rétorque en riant son maître. Si la blague de James est celle des *fantômes*, c'est parce que, maître des « tours de vis », James lui aussi a choisi, justement, de blaguer avec la mort même. Blaguer avec la mort : devenir maître de lettres, joueur de fantômes. Car les fantômes, comme les lettres, ne sont que les « termes opéra-toires » du mouvement de la mort dans le signifiant, de la capacité de *substitution* qui fonde la littérature en tant qu'espace paradoxal de jouissance et de déception :

> What would the operative terms, in the given case, prove, under cri-ticism, to have been—a series of waiting satisfactions or an array of waiting misfits? The misfits had but to be positive and concordant, in the special intenser light, to represent together (as the two sides of a coin show different legends) just so many effective felicities and subs-titutes. [...] Criticism after the fact was to find in them arrests and surprises, emotions alike of disappointment and of elation: all of which means, obviously, that the whole thing was a living* affair (AN, p. 341-342; * James souligne).

> [Qu'est-ce que les termes opératoires, dans le cas donné, s'avéreront avoir été à l'examen critique — une série de *satisfactions en réserve* ou une gamme d'*incongruités à venir*? Les incongruités n'avaient qu'à être positives et concordantes, à la lumière spéciale plus intense, pour représenter ensemble *(comme les deux faces d'une pièce de monnaie présentent des légendes différentes)* autant de *bonheurs* et de *substituts effectifs*. [...] La critique, après coup, devait y trouver des sujets d'étonnement et des surprises, des émotions à la fois de décep-tion et de ravissement : tout cela revenant à dire, bien évidemment, que le tout était une affaire *vivante* * (* James souligne).]

Si en un sens la mort est une blague, c'est parce que, comme le dit Bataille, « la mort est une imposture ». Comme les fantômes, la mort est, précisément, ce qui ne meurt pas : c'est donc des fantômes, de la mort elle-même, qu'on peut dire qu'elle est par excellence « une affaire *vivante* », l'affaire même des vivants.

Maître des fantômes comme des lettres, James, au contraire de ses interprètes, se fait aussi *dupe* que possible de leur littéralité. C'est en tant que dupe de la lettre même de son texte qu'il demeure juste-ment le Maître, qu'il déjoue nos assauts critiques et notre effort pour le maîtriser. Il affirme ne rien savoir du contenu, ou du sens, de sa propre lettre. Comme les lettres du *Tour de vis*, sa lettre, dit-il, ne contient *rien*. Son texte est donc à la lettre

> *a poor pot-boiling* study of nothing at all, qui ne tire pas à conséquence *. *It is but a monument to my fatal technical passion, which prevents my ever giving up anything I have begun. So that when* something that I have supposed to be a subject turns out on trial to be none, je m'y acharne d'autant plus * [1].
>
> *As regards a presentation of things so fantastic as in that wanton little Tale, I can only blush to see real substance read into them* [2].
>
> *My values are positively all blanks save so far as an excited horror, a promoted pity, a created expertness* [...] *proceed to read into them more or less fantastic figures* (Préface de New York, *Norton*, p. 123).
>
> [un pauvre gagne-pain, une *étude de rien du tout*, qui ne tire pas à conséquence. Ce n'est rien d'autre qu'un monument à ma fatale passion technique, qui m'empêche de renoncer à quoi que ce soit que j'ai commencé. De sorte que lorsque *quelque chose que j'ai supposé être un sujet s'avère à l'expérience ne pas en être un, je m'y acharne d'autant plus* .
>
> Quant à la présentation de choses aussi fantastiques que celles de cette petite Fable étourdie, je ne peux que rougir en voyant qu'on y lit des choses substantielles .
>
> Mes valeurs sont positivement des cases vides, sauf en tant qu'une horreur excitée, une pitié exacerbée, une expertise créée [...] procèdent à y lire des figures plus ou moins fantastiques.]

Maître de sa propre fiction parce qu'il en est, justement, la dupe, James, comme le Maître du *Tour de vis*, n'en veut rien savoir; il refuse, lui aussi, de lire nos lettres, les détourne et nous les retourne quasiment non ouvertes :

> *I'm afraid I don't quite* understand *the principal question you put to me about* The Turn of the Screw. *However, that scantily matters; for in truth I am afraid* [...] *that I somehow can't pretend to give any coherent account of my small inventions "after the fact"* [3].
>
> [Je crains de ne pas bien *comprendre* la question principale que vous me posez à propos du *Tour de vis*. Cela importe peu, toutefois; car

1. Lettre à Paul Bourget, 19 août 1898, *Norton*, p. 109 (* en français dans le texte).

2. Lettre au Dr Waldstein, 21 octobre 1898, *Norton*, p. 110.

3. Lettre à F. W. H. Meyers, 19 décembre 1898, *Norton*, p. 112.

en vérité je m'avoue en quelque sorte incapable de donner une quelconque explication cohérente de mes petites inventions « après-
coup »].

Ainsi, la maîtrise même de James consiste dans la déconstruction,
justement, de sa propre maîtrise. Comme le Maître du *Tour de vis*
vis-à-vis des enfants et de Bly, James ne s'affirme Maître qu'en
revendiquant, par rapport à sa « propriété » littéraire, la « licence »,
comme il le dit lui-même, « du désengagement et du désaveu » (*AN*,
p. 348). Ici comme ailleurs, la « maîtrise » s'avère être une auto-
dépossession. Se dépossédant de sa propre histoire, James du coup
dépossède son histoire de son maître. Mais n'est-ce pas exactement
cela que fait le Maître du *Tour de vis*, lorsque, dépossédant, à son tour,
la gouvernante de son Maître (lui-même), il lui donne « une *suprême
autorité* »? C'est d'une « suprême autorité » que James également
investit le lecteur, par la déconstruction de sa propre maîtrise. Or,
donner au lecteur, comme à la gouvernante, une suprême autorité,
n'est-ce pas, justement, les *rendre fous?*

> *That one should, as an author*, reduce one's reader [...] to such a
> state of hallucination *by the images one has evoked* [...]—*nothing could
> better consort than that* [...] *with the desire or the pretention to cast
> a literary spell* (*AN*, p. 332).
>
> [Qu'en tant qu'auteur *on réduise son lecteur* [...] *à un tel état d'hallu-
> cination* par les images que l'on a évoquées [...] rien ne peut s'allier
> plus que cela [...] avec le désir ou la prétention de créer, comme par
> magie, un état d'envoûtement littéraire.]

C'est parce que la maîtrise même de James consiste à savoir que
la maîtrise ne peut être comme telle qu'une *fiction*, que sa loi même
de Maître, comme celle du Maître du *Tour de vis*, est une loi de la
fuite. Or, c'est en raison de sa fuite, *en raison de sa disparition*,
que le Maître du *Tour de vis* se transforme, précisément, en fantôme.
Et de même, on peut dire que James lui-même devient, par excellence,
un Maître-fantôme, selon sa propre définition du fantôme :

> Very little appears to be [*done*]—by the persons appearing; [...]
> *this* negative quantity *is large* [...]. *Recorded and attested "ghosts"
> are in other words* [...], *above all*, as little continuous and conscious
> and responsive, *as is consistent with their taking the trouble—and
> an immense trouble they find it, we gather — to appear at all.* (New York,
> Préface Norton, p. 121.)
>
> [Les personnes apparaissantes paraissent ne presque rien faire [...]
> Cette *quantité négative* est bien grande. [...] Des « fantômes » attestés
> et enregistrés sont, en d'autres termes, avant tout, *aussi peu continus
> et conscients et susceptibles de répondre* qu'il est concevable, étant

donné la peine qu'ils prennent (et cette peine, semble-t-il, est immense) de décider même d'apparaître.]

Constater de la sorte que le Maître est lui-même devenu un fantôme, c'est répéter, en un sens, là encore, la constatation même du *Tour de vis* : il y a *lettres* à partir du moment où il n'y a plus de Maître pour les recevoir — pour les *lire*. Or, cette constatation pourrait impliquer une définition de la littérature, telle que la pratique même de Henry James la suggère : la littérature, c'est la mort du Maître, sa transformation en fantôme, qui définit, comme telle, justement, la *littéralité;* la littéralité, en tant qu'elle demeure imperméable à l'interprétation, en tant qu'elle en est, justement, *le reste :* « tout le reste est littérature », dit Verlaine [1]. « The rest is the madness of art », écrit James [2] : le reste, ou la littéralité, en tant qu'elle a le pouvoir de nous rendre à jamais *dupes;* en tant que le savoir qu'elle véhicule, qui ne peut *se* savoir, que notre savoir ne peut intégrer, nous dépossède à la fois de notre maîtrise et de notre Maître. « Que tout texte, écrit Lacan, *voie sa littéralité croître* en prévalence de ce qu'il implique proprement d'affrontement à la vérité, c'est ce dont la découverte freudienne montre la raison de structure [3]. »

James encore :

> *It's not that the muffled majesty of authorship doesn't here ostensibly * reign; but I catch myself again shaking it off and disavowing the pretence of it while I get down into the arena and do my best to live and breathe and rub shoulders and converse with the persons engaged in the struggle that provide for the others in the circling tiers the entertainment of the great game. There is no other participant, of course, than each of the real, the deeply involved and immersed and more or less bleeding participants* (AN, p. 328; * James souligne).

[Ce n'est pas que la majesté étouffée de « l'auteur » ne règne pas ici *en apparence **; mais je me surprends à nouveau en train de la secouer, d'en désavouer la prétention pendant que je descends dans l'arène et fais de mon mieux pour vivre et pour respirer, et pour frotter les épaules et faire la conversation avec les personnes engagées dans la lutte, et qui fournissent aux autres, dans les rangs entourants, le divertissement du grand jeu. Il n'y a pas d'autre participant, bien sûr, que chacun de ceux, réels, qui sont profondément engagés, submergés, et qui sont tous, plus ou moins, en train de saigner de leurs blessures.]

1. Il faut aussi que tu n'ailles point / Choisir tes mots sans quelque méprise : / Rien de plus cher que la chanson grise / Où l'Indécis au Précis se joint / [...] Et tout le reste est littérature. / (Verlaine, « Art poétique ».)
2. Cette phrase est dite justement par l'artiste mourant dans *The Middle Years.*
3. *Écrits, op. cit.,* p. 364.

Les participants sanglants, ce sont précisément les membres du cercle autour du feu, dont nous sommes. Nous renvoyant la folie de notre propre lecture, c'est nous que James fait rire — et saigner. Les erreurs et les ennuis sont les nôtres; la blague est celle qui nous joue.

Octobre 1976 / mars 1977.

APRÈS-COUP

LA FOLIE ET LA CHOSE LITTÉRAIRE :
VERS LA QUESTION DU LIVRE

De quelle façon la folie rend-elle raison de la chose littéraire?
Pourquoi folie? Au fond, n'aurais-je pas pu dire raison du texte?
S'agissait-il ici, en somme, des *textes de la folie*, ou bien de *la folie des textes?*

Ce livre tâchait, justement, de penser le *rapport* entre les deux :
penser sur ce que « parler de la folie » veut dire, à partir de l'exploration du rapport entre les textes de la folie et la folie du texte; je
voulais indiquer comment la rhétorique de la folie et la folie de la
rhétorique effectivement se rencontrent, et non pas simplement en
vertu du jeu des mots.

Nous avons dans ces textes, à un premier niveau, la thématisation
d'un certain *discours sur* la folie, déployant une certaine éloquence
linguistique par laquelle la folie s'affirme comme sens, s'établit
comme l'*énoncé* du texte. C'est ce que j'appelle, dans ce livre, « rhétorique de la folie ». Or, que ce discours sur la folie soit une façon
de dire « je » : un cri du sujet qui, se disant « fou », revendique un
sens à sa propre folie et se revendique un statut d'exception (le
narrateur des *Mémoires d'un fou*), ou une façon de dire « il », d'esquisser le geste du diagnostic par lequel, rejetant la folie au-dehors, on
la *situe* dans *l'Autre* (Wilson expliquant la folie de la gouvernante,
et celle-ci affirmant la folie des enfants), la rhétorique de la folie
s'avère être toujours mystifiée, mystifiante : *parler de la folie*, c'est
toujours, en fait, *dénier la folie;* quelle que soit la façon dont on
puisse représenter la folie et se la représenter, (se) représenter la folie
c'est toujours (qu'on le sache ou non, qu'on le veuille ou non) se
jouer la *scène* de la dénégation de *sa propre* folie.

Mais, si le discours sur la folie n'est pas un discours *de* la folie,
n'est pas, proprement, un discours fou, il n'en existe pas moins,
dans ces textes, une *folie qui parle*, une folie qui se joue toute seule à
travers le langage mais sans que personne ne puisse devenir le sujet
parlant de ce qui se joue. C'est ce mouvement de jeu linguistique
intotalisable, immaîtrisable, ce mouvement de jeu qui déjoue le sens

et par lequel l'*énoncé* s'aliène à la *performance* textuelle, que je dénomme, dans ce livre, « folie de la rhétorique ».

Paradoxalement donc, la folie de la rhétorique est *ce qui subvertit*, justement, la rhétorique même de la folie. Là où se subvertit à la fois le pathos mystifié du cri du sujet et la fausse neutralité scientifique de l'exclusion de l'Autre, là où se subvertit la rhétorique de la folie, se situe, justement, la folie (la rhétoricité) du texte. Si la rhétorique de la folie est une rhétorique de la dénégation, la dénégation s'avère être elle-même habitée par la folie qu'elle dénie.

La folie, en d'autres termes, est ce qu'un sujet parlant ne peut ni simplement dénier, ni simplement affirmer (assumer).

C'est *entre* leur affirmation de la folie et leur dénégation de la folie que les textes de la folie *se jouent*, et qu'ils se jouent eux-mêmes comme folie, c'est-à-dire comme *irreprésentables*. C'est entre leur rhétorique littéraire de la folie et la folie même de leur rhétorique littéraire que ces textes, *en parlant* de folie, *font acte* de folie, font acte, justement, de la *rencontre* entre « parler de la folie » et la « folie qui parle ». Si les textes de la folie ne sont pas *présents* à leur propre folie, c'est donc, paradoxalement, parce qu'ils *sont* la folie dont ils parlent.

Mais folie, dira-t-on, dans quel sens? Que signifie finalement la folie dans ce livre? Quel est le statut rhétorique du terme « folie » dans mon propre discours théorique et critique? La folie est-elle prise ici au sens propre, ou est-elle une pure métaphore?

Les textes étudiés dans ce livre ne permettent pas de répondre d'une manière univoque ou simple. Qu'ils traitent de la psychose, de la névrose ou du stéréotype, les textes de la folie déroutent justement le savoir que l'on peut avoir par ailleurs quant au statut rhétorique de la folie dont ils parlent, et dont ils font question. A l'issue de ses analyses, ce livre voudrait donc s'ouvrir sur la question suivante : ne serait-il pas possible de penser *la spécificité même de la littérature* comme ce qui ne permet pas de répondre, comme ce qui *suspend la réponse* à la question de savoir si la folie dont elle parle est « propre » ou bien est une pure figure? Le propre de la chose littéraire est de faire en sorte *qu'on ne puisse plus savoir* quel est le statut rhétorique de sa propre folie.

Je voudrais suggérer, en d'autres termes, que la spécificité même de la façon dont la littérature parle de la folie tient en cette *mise en rapport*, non seulement du symptôme et de la métaphore, de « la folie qu'on enferme » et de « l'hallucination des mots », mais, plus spécifiquement et plus étrangement, *de la psychose et du stéréotype*, de la folie d'*Aurélia* et de celle des *Mémoires d'un fou*. L'insolite du renseignement littéraire réside dans l'insolite même de cette rencontre, ou mise en rapport opérée par le signifiant « folie », entre le fonctionnement du cliché et le fonctionnement même de la psychose.

Ce n'est sans doute pas un hasard si Jacques Lacan, étudiant des écrits de psychotiques au prime abord apparus comme des « écrits inspirés », y découvre comme caractère marquant la « stéréotypie », c'est-à-dire la « part d'automatisme » : « Rien n'est en somme moins inspiré, écrit-il, que cet écrit ressenti comme inspiré. » De cette étude proprement clinique, Lacan dégage le rôle essentiel du rythme dans les écrits psychotiques : « Les formulations conceptuelles [...] n'ont pas plus d'importance que les paroles interchangeables d'une chanson à couplets. Loin qu'elles motivent la mélodie, c'est celle-ci qui les soutient. [...] Dans ces écrits, la formule rythmique seule est donnée, que doivent remplir les contenus idéiques[1]. »

Or, la littérature, elle aussi, à travers le topos même de la folie, pointe vers la connivence, justement, entre les signes de l'inspiration et les signes de l'automatisme. Il me semble que la chose littéraire, sur le rythme, et sur l'énigme du sens même de l'automatisme, pourrait dire quelque chose d'inédit, si seulement on savait l'écouter, et que le savoir que comporte sa mise en rapport insolite de la psychose et du stéréotype est peut-être la question de demain : la question à venir que la littérature, de son lieu spécifique, invite à poser, et celle que, de son lieu spécifique, elle adresse *à* la psychiatrie, *à* la psychanalyse, *à* la biologie tout autant qu'*à* la linguistique.

Si la littérature, de son lieu spécifique, nous renseigne sur la folie, la folie peut-elle à son tour nous renseigner sur la chose littéraire? Il me semble que, s'il existe en effet quelque chose comme la chose littéraire, elle ne peut s'expliquer que par la folie. Mais si la folie, à mes yeux, rend raison de la chose littéraire, ce n'est pas, comme on a pu le penser, en vertu d'une « sublimation » ou d'une fonction proprement thérapeutique de l'écriture, mais en vertu d'une irréductible *résistance de la chose à l'interprétation*. La folie, en dernière instance, se sera définie dans ce livre comme une résistance en acte à l'interprétation. La folie, en d'autres termes (comme la chose litté-

1. *Annales médico-psychologiques*, 1931.

raire), ne consiste ni en *sens* ni en *non-sens;* elle n'est pas un signifié dernier, aussi manquant ou disséminé qu'on puisse se l'imaginer, ni même un signifiant ultime qui résiste au déchiffrement exhaustif, mais une sorte de *rythme* imprévisible, incalculable, inarticulable, mais foncièrement narrable, à travers le récit du glissement d'une lecture *entre* le trop-plein-de-sens et le trop-vide-de-sens. Toute lecture est un récit rythmé par la rhétorique de ce qu'elle manque à dire sur son rapport au texte et à la folie du texte.

La dernière proposition théorique qui ressort des analyses de ce livre est donc la proposition suivante :

Plus un texte est « fou » — plus, en d'autres termes, il résiste à l'interprétation —, plus ce sont les modes spécifiques de sa résistance même à la lecture qui constituent son « sujet », et sa littérarité. Ce que la chose littéraire, dans chaque texte, raconte, c'est précisément *la spécificité même de sa résistance à notre lecture.*

C'est là, du moins, la façon dont je vois aujourd'hui le rapport entre littérature et folie. Tel est donc le nouveau récit (théorique et rhétorique) que ce livre voudrait ouvrir comme question, et dont il voudrait *faire signe* vers un interprétant à venir.

Septembre 1977.

Table

FIRMIN-DIDOT S.A. PARIS-MESNIL
D.L. 4ᵉ TR. 1978 Nᵒ 4958 (2914)

COLLECTION « PIERRES VIVES »